まえがき

# 税法学習は、税理士への真の第一歩!

本書を手にしたみなさんの多くは、税理士試験の会計科目(簿記論、財務諸表論)の受験をされた方や無事合格された方だと思います。よくぞ、ここまで来られました!

そして、いよいよ税法科目の学習をはじめようとされる方にあらためて伝えておきたいことがあります。それは、税理士とは「税法のプロフェッショナルであり、法律家である」ということです。

ですから、税法の学習は税理士への真の第一歩を踏み出したことになります。

ここからまた気を引き締めていけば、税理士試験の合格も間近です。

さて、ネットスクールでは税理士試験を目指す方への資格支援の学校として、画期的なことを行いました。それは、本来、高額な受講料を払ってのみ手にすることのできる講座使用教材を書店やネットショップで市販することでした。

これにより、独学者にも平等に合格を目指す機会を提供することができましたし、また、独学者が同じ教材を使用して講座学習に切り替えられるという利便性を高めることができました。

一方で、講座使用教材を誰もが購入できるということは、講座の付加価値の希薄化を招き、さらには講座のノウハウの流出というリスクも抱えてしまうことになりかねません。

しかしそれでも、人生を賭けてチャレンジする受験生にとってよりよい教材は生命線であり、その気持ちを想像したときに、講座使用教材を市販することについて一縷の迷いも生じることはありませんでした。さらに言えば、基本問題から応用問題まで網羅することにより段階を追って学習できる問題集に仕上げることに注力しました。

合格するための状況は我々が整えます。

みなさんは、この本で勇気を持って始め、本気で学んでください。

そうすれば、みなさん自身ばかりではなく、みなさんの周りの人たちをも幸せにできる、そんな人生が開けてきます。

さあ、この一歩、いま踏み出しましょう!

税理士WEB講座

講師一同

# 目次
Contents

税理士試験　問題集
法人税法III　応用編

合格に必要な知識を効果的に習得するために

# 本書の構成・特長

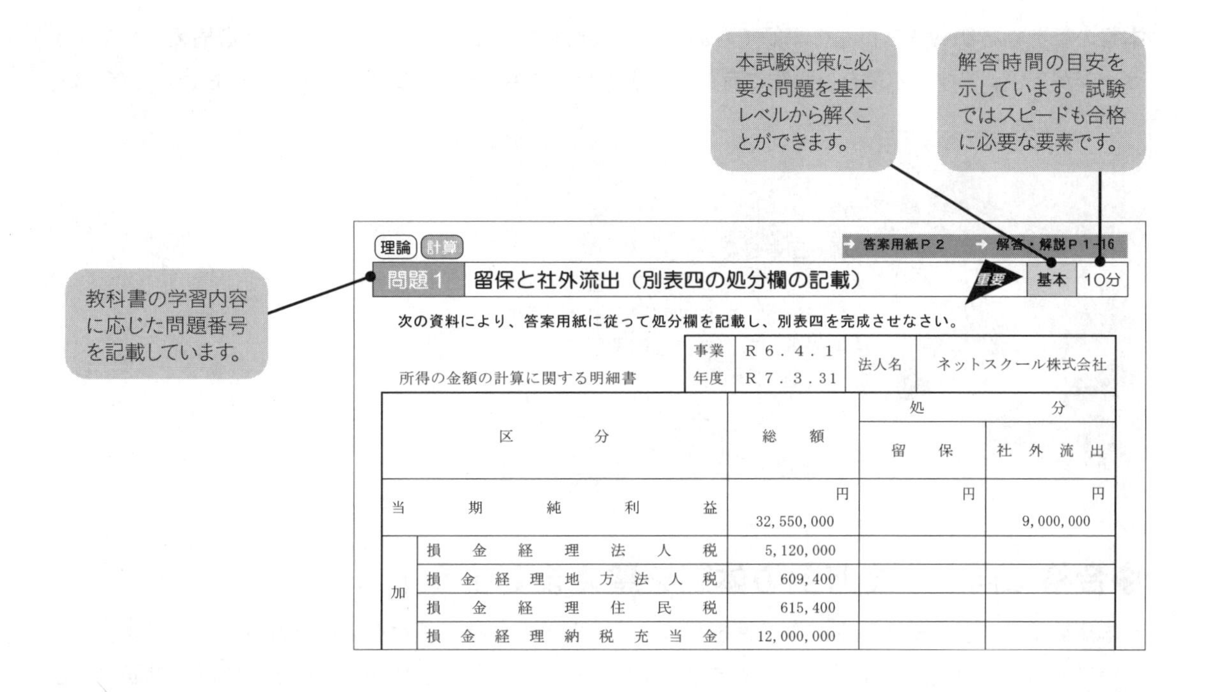


次の資料により、答案用紙に従って処分欄を記載し、別表四を完成させなさい。

| 所得の金額の計算に関する明細書 | 事業年度 | R6.4.1 R7.3.31 | 法人名 | ネットスクール株式会社 |
|---|---|---|---|---|

| 区分 | | 総額 | 処分 | |
|---|---|---|---|---|
| | | | 留保 | 社外流出 |
| 当期純利益 | | 円<br>32,550,000 | 円 | 円<br>9,000,000 |
| 加 | 損金経理法人税 | 5,120,000 | | |
| | 損金経理地方法人税 | 609,400 | | |
| | 損金経理住民税 | 615,400 | | |
| | 損金経理納税充当金 | 12,000,000 | | |

答案用紙については、ネットスクールホームページにてダウンロードサービスを行っております。

学習をはじめる前に

# 著者からのメッセージ

本書の著者であり、WEB 講座の講師でもある田中政義先生から、本書を学習する前の心構えとしてメッセージがございます。本書を最大限に有効活用するためにも、まずはこのメッセージをお読みください。

プロフィール
**講師　田中政義**（たなかまさよし）
講師歴 25 年。法人税法担当。懇切丁寧な講義がわかりやすいと評判。受験生の親身になった詳しい解説で、多くの受験生を最短合格へと導く。

## ◆合格に向かって万全の体制を整えましょう！

応用編では、引き続き基本的な学習を行っていくとともに特殊項目も学習を行っていきます。

特殊項目より基本的な学習が大事ですが、年によっては、特殊項目が全面に出た本試験問題の出題もありますので、可能な限りリスクを減らすようにしていきましょう。

## ◆本試験に合格するための学習

教科書と問題集は「基礎導入編」「基礎完成編」「応用編」の３部構成となっています。

直前期までの学習は、応用編で万全となります。

直前期に備えて万全としておきましょう！

ネットスクールの書籍シリーズのご案内

# 税理士試験合格に向けた学習

## 教科書・問題集　Ⅰ基礎導入編

基礎導入編は“教科書（テキスト）”と“問題集”の内容を1冊にまとめた構成となっており、『教科書編』ではインプットを、『問題集編』ではアウトプットを繰り返すことにより、効率的に学習を進めることができます。何事も最初が肝心となりますので、まずは本書で法人税法学習の土台を作りあげていきましょう。

## 教科書／問題集　Ⅱ基礎完成編

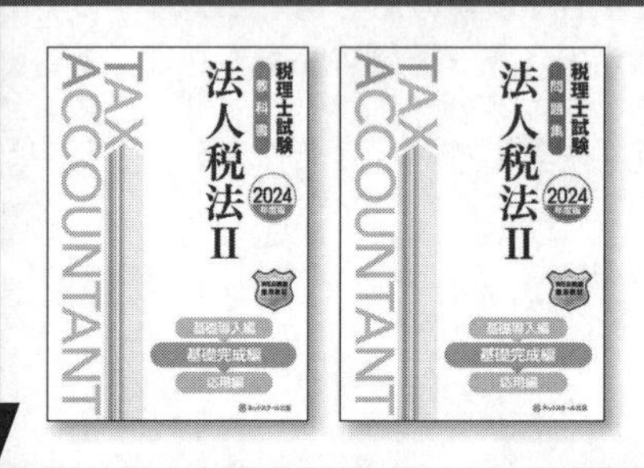


基礎導入編での学習が終わったら、基礎完成編に移ります。基礎導入編と同様に、税理士試験で頻繁に出題される重要論点の基礎的事項を学習していきます。

基礎完成編も基礎導入編と同様に、教科書でインプットしたことを必ず問題集（教科書と別売りとなります）を使ってアウトプットし、学習した知識を定着させましょう。

## 理論集

理論学習に特化したテキストで、効果的で無駄のない理論学習を行えます。

また、重要理論については音声＆デジタル版のWダウンロードサービスを付帯し、移動中や外出先でも理論学習を行えるようにしております（別途有料サービス）ので、あわせてご利用ください。

## 教科書／問題集　Ⅲ応用編

基礎完成編での学習が終わったら、応用編の学習に移ります。試験対策として重要となる応用的な内容及び特殊論点を学習していくことになりますが、基礎導入編及び基礎完成編で学習した内容を基に学習を進めていただければ、無理なく学習を進めることができますので、復習する際は、基礎導入編及び基礎完成編も併せて復習するようにしましょう。

## 全経　税法能力検定試験　公式テキスト（３級／２級・１級）

公益社団法人　全国経理教育協会（全経協会）では、経理担当者として身に付けておきたい法人税法・消費税法・相続税法・所得税法の実務能力を測る検定試験が実施されています。試験を受けることで、実務のスキルアップを図れるだけでなく、税理士試験の基礎学力の確認としても有効に活用することができます。税理士試験の学習と並行して、全経　税法能力検定試験の学習を進めることをお勧めします。

※検定試験の詳細は、全経協会公式ホームページをご確認ください。

https://www.zenkei.or.jp/

## ラストスパート模試

教科書（テキスト）での学習が一通り終わったら、本試験形式で構成された模擬試験問題を解きましょう。本シリーズでは、ネットスクールの税理士講師の先生が作成した模擬問題を３回分収載しています。

試験問題を本体から取り外し、YouTube で配信している「試験タイマー」を流しながら解くことで、試験本番の臨場感の中で解くことができます。学習してきた力を試験本番で十分に発揮できるよう訓練をしましょう。

## 試験合格！

## ネットスクール公式 YouTube チャンネル

**試験勉強や合格後の実務に役立つ動画も随時配信中！**

☑ 出題予想や本試験の講評・解説

☑ 最新の実務の動向を解説する「ネットスクール学びちゃんねる」

☑ 試験会場の雰囲気を味わえる試験タイマーなど

アカウントをお持ちの方はぜひチャンネル登録のうえ、ご覧ください。

※掲載している書影は、すべて 2024 年８月現在の最新版、教科書／問題集シリーズは 2024 年度版のものとなります。

※書籍のお求めは全国の書店・インターネット書店、またはネットスクール WEB-SHOP をご利用ください。

**多数の“合格者の声”が信頼と実績の証です！**

# ネットスクールWEB講座 合格者の声

ネットスクールで見事！合格を勝ち取った受講生様からのお言葉を紹介いたします。

**イトウ　ハルカ様（20代女性／学生） 第72回試験／消費税法合格**

私は他の予備校と併用する形で受講させていただいたのですが、画面を通しての講義でも質問などに親身に対応してくれてとても勉強しやすかったです。また、常に前向きな言葉をかけてくださる所にもとても勇気をもらいました。

勉強方法については、学生で本業の学業も手を抜くことができないため、試験勉強は、毎日何時から何をするかの計画を立てて勉強しました。また、直前期は毎日総合問題を解き、問題解答のフォームやルーティーンを定着させるようにしました。直前期は複数の予備校の直前対策問題を解くようにしましたが、ネットスクールの教材は、特に予想問題が主要論点を抑えつつ初見の問題もあったため何度も活用させていただきました。

YouTubeの解答速報を拝見し、丁寧な解説と勇気をもらえるような言葉を伝えてくれるネットスクールに興味を持ち、複数の科目を受講しましたが、丁寧な解説、教材、出題予想で本当に助かりました。受講してよかったです。

**Y・K様（30代男性／一般会社勤務） 第72回試験／相続税法合格**

相続税法の受験は3回目となりますが過去2回不合格となった際には、計算・理論共に基本論点で解答できておりませんでした。そのため、基本論点を見直し、ネットスクールの参考書や問題集を何度も回転させて記憶の定着を図りました。

また、単なる暗記ではなく理解力も伸ばさなければ本番の試験には対応できないので、制度の概要やなぜその制度が創設されたのかといった背景を理解することも重視しておりました。ネットスクールでは講義が分かりやすく、何度も気になったところは再生できるので納得いかないところは何度も視聴して理解することを心がけておりました。

最後になりますが、試験直前になるとSNS等で他校の生徒が高得点を取った情報や理論予想などの投稿を目にすることがありますが、そのような情報に惑わされずにまずはネットスクールのカリキュラムをしっかりと消化してその中での問題は確実に解けるようにすることが非常に重要だと思いました。実際に相続税法の理論では、ネットスクールで出題されたところを完璧に理解しておりましたので、他校の理論の出題ランクは低い論点でしたがしっかりと点数を取ることが出来ました。

これからは法人税法・消費税法の合格を目指して引き続きネットスクールにお世話になろうと考えております。引き続きどうぞよろしくお願いいたします。

官報合格者も
続々輩出！

## M・S様（50代男性／一般会社勤務）第71回試験／国税徴収法・官報合格

以前は独学で市販の理論集や問題集を購入して勉強していましたが、配当額の計算でどうしてこのような計算結果となるのか、いまひとつ理解できないところもあり、本試験でも配当額を間違えて計算してしまったことから、その年度は残念ながら不合格となりました。

その後、国税徴収法のテキストを探していたところ、ネットスクールの通信講座を知り、もう一度勉強しなおそうと思い立ち、受講を決めました。

実際に講義を受けてみると、これまで理解が不完全だった「なぜこうなるのか」がすっきりと理解でき、まさに目からウロコが落ちる、という体験でした。

理論は、試験に直結する重要度が高いものに加え、「これは覚えておくべき」と自分が判断したものを全部暗記し、2～3日間で一回転するやり方で精度の向上に努めました。ただ単に暗記するだけではなく、横のつながりを意識することが大切だと思いましたので、どことつながっているのかもいっしょに覚えるようにしました。

答練は、通信講座のなかの問題と過去問で練習を繰り返しました。「ラストスパート模試」は過去8年分と模擬試験4回分が収録されていましたので、これだけでも練習量としては充分だったと思います。答案の書き方自体もあまりよく知らず、以前は隙間なくビッシリと書いていましたので、適度にスペースを空ける書き方を教えてもらったことも受講してよかった、と思いました。

おかげさまで国税徴収法に合格することができました。ありがとうございました。

## S・K様（40代男性） 第72回試験／法人税法・官報合格

この度、ようやく官報合格となりました。これまでにお世話になった先生方、本当に本当にありがとうございました。私は他校の受講経験がなく比較することはできませんが、一番ありがたかったのは「学び舎」です。理解力不足や勘違いで何度もくだらない質問をしましたが、すぐに丁寧に詳しく解説を頂けたことが合格に結び付いたと確信しています。

受験勉強で私が一番苦労したのは、何と言っても勉強時間の確保です。仕事との両立はやはり厳しく、平日夜はほぼ時間がとれないため、毎朝3時に起床し朝に勉強するというスタイルで、1日約3～4時間は勉強に充てていました。主な1日のスケジュールは、朝は計算メインの勉強、通勤時間は車の中で、自分が吹き込んだオリジナル理論音声を聞きながらブツブツ念仏を唱え、昼休みは理論集の暗記、ベッドに入って寝るまでの時間も理論集の暗記といった内容でした。

私の理論暗記法は、短期間で繰り返し理論集を何回転もさせるやり方です。最初は重要語句を暗記ペンでマーカーし、覚えたら次の理論という感じでどんどん進めていき、少しずつ暗記ペンでマーカーした部分を増やしていきます。30～40回転目になると、ほとんどマーカーした状態になり、その頃からは、理論集を見ずに暗唱し、つまれば理論集を見て確認するというやり方に徐々にシフトしていきます。この方法は職場の先輩から教えてもらったもので、前回受験した国税徴収法と今回受験した法人税法はこの方法でほぼ全部暗記しました。直前期は数日で1回転できるようになり、最終的には60回転くらいさせたと思います。理論暗記に悩んでいる人にはお勧めです。

税理士試験はかなり長い年数を勉強に費やすことになり、それに比例して犠牲にしなければならないことも多いと思います。私も何度も諦めそうになりました。しかし、なんとか踏みとどまり、ネットスクールを信じて諦めずに継続したことで、5科目合格することができました。

税理士試験とは

# 試験概要

## 【試験科目】

税理士試験は、会計科目２科目・税法科目９科目の全11科目あります。このうち、会計科目２科目と税法科目３科目（選択必須科目１科目以上を含む）の合計５科目に合格する必要があります。１度の受験で５科目全てに合格する必要はなく、１科目ずつ受験することもできます。なお、１度合格した科目は生涯有効となります。

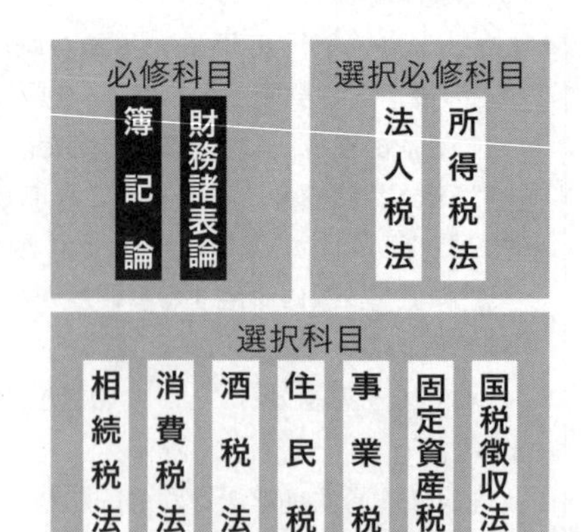


## 【試験日】

通常、８月第１又は第２週の火曜日～木曜日に実施されます。

## 【合格点・合格発表】

合格基準点は各科目とも満点の60パーセントです。合格発表は11月下旬になります。

その他、税理士試験の詳細については、国税庁ホームページをご覧下さい。

https://www.nta.go.jp/index.htm

国税庁ホームページ ＞ 税の情報・手続・用紙 ＞ 税理士に関する情報 ＞ 税理士試験

本書シリーズ

# 法令等の改正情報の公開について

本書税理士シリーズについて、法令等の改正や会計基準等の変更があった場合には、改正・変更に関する情報を公開いたします。

**https://www.net-school.co.jp/**

読者の方へ　＞　税理士試験 / 科目　＞　改正情報

**凡例（略式名称……正式名称）**

法……法人税法　　令……法人税法施行令　　規……法人税法施行規則
法附則……法人税法附則
措法……租税特別措置法　　措令……租税特別措置法施行令
基通……法人税法基本通達　　個通……法人税法個別通達
措通……租税特別措置法関係通達
耐令……減価償却資産の耐用年数等に関する省令
耐通……耐用年数の適用等に関する取扱通達

**引用例**

令28①一イ……法人税法施行令第28条第1項第一号イ

（注）　本書は、令和6年度までの税制改正による令和６年４月１日現在施行の法令等に基づきます。また、問題の資料中に特別な指示がある場合を除き、当期は「令和7年4月１日から令和8年3月31日」までの期間であるものとして解答してください。

なお、ミニテストについては、答案用紙はついていないことをご了承ください。

# Chapter 1

# 資本金等の額と利益積立金額

| No | 内　容 | | 標準時間 | 重要度 | 難易度 |
|---|---|---|---|---|---|
| 問題１ | 留保と社外流出（別表四の処分欄の記載） | 計算 | 10分 | A | 基本 |
| 問題２ | 別表五(一)Ⅰ（株主資本等変動計算書からの転記） | 計算 | ５分 | A | 基本 |
| 問題３ | 別表五(一)Ⅰ（別表四からの転記） | 計算 | ６分 | A | 基本 |
| 問題４ | 別表五(一)Ⅰ（租税公課） | 計算 | ５分 | A | 基本 |
| 問題５ | 別表五(一)Ⅰ（圧縮積立金） | 計算 | ３分 | A | 基本 |
| 問題６ | 別表四と別表五(一)Ⅰの作成 | 計算 | 20分 | A | 応用 |
| 問題７ | ミニテスト | 計算 | 12分 | A | 基本 |

理論 計算

→ 答案用紙Ｐ２　→ 解答・解説Ｐ１-16

## 問題１　留保と社外流出（別表四の処分欄の記載）

重要　基本　10分

次の資料により、答案用紙に従って処分欄を記載し、別表四を完成させなさい。

| 所得の金額の計算に関する明細書 | 事業年度 | Ｒ７．４．１<br>Ｒ８．３．31 | 法人名 | ネットスクール株式会社 |
|---|---|---|---|---|

| 区分 | | 総額 | 処分 | |
|---|---|---|---|---|
| | | | 留保 | 社外流出 |
| 当期純利益 | | 円<br>32,550,000 | 円 | 円<br>9,000,000 |
| 加算 | 損金経理法人税 | 5,120,000 | | |
| | 損金経理地方法人税 | 609,400 | | |
| | 損金経理住民税 | 615,400 | | |
| | 損金経理納税充当金 | 12,000,000 | | |
| | 損金経理附帯税等 | 40,000 | | |
| | 減価償却超過額 | 1,214,000 | | |
| | 商品計上もれ | 954,000 | | |
| | 一括貸倒引当金繰入超過額 | 1,148,000 | | |
| | 交際費等の損金不算入額 | 3,492,000 | | |
| | 役員給与の損金不算入額 | 2,700,000 | | |
| | 仮払交際費消却否認 | 320,000 | | |
| | 土地圧縮超過額 | 1,200,000 | | |
| | 小計 | 29,412,800 | | |
| 減算 | 減価償却超過額認容 | 854,000 | | |
| | 納税充当金支出事業税等 | 2,540,000 | | |
| | 受取配当等の益金不算入額 | 982,000 | | |
| | 商品計上もれ認容 | 946,000 | | |
| | 貸倒引当金繰入超過額認容 | 720,000 | | |
| | 収用等の所得の特別控除額 | 14,800,000 | | |
| | 貸付金過大計上 | 91,000 | | |
| | 仮払交際費認定損 | 148,500 | | |
| | 小計 | 21,081,500 | | |
| 仮計 | | 40,881,300 | | |
| 寄附金の損金不算入額 | | 600,000 | | |
| 法人税額控除所得税額 | | 792,000 | | |

| | | | |
|---|---|---|---|
| 合　　　　　　計 | 42,273,300 | | |
| | | | |
| 差　　引　　計 | 42,273,300 | | |
| | | | |
| 総　　　　　　計 | 42,273,300 | | |
| | | | |
| 所　　得　　金　　額 | 42,273,300 | | |

理論 計算

→ 答案用紙Ｐ４　→ 解答・解説Ｐ１-18

## 問題２ 別表五(一)Ⅰ（株主資本等変動計算書からの転記）

基本　5分

**次の資料により、答案用紙の別表五(一)Ⅰに必要な記載を示しなさい。**

当期の確定した決算における株主資本等変動計算書（一部）は、次のとおりである。

（単位：円）

| | 利益剰余金 | | | |
|---|---|---|---|---|
| | 利益準備金 | その他利益剰余金 | | |
| | | 配当平均積立金 | 別途積立金 | 繰越利益剰余金 |
| 当期首残高 | 72,000,000 | 43,000,000 | 140,000,000 | 81,000,000 |
| 当期変動額 | | | | |
| 剰余金の配当 | | | | △ 87,000,000 |
| 剰余金の配当に伴う利益準備金の積立て | 8,700,000 | | | △ 8,700,000 |
| 配当平均積立金の取崩し | | △ 43,000,000 | | 43,000,000 |
| 別途積立金の積立て | | | 20,000,000 | △ 20,000,000 |
| 当期純利益 | | | | 90,000,000 |
| 当期変動額合計 | 8,700,000 | △ 43,000,000 | 20,000,000 | 17,300,000 |
| 当期末残高 | 80,700,000 | 0 | 160,000,000 | 98,300,000 |

別表五㈠ I

| 区分 | | 期首現在利益積立金額 | 当期の増減 減 | 当期の増減 増 | | 差引翌期首現在利益積立金額 |
|---|---|---|---|---|---|---|
| 利益準備金 | | 円<br>72,000,000 | 円 | | 円 | 円 |
| 配当平均積立金 | | 43,000,000 | | | | |
| 別途積立金 | | 140,000,000 | | | | |
| | | | | | | |
| | | | | | | |
| ≈ | | | | | | ≈ |
| | | | | | | |
| 繰越損益金 | | 81,000,000 | | | | |
| 納税充当金 | | | | | | |
| 未納法人税等 | 未納法人税及び未納地方法人税 | △ | △ | 中間 | △ | △ |
| | | △ | △ | 確定 | △ | |
| | 未納住民税 | △ | △ | 中間 | △ | △ |
| | | △ | △ | 確定 | △ | |
| 差引合計額 | | | | | | |

## 問題３　別表五(一)Ⅰ（別表四からの転記）

基本　6分

次の各設問に答えなさい。

【設問１】

次の資料により、答案用紙の別表五(一)Ⅰに必要な記載を示しなさい。

別表四　（単位：円）

| 区分 | | 金額 | 留保 | 社外流出 |
|---|---|---|---|---|
| 加算 | 土地圧縮超過額 | 4,200,000 | 4,200,000 | |
| | 前払交際費否認 | 1,000,000 | 1,000,000 | |
| 減算 | 仮払寄附金認定損 | 700,000 | 700,000 | |

別表五(一)Ⅰ

| 区分 | 期首現在利益積立金額 | 当期の増減 | | 差引翌期首現在利益積立金額 |
|---|---|---|---|---|
| | | 減 | 増 | |
| 土地 | 円 | 円 | 円 | 円 |
| 前払交際費 | | | | |
| 仮払寄附金 | | | | |

【設問２】

次の資料により、答案用紙の別表五(一)Ⅰに必要な記載を示しなさい。

別表四　（単位：円）

| 区分 | | 金額 | 留保 | 社外流出 |
|---|---|---|---|---|
| 加算 | 仮払寄附金消却否認 | 700,000 | 700,000 | |
| 減算 | 土地圧縮超過額認容 | 4,200,000 | 4,200,000 | |
| | 前払交際費認容 | 1,000,000 | 1,000,000 | |

別表五(一)Ⅰ

| 区分 | 期首現在利益積立金額 | 当期の増減 | | 差引翌期首現在利益積立金額 |
|---|---|---|---|---|
| | | 減 | 増 | |
| 土地 | 4,200,000円 | 円 | 円 | 円 |
| 前払交際費 | 1,000,000 | | | |
| 仮払寄附金 | △　700,000 | | | |

## 問題4　別表五(一) Ⅰ（租税公課）　重要　基本　5分

**次の資料により、答案用紙の別表五(一)Ⅰに必要な記載を示しなさい。**

(1)　当期中の納税充当金の異動状況は、次のとおりである。

| 区分 | 期首現在額 | 当期減少額 | 当期増加額 | 期末現在額 |
|---|---|---|---|---|
| 法人税 | 13,529,000円 | 13,529,000円 | 18,740,000円 | 18,740,000円 |
| 地方法人税 | 1,065,000円 | 1,065,000円 | | |
| 住民税 | 1,075,000円 | 1,075,000円 | | |
| 事業税 | 3,557,000円 | 3,557,000円 | | |

（注１）　当期減少額は、前期分の確定申告に係る法人税額等を納付するために取り崩したものである。

（注２）　当期増加額は、当期分の確定申告により納付すべき法人税額等の見積り額であり当期の費用に計上したものである。

（注３）　法人税額に地方法人税額が含まれている。

(2)　当期中に納付した次の租税については、租税公課として費用に計上している。

① 当期中間申告分の法人税額　12,239,000円
② 当期中間申告分の地方法人税額　836,000円
③ 当期中間申告分の住民税　844,000円
④ 当期中間申告分の事業税額　3,028,000円

(3)　当期の確定申告により納付すべき税額は、次のとおりである。

① 当期確定申告分の法人税額　12,342,000円
② 当期確定申告分の地方法人税額　1,546,700円
③ 当期確定申告分の住民税額　1,561,800円
④ 当期確定申告分の事業税額　3,771,000円

別表五(一)Ⅰ

<table>
<tr><th colspan="2" rowspan="2">区分</th><th rowspan="2">期首現在<br>利益積立金額</th><th colspan="3">当期の増減</th><th rowspan="2">差引翌期首現在<br>利益積立金額</th></tr>
<tr><th>減</th><th colspan="2">増</th></tr>
<tr><td></td><td></td><td>円</td><td>円</td><td colspan="2">円</td><td>円</td></tr>
<tr><td colspan="7">≈</td></tr>
<tr><td colspan="2">納税充当金</td><td>19,226,000</td><td></td><td colspan="2"></td><td></td></tr>
<tr><td rowspan="4">未納法人税等</td><td rowspan="2">未納法人税及び<br>未納地方法人税</td><td rowspan="2">△ 14,594,000</td><td rowspan="2">△</td><td>中間</td><td>△</td><td rowspan="2">△</td></tr>
<tr><td>確定</td><td>△</td></tr>
<tr><td rowspan="2">未納住民税</td><td rowspan="2">△ 1,075,000</td><td rowspan="2">△</td><td>中間</td><td>△</td><td rowspan="2">△</td></tr>
<tr><td>確定</td><td>△</td></tr>
<tr><td colspan="2">差引合計額</td><td></td><td></td><td colspan="2"></td><td></td></tr>
</table>

## 問題5　別表五(一)Ⅰ（圧縮積立金）

基本　3分

**次の資料により、答案用紙の別表五(一)Ⅰに必要な記載を示しなさい。**

⑴　当社は、当期の確定した決算において、剰余金の処分により圧縮積立金8,400,000円を積み立てている。

⑵　当社は、⑴の取引について、当期の別表四において次の税務調整を行っている。

圧縮積立金認定損　8,400,000円

圧縮積立金積立超過額　4,700,000円

別表五(一)Ⅰ

| 区分 | 期首現在利益積立金額 | 当期の増減 | | 差引翌期首現在利益積立金額 |
|---|---|---|---|---|
| | | 減 | 増 | |
| | 円 | 円 | 円 | 円 |
| ≈ | | | | ≈ |
| | | | | |
| | | | | |
| | | | | |
| | | | | |
| ≈ | | | | ≈ |
| | | | | |

## 問題6　別表四と別表五(一)Ⅰの作成

応用　20分

**次の資料により、別表四及び別表五㈠Ⅰを完成させなさい。**

1．当社の当期における確定した決算に基づく株主資本等変動計算書（一部）は、次のとおり記載されている。

（単位：円）

| | 利益剰余金 | | | |
|---|---|---|---|---|
| | 利益準備金 | その他利益剰余金 | | |
| | | 圧縮積立金 | 別途積立金 | 繰越利益剰余金 |
| 当期首残高 | 46,000,000 | | 95,000,000 | 34,850,000 |
| 当期変動額 | | | | |
| 剰余金の配当 | | | | △ 19,000,000 |
| 剰余金の配当に伴う利益準備金の積立て | 1,900,000 | | | △ 1,900,000 |
| 圧縮積立金の積立て | | 4,000,000 | | △ 4,000,000 |
| 別途積立金の積立て | | | 10,000,000 | △ 10,000,000 |
| 当期純利益 | | | | 49,500,000 |
| 当期変動額合計 | 1,900,000 | 4,000,000 | 10,000,000 | 14,600,000 |
| 当期末残高 | 47,900,000 | 4,000,000 | 105,000,000 | 49,450,000 |

（注）　圧縮積立金の積立額は、建物に係るものである。

2．上記１．のほか、別表四及び別表五㈠の記載にあたって必要な資料は次のとおりである。なお、事業税額には特別法人事業税額が含まれている。

⑴　当期の費用に計上した当期中間申告分法人税額　12,366,000円
⑵　当期の費用に計上した当期中間申告分地方法人税額　1,221,800円
⑶　当期の費用に計上した当期中間分申告分住民税額　1,233,600円
⑷　当期の費用に計上した当期中間申告分事業税額　3,708,100円
⑸　当期の費用に計上した法人税等未払金　58,000,000円
⑹　土地計上もれ　1,700,000円
⑺　土地圧縮超過額　400,000円
⑻　建物に係る減価償却超過額　5,598,791円
⑼　建物に係る圧縮積立金積立超過額　1,740,000円
⑽　一括貸倒引当金繰入超過額　249,914円
⑾　仮払交際費消却否認　459,000円
⑿　前期において損金経理により繰入れた法人税等未払金を取崩して納付した次の税額
　①　前期確定申告分法人税額　6,157,900円
　②　前期確定申告分地方法人税額　624,000円
　③　前期確定申告分住民税額　630,100円
　④　前期確定申告分事業税額　2,016,400円
⒀　受取配当等の益金不算入額　181,400円

⒁　機械に係る減価償却超過額認容額　141,433円

⒂　売掛金の貸倒れに係る貸倒損失認定損　298,000円

⒃　貸倒引当金繰入超過額認容　169,240円

⒄　未払寄附金認容　300,000円

⒅　法人税額控除所得税額　840,723円

⒆　当期確定申告分法人税額（納付すべき法人税額）　15,416,300円

⒇　当期確定申告分事業税（納付すべき事業税額）　5,138,700円

(21)　当期確定申告分地方法人税額（納付すべき地方法人税額）　1,503,000円

(22)　当期確定申告分住民税額（納付すべき住民税額）　1,517,600円

別表四

| 区分 | | 総額 | 処分 | |
|---|---|---|---|---|
| | | | 留保 | 社外流出 |
| 会社計上当期純利益 | | 円 | 円 | 円 |
| 加算 | | | | |
| | | | | |
| | | | | |
| | | | | |
| | | | | |
| | | | | |
| | | | | |
| | | | | |
| | | | | |
| | | | | |
| | | | | |
| | | | | |
| | 小計 | | | |
| 減算 | | | | |
| | | | | |
| | | | | |
| | | | | |
| | | | | |
| | | | | |
| | | | | |
| | | | | |
| | | | | |
| | 小計 | | | |
| 仮計 | | | | |
| | | | | |
| 合計 | | | | |
| 差引計 | | | | |
| 総計 | | | | |
| 所得金額 | | | | |

別表五㈠Ⅰ

| 区分 | 期首現在利益積立金額 | 当期の増減 | | 差引翌期首現在利益積立金額 |
|---|---|---|---|---|
| | | 減 | 増 | |
| 利益準備金 | 46,000,000円 | 円 | 円 | 円 |
| 別途積立金 | 95,000,000 | | | |
| 貸付金 | △ 1,900,000 | | | |
| 一括貸倒引当金 | 169,240 | | | |
| 機械 | 150,000 | | | |
| 器具備品 | 285,240 | | | |
| 仮払交際費 | △ 459,000 | | | |
| 未払寄附金 | 300,000 | | | |
| | | | | |
| | | | | |
| | | | | |
| | | | | |
| | | | | |
| | | | | |
| | | | | |
| | | | | |
| | | | | |
| | | | | |
| | | | | |
| | | | | |
| | | | | |
| | | | | |
| | | | | |
| | | | | |
| 繰越損益金（損は△） | 34,850,000 | | | |
| 納税充当金 | 9,428,400 | | | |
| 未納法人税等（退職年金等積立金に対するものを除く。） 未納法人税及び未納地方法人税（附帯税を除く。） | △ 6,781,900 | △ | 中間 △ | △ |
| | | | 確定 △ | |
| 未納法人税等（退職年金等積立金に対するものを除く。） 未納住民税（均等割額を含む。） | △ 630,100 | △ | 中間 △ | △ |
| | | | 確定 △ | |
| 差引合計額 | 176,411,880 | | | |

## 問題7　ミニテスト

重要　基本　12分

次の資料に基づき、甲株式会社の当期における別表五（一）Ｉへの転記を行いなさい。

Ｉ　当期末における株主資本等変動計算書（一部抜粋）

| （単位：円） | 利益剰余金 | | | | |
|---|---|---|---|---|---|
| | 利益準備金 | その他利益剰余金 | | | 利益剰余金合計 |
| | | 圧縮積立金 | 別途積立金 | 繰越利益剰余金 | |
| 前期末残高 | 24,000,000 | 0 | 130,000,000 | 85,000,000 | 239,000,000 |
| 当期変動額 | | | | | |
| 剰余金の配当 | 2,000,000 | | | △ 22,000,000 | △ 20,000,000 |
| 圧縮積立金の積立 | | 50,000,000 | | △ 50,000,000 | |
| 別途積立金の積立 | | | 45,000,000 | △ 45,000,000 | |
| 当期純利益 | | | | 120,000,000 | 120,000,000 |
| 当期変動額合計 | 2,000,000 | 50,000,000 | 45,000,000 | 3,000,000 | 100,000,000 |
| 当期末残高 | 26,000,000 | 50,000,000 | 175,000,000 | 88,000,000 | 339,000,000 |

※　圧縮積立金の積立額は、全て土地に係るものである。

Ⅱ　当期の所得の金額の計算に関する事項

（単位：円）

| 区分 | | 金額 |
|---|---|---|
| 当期純利益 | | 120,000,000 |
| 加算 | 損金経理納税充当金 | 56,000,000 |
| | 損金経理法人税 | 21,000,000 |
| | 損金経理地方法人税 | 2,194,300 |
| | 損金経理住民税 | 2,215,700 |
| | 損金経理附帯税等 | 236,000 |
| | 減価償却超過額（建物） | 70,650 |
| | 圧縮積立金積立超過額（土地） | 750,000 |
| | 一括貸倒引当金繰入超過額 | 135,000 |
| | 仮払交際費否認 | 151,000 |
| | 小計 | 82,752,650 |
| 減算 | 圧縮積立金認定損（土地） | 50,000,000 |
| | 納税充当金から支出した事業税等の額 | 5,840,000 |
| | 受取配当等の益金不算入額 | 1,456,200 |
| | 減価償却超過額認容（機械装置） | 32,883 |
| | 貸倒引当金繰入超過額認容 | 179,000 |
| | 未払寄附金認容 | 280,000 |
| | 売掛金計上もれ認容 | 600,000 |
| | 小計 | 58,388,083 |
| 仮計 | | 144,364,567 |
| 寄附金の損金不算入額 | | 1,108,503 |
| 法人税額から控除される所得税額 | | 275,000 |
| 合計・差引計・総計 | | 145,748,070 |
| 所得金額 | | 145,748,070 |

※　期首の納税充当金は全額取り崩しているものとする。

| 事業年度 | 令7．4．1<br>令8．3．31 | 法人名 | 甲株式会社 |
|---|---|---|---|

I　利益積立金額の計算に関する明細書

| 区分 | | 期首現在利益積立金額 | 当期の増減 減 | 当期の増減 増 | 差引翌期首現在利益積立金額 ①－②＋③ |
|---|---|---|---|---|---|
| | | ① | ② | ③ | ④ |
| 利益準備金 | | 円 | 円 | 円 | 円 |
| 別途積立金 | | | | | |
| 一括貸倒引当金 | | 179,000 | | | |
| 仮払交際費 | | △ 151,000 | | | |
| 未払寄附金 | | 280,000 | | | |
| 売掛金 | | 600,000 | | | |
| 機械装置 | | 32,883 | | | |
| 圧縮積立金（土地） | | | | | |
| 圧縮積立金認定損（土地） | | | | | |
| 圧縮積立金積立超過額（土地） | | | | | |
| 建物 | | | | | |
| | | | | | |
| | | | | | |
| | | | | | |
| | | | | | |
| 繰越損益金（損は△） | | | | | |
| 納税充当金 | | | | | |
| 未納法人税等 | 未納法人税及び地方法人税 | △ 33,705,000 | △ | 中間 △<br>確定 | |
| | 未納住民税 | △ 4,815,000 | △ | 中間 △<br>確定 | |
| 差引合計額 | | | | | |

## 解答 問題1 留保と社外流出（別表四の処分欄の記載）

| 所得の金額の計算に関する明細書 | 事業年度 | R７．４．１<br>R８．３．31 | 法人名 | ネットスクール株式会社 |
|---|---|---|---|---|

| 区分 | | 総額 | 処分 留保 | 処分 社外流出 |
|---|---|---|---|---|
| 当期純利益 | | 円<br>32,550,000 | 円<br>23,550,000 | 円<br>9,000,000 |
| 加算 | 損金経理法人税 | 5,120,000 | 5,120,000 | |
| | 損金経理地方法人税 | 609,400 | 609,400 | |
| | 損金経理住民税 | 615,400 | 615,400 | |
| | 損金経理納税充当金 | 12,000,000 | 12,000,000 | |
| | 損金経理附帯税等 | 40,000 | | 40,000 |
| | 減価償却超過額 | 1,214,000 | 1,214,000 | |
| | 商品計上もれ | 954,000 | 954,000 | |
| | 一括貸倒引当金繰入超過額 | 1,148,000 | 1,148,000 | |
| | 交際費等の損金不算入額 | 3,492,000 | | 3,492,000 |
| | 役員給与の損金不算入額 | 2,700,000 | | 2,700,000 |
| | 仮払交際費消却否認 | 320,000 | 320,000 | |
| | 土地圧縮超過額 | 1,200,000 | 1,200,000 | |
| | 小計 | 29,412,800 | 23,180,800 | 6,232,000 |
| 減算 | 減価償却超過額認容 | 854,000 | 854,000 | |
| | 納税充当金支出事業税等 | 2,540,000 | 2,540,000 | |
| | 受取配当等の益金不算入額 | 982,000 | | ※ 982,000 |
| | 商品計上もれ認容 | 946,000 | 946,000 | |
| | 貸倒引当金繰入超過額認容 | 720,000 | 720,000 | |
| | 収用等の所得の特別控除額 | 14,800,000 | | ※ 14,800,000 |
| | 貸付金過大計上 | 91,000 | 91,000 | |
| | 仮払交際費認定損 | 148,500 | 148,500 | |
| | 小計 | 21,081,500 | 5,299,500 | ※ 15,782,000 |
| 仮計 | | 40,881,300 | 41,431,300 | ※△15,782,000<br>15,232,000 |
| 寄附金の損金不算入額 | | 600,000 | | 600,000 |
| 法人税額控除所得税額 | | 792,000 | | 792,000 |

| | | | |
|---|---|---|---|
| 合　　　　計 | 42,273,300 | 41,431,300 | ※△15,782,000<br>16,624,000 |
| | | | |
| 差　　引　　計 | 42,273,300 | 41,431,300 | ※△15,782,000<br>16,624,000 |
| | | | |
| 総　　　　計 | 42,273,300 | 41,431,300 | ※△15,782,000<br>16,624,000 |
| | | | |
| 所　　得　　金　　額 | 42,273,300 | 41,431,300 | ※△15,782,000<br>16,624,000 |

## 解 説

① 当期純利益の留保欄は、総額欄に記載した金額から社外流出欄に記載した金額を控除して求めます。

② 損金経理附帯税等、交際費等の損金不算入額、役員給与の損金不算入額、寄附金の損金不算入額及び法人税額控除所得税額は、社外流出項目です。

③ 受取配当等の益金不算入額及び収用等の所得の特別控除額は、課税外収入（※社外流出項目）です。

④ 加算欄及び減算欄に記載された項目のうち、上記②及び③以外の項目は留保項目となります。

⑤ 仮計以下の合計欄では、課税外収入（※社外流出項目）は、「※」及び「△」を付して外書きして集計します。

## 解答 問題2 別表五(一) I（株主資本等変動計算書からの転記）

別表五(一) I

| 区分 | | 期首現在利益積立金額 | 当期の増減 | | 差引翌期首現在利益積立金額 |
|---|---|---|---|---|---|
| | | | 減 | 増 | |
| | | 円 | 円 | 円 | 円 |
| 利益準備金 | | 72,000,000 | | 8,700,000 | 80,700,000 |
| 配当平均積立金 | | 43,000,000 | 43,000,000 | | 0 |
| 別途積立金 | | 140,000,000 | | 20,000,000 | 160,000,000 |
| | | | | | |
| ≈ | | | | | ≈ |
| | | | | | |
| 繰越損益金 | | 81,000,000 | 81,000,000 | 98,300,000 | 98,300,000 |
| 納税充当金 | | | | | |
| 未納法人税等 | 未納法人税及び未納地方法人税 | △ | △ | 中間 △<br>確定 △ | △ |
| | 未納住民税 | △ | △ | 中間 △<br>確定 △ | △ |
| 差引合計額 | | | | | |

## 解説

① 準備金及び積立金の積立額又は取崩額は、当期の増減欄に記載することになります。積立額は増欄に、取崩額は減欄に記載します。

② 繰越損益金の欄は、洗替えを行います。繰越利益剰余金の当期首残高が期首現在利益積立金額の欄に記載されていますが、その金額を当期の増減欄の減欄に記載し、繰越利益剰余金の当期末残高を当期の増減欄の増欄に記載することで、翌期に繰り越すことになります。

## 解答 問題3 別表五(一)Ⅰ（別表四からの転記）

【設問１】

別表五(一)Ⅰ

| 区分 | 期首現在利益積立金額 | 当期の増減 | | 差引翌期首現在利益積立金額 |
|---|---|---|---|---|
| | | 減 | 増 | |
| 土地 | 円 | 円 | 4,200,000円 | 4,200,000円 |
| 前払交際費 | | | 1,000,000 | 1,000,000 |
| 仮払寄附金 | | | △　700,000 | △ 700,000 |

【設問２】

別表五(一)Ⅰ

| 区分 | 期首現在利益積立金額 | 当期の増減 | | 差引翌期首現在利益積立金額 |
|---|---|---|---|---|
| | | 減 | 増 | |
| 土地 | 4,200,000円 | 4,200,000円 | 円 | 0円 |
| 前払交際費 | 1,000,000 | 1,000,000 | | 0 |
| 仮払寄附金 | △　700,000 | △　700,000 | | 0 |

## 解説

別表四からは、当期の増減欄に転記されることになりますが、当期に発生したものは増欄に、当期に解消したものは減欄にそれぞれ記載することになります。

## 解答 問題4 別表五(一)Ⅰ（租税公課）

別表五(一)Ⅰ

| 区分 | | 期首現在利益積立金額 | 当期の増減 | | | 差引翌期首現在利益積立金額 |
|---|---|---|---|---|---|---|
| | | | 減 | 増 | | |
| | | 円 | 円 | | 円 | 円 |
| ≈ | | | | | | ≈ |
| 納税充当金 | | 19,226,000 | 19,226,000 | | 18,740,000 | 18,740,000 |
| 未納法人税等 | 未納法人税及び地方法人税 | △14,594,000 | △27,669,000 | 中間 | △13,075,000 | △13,888,700 |
| | | | | 確定 | △13,888,700 | |
| | 未納住民税 | △ 1,075,000 | △ 1,919,000 | 中間 | △　844,000 | △ 1,561,800 |
| | | | | 確定 | △ 1,561,800 | |
| 差引合計額 | | | | | | |

## 解説

① 納税充当金は、当期に取り崩した金額を当期の増減欄の減欄に記載し、当期に繰り入れた金額を当期の増減欄の増欄に記載します。

② 未納法人税及び未納住民税の各欄は、当期発生税額を当期の増減欄の増欄に中間分と確定分を分けて記載し、当期に納付した金額（通常は前期確定分と当期中間分の合計額）を当期の増減欄の減欄に記載します。

## 解答 問題5 別表五(一)Ⅰ（圧縮積立金）

別表五㈠Ⅰ

| 区分 | 期首現在利益積立金額 | 当期の増減 減 | 当期の増減 増 | 差引翌期首現在利益積立金額 |
|---|---|---|---|---|
| | 円 | 円 | 円 | 円 |
| ≈ | | | | ≈ |
| 圧縮積立金 | | | 8,400,000 | 8,400,000 |
| 圧縮積立金認定損 | | | △ 8,400,000 | △ 8,400,000 |
| 圧縮積立金積立超過額 | | | 4,700,000 | 4,700,000 |
| | | | | |
| ≈ | | | | ≈ |
| | | | | |

## 解説

圧縮積立金については、法人が株主資本等変動計算書に計上した金額（会社計上額）についての記載をし、次に別表四から加算及び減算を相殺せずに転記することになります。

## 解答 問題6 別表四と別表五(一)Ⅰの作成

別表四

| 区分 | | 総額 | 処分 | |
|---|---|---|---|---|
| | | | 留保 | 社外流出 |
| 会社計上当期純利益 | | 円<br>49,500,000 | 円<br>30,500,000 | 円<br>19,000,000 |
| 加算 | 損金経理法人税 | 12,366,000 | 12,366,000 | |
| | 損金経理地方法人税 | 1,221,800 | 1,221,800 | |
| | 損金経理住民税 | 1,233,600 | 1,233,600 | |
| | 損金経理納税充当金 | 58,000,000 | 58,000,000 | |
| | 土地計上もれ | 1,700,000 | 1,700,000 | |
| | 土地圧縮超過額 | 400,000 | 400,000 | |
| | 減価償却超過額 | | | |
| | (建物) | 5,598,791 | 5,598,791 | |
| | 圧縮積立金積立超過額 | | | |
| | (建物) | 1,740,000 | 1,740,000 | |
| | 一括貸倒引当金繰入超過額 | 249,914 | 249,914 | |
| | 仮払交際費消却否認 | 459,000 | 459,000 | |
| | 小計 | 82,969,105 | 82,969,105 | |
| 減算 | 圧縮積立金認定損 | | | |
| | (建物) | 4,000,000 | 4,000,000 | |
| | 納税充当金支出事業税等 | 2,016,400 | 2,016,400 | |
| | 受取配当等の益金不算入額 | 181,400 | | ※ 181,400 |
| | 減価償却超過額認容 | | | |
| | (機械) | 141,433 | 141,433 | |
| | 貸倒損失認定損 | 298,000 | 298,000 | |
| | 貸倒引当金繰入超過額認容 | 169,240 | 169,240 | |
| | 未払寄附金認容 | 300,000 | 300,000 | |
| | 小計 | 7,106,473 | 6,925,073 | ※ 181,400 |
| 仮計 | | 125,362,632 | 106,544,032 | ※ △ 181,400<br>19,000,000 |
| 法人税額控除所得税額 | | 840,723 | | 840,723 |
| 合計 | | 126,203,355 | 106,544,032 | ※ △ 181,400<br>19,840,723 |
| 差引計 | | 126,203,355 | 106,544,032 | ※ △ 181,400<br>19,840,723 |
| 総計 | | 126,203,355 | 106,544,032 | ※ △ 181,400<br>19,840,723 |
| 所得金額 | | 126,203,355 | 106,544,032 | ※ △ 181,400<br>19,840,723 |

別表五(一) I

| 区分 | 期首現在利益積立金額 | 当期の増減 減 | 当期の増減 増 | 差引翌期首現在利益積立金額 |
|---|---|---|---|---|
| 利益準備金 | 46,000,000円 | 円 | 1,900,000円 | 47,900,000円 |
| 別途積立金 | 95,000,000 | | 10,000,000 | 105,000,000 |
| 貸付金 | △ 1,900,000 | | | △ 1,900,000 |
| 一括貸倒引当金 | 169,240 | 169,240 | 249,914 | 249,914 |
| 機械 | 150,000 | 141,433 | | 8,567 |
| 器具備品 | 285,240 | | | 285,240 |
| 仮払交際費 | △ 459,000 | △ 459,000 | | 0 |
| 未払寄附金 | 300,000 | 300,000 | | 0 |
| **貸倒損失認定損（売掛金）** | | | △ 298,000 | △ 298,000 |
| **圧縮積立金（建物）** | | | 4,000,000 | 4,000,000 |
| **圧縮積立金認定損（建物）** | | | △ 4,000,000 | △ 4,000,000 |
| **圧縮積立金積立超過額(建物)** | | | 1,740,000 | 1,740,000 |
| **土地** | | | 1,700,000<br>400,000 | 1,700,000<br>400,000 |
| **建物** | | | 5,598,791 | 5,598,791 |
| 繰越損益金（損は△） | 34,850,000 | 34,850,000 | 49,450,000 | 49,450,000 |
| 納税充当金 | 9,428,400 | 9,428,400 | 58,000,000 | 58,000,000 |
| 未納法人税等（退職年金等積立金に対するものを除く。） 未納法人税及び未納地方法人税（附帯税を除く。） | △ 6,781,900 | △20,369,700 | 中間 △13,587,800 | △16,919,300 |
| | | | 確定 △16,919,300 | |
| 未納法人税等（退職年金等積立金に対するものを除く。） 未納住民税（均等割額を含む。） | △ 630,100 | △ 1,863,700 | 中間 △ 1,233,600 | △ 1,517,600 |
| | | | 確定 △ 1,517,600 | |
| 差引合計額 | 176,411,880 | 22,196,673 | 95,482,405 | 249,697,612 |

## 解答 問題7 ミニテスト

| 事業年度 | 令7．4．1<br>令8．3．31 | 法人名 | 甲 株 式 会 社 |
|---|---|---|---|

I 利益積立金額の計算に関する明細書

| 区分 | 期首現在利益積立金額 | 当期の増減 | | 差引翌期首現在利益積立金額<br>①－②＋③ |
|---|---|---|---|---|
| | | 減 | 増 | |
| | ① | ② | ③ | ④ |
| 利益準備金 | 円<br>24,000,000 | 円 | 円<br>2,000,000 | 円<br>26,000,000 |
| 別途積立金 | 130,000,000 | | 45,000,000 | 175,000,000 |
| 一括貸倒引当金 | 179,000 | 179,000 | 135,000 | 135,000 |
| 仮払交際費 | △ 151,000 | △ 151,000 | | 0 |
| 未払寄附金 | 280,000 | 280,000 | | 0 |
| 売掛金 | 600,000 | 600,000 | | 0 |
| 機械装置 | 32,883 | 32,883 | | 0 |
| 圧縮積立金（土地） | | | 50,000,000 | 50,000,000 |
| 圧縮積立金認定損（土地） | | | △ 50,000,000 | △ 50,000,000 |
| 圧縮積立金積立超過額（土地） | | | 750,000 | 750,000 |
| 建物 | | | 70,650 | 70,650 |
| | | | | |
| | | | | |
| | | | | |
| | | | | |
| 繰越損益金（損は△） | 85,000,000 | 85,000,000 | 88,000,000 | 88,000,000 |
| 納税充当金 | 44,360,000 | 44,360,000 | 56,000,000 | 56,000,000 |
| 未納法人税等 未納法人税及び地方法人税 | △ 33,705,000 | △ 56,899,300 | 中間 △ 23,194,300<br>確定 | |
| 未納法人税等 未納住民税 | △ 4,815,000 | △ 7,030,700 | 中間 △ 2,215,700<br>確定 | |
| 差引合計額 | 245,780,883 | 66,370,883 | | |

········ *Memorandum Sheet* ········

# Chapter 2

# 給与等

| No | 内容 | | 標準時間 | 重要度 | 難易度 |
|---|---|---|---|---|---|
| 問題１ | 特定新株予約権を対価とする費用⑴ | 計算 | ３分 | B | 基本 |
| 問題２ | 特定新株予約権を対価とする費用⑵ | 計算 | ７分 | B | 基本 |
| 問題３ | 特定譲渡制限付株式を対価とする費用 | 計算 | ７分 | B | 基本 |
| 問題４ | ミニテスト | 計算 | ７分 | B | 基本 |

理論 計算

→ 解答・解説 2－6

## 問題１ 特定新株予約権を対価とする費用(1)

基本 3分

**次の資料により、当社の当期における税務上の調整を示しなさい。**

当社は、令和元年10月18日の株主総会において、取締役及び従業員に対し役務の提供の対価として、次の条件によるストック・オプションを特定新株予約権として無償で付与することを決議した（この特定新株予約権は事前確定届出給与に該当する。）。なお、このストック・オプションは租税特別措置法第29条の２に規定された要件を満たさない税制非適格型のものである。

| 権利付与日 | 令和元年10月19日 |
|---|---|
| 権利付与日における新株予約権の公正な評価額 | １個当たり15,000円 |
| 権利確定日 | 令和７年６月30日 |
| 権利行使期間 | 令和７年７月１日から令和８年６月30日 |
| 権利行使価額 | 普通株式１株当たり60,000円 |
| 新株予約権の発行総数 | 7,000個（１人当たり100個が付与されている。） |
| 権利行使により発行する株式 | 新株予約権１個につき普通株式１株 |
| 権利付与日における株式の時価 | １株当たり54,800円 |

甲社において、前期までに、このストック・オプションに関して、会計上は新株予約権の公正な評価額に相当する額をすべて費用計上しており、税務上はその金額を適切に処理している。

なお、従業員から、当期中に1,000個の権利行使があった。なお、特定新株予約権として計上した額のうち当該権利行使に対応する部分を、甲社は資本金に振り替えた。

## 問題2 特定新株予約権を対価とする費用(2) 基本 7分

**次の資料により、当社の当期における税務上の調整を示しなさい。**

⑴ 当社の当期において取締役に対し、支給した報酬の額は、次のとおりである。

| 株主名 | 役職名等 | 報　酬 |
|---|---|---|
| A | 代表取締役 | 18,000,000円 |
| B | 専務取締役 | 15,000,000円 |
| C | 常務取締役 | 13,500,000円 |
| 合　計 | | 46,500,000円 |

（注１） 甲社は、上記の報酬につき、毎月月末において同額支給している。

（注２） 甲社は、その株主総会において、役員給与の年額を総額60,000,000円とすることとしている。

⑵ 当社は、取締役に対し、当期において次の経済的利益を供与している。

① Ｂに対して時価50,000,000円の土地（帳簿価額30,000,000円）を10,000,000円で譲渡した。

② 令和元年10月27日の株主総会において、取締役に対し役務の提供の対価として、ストック・オプション（租税特別措置法第29条の２に規定された要件を満たさない税制非適格型のものである。）を特定新株予約権として１人当たり50個を無償で付与することを決議し、前期までに株式報酬として特定新株予約権の公正な評価額相当額である45,000,000円（１個当たり300,000円）を計上し、全額、所得金額の計算上、加算調整を行っている。なお、この特定新株予約権は事前確定届出給与に該当するものである。

当期の８月において、Ｃから特定新株予約権50個の行使があり、特定新株予約権として計上した額のうち当該権利行使に対応する部分を、甲社は資本金に振り替えた。

## 問題3　特定譲渡制限付株式を対価とする費用　基本　7分

**次の資料により、当社の当期における税務上の調整を示しなさい。**

⑴　当期において支給した給与の内訳は、次のとおりである。

| 氏名 | 役職名 | 報酬又は給料 | | 賞　与 | |
|---|---|---|---|---|---|
| | | 役員分 | 使用人分 | 役員分 | 使用人分 |
| A | 代表取締役社長 | 30,000,000円 | －　円 | 6,000,000円 | －　円 |
| B | 常務取締役 | 21,000,000 | － | 4,000,000 | － |
| C | 取締役総務部長 | 12,000,000 | 1,800,000 | 3,000,000 | 1,000,000 |
| 合　計 | | 63,000,000円 | 1,800,000円 | 13,000,000円 | 1,000,000円 |

※1　役員報酬（使用人分給料として支給した分を含む。）は、特定譲渡制限付株式を対価とする費用を除き、法人税法第34条第1項第1号に規定する定期同額給与に該当する。また、役員賞与は、定期同額給与、事前確定届出給与及び法人税法第34条第1項第3号に規定する業績連動給与のいずれにも該当しない。

※2　Bに対する報酬のうち 3,000,000 円は特定譲渡制限付株式を対価とする費用（令和元年の10月に決議されたもの）であり、当期の3月に譲渡制限が解除されている。なお、前期までのBに対する報酬のうち9,000,000円は、その解除に係る特定譲渡制限付株式を対価とする費用である。また、これらの費用は事前確定届出給与に該当するものである。

※3　使用人兼務役員の使用人分賞与は、他の使用人と同一時期に支給している。

※4　甲社は、その株主総会において、役員給与の年額を、使用人兼務役員の使用人分給与を含めて、総額50,000,000円とすることとしている。

⑵　当社は非同族会社である。

## 問題4 ミニテスト 基本 7分

**次の資料により、当社の当期における税務上の調整を示しなさい。**

当社の当期末現在の株主、役員等の状況及び給与支給額は、次のとおりである。

役員報酬（株主総会の決議に基づくもの）の内訳は、次のとおりである。

| 氏名 | 役職 | 金額 |
|---|---|---|
| A | 代表取締役 | 43,200,000 円 |
| B | 常務取締役 | 28,000,000 円 |
| C | 取締役 | 21,600,000 円 |
| D | 取締役 | 6,000,000 円 |
| E | 監査役 | 19,200,000 円 |
| 合計 | | 118,000,000 円 |

（注１）　Ｃに対する役員報酬は、数年前から、月額 1,800,000 円で変更はない。また、当社は、株主総会における決議に基づきストック・オプション制度を導入している。この制度に基づき、前期においてＣに対して、役務提供の対価として特定新株予約権を付与し、以下の仕訳をしている。Ｃは、当社の株式の価額が１株当たり 1,660 円の時に、将来の一定期間内に新株 100,000 株を１株当たり 800 円で購入できる権利を付与されたものである。その付与時の特定新株予約権の公正評価額は１株当たり 860 円である。

（役 員 給 与）　86,000,000 円　（新株予約権）　86,000,000 円

上記の特定新株予約権は、法人税法第 54 条《新株予約権を対価とする費用の帰属事業年度の特例等》第１項に規定する特定新株予約権に該当する。Ｃは、当期の 12 月１日において当社の株式の価額が１株当たり 2,200 円になり、同日に特定新株予約権を行使（役員Ｃについて法人税法第 54 条第１項に規定する給与等課税事由が生じている。）したため、当社は新株を発行し、次の仕訳をしている。

（新株予約権）　86,000,000 円　（資　本　金）　166,000,000 円
（現　　　金）　80,000,000 円

（注２）　Ｃに対する役員報酬以外の役員報酬は、すべて定期同額給与に該当する。

（注３）　役員に対して支給した給与の額については、株主総会において定められた支給限度額は取締役分 180,000,000 円、監査役分 20,000,000 円であるが、各人ごとの支給額は職務の内容等に照らし不相当に高額な部分の金額はない。

（注４）　上記特定新株予約権は事前確定届出給与に該当するものである。

## 解 答　問題1 特定新株予約権を対価とする費用(1)

**前払株式報酬費用計上もれ認容**

15,000×1,000個＝15,000,000円

（単位：円）

| 項目 | | 金額 | 留保 | 社外流出 |
|---|---|---|---|---|
| 加算 | | | | |
| 減算 | 前払株式報酬費用計上もれ認容 | 15,000,000 | 15,000,000 | |

## 解 説

① 特定新株予約権が、従業員又は役員の役務提供の対価として発行される場合には、対象勤務期間にわたって、費用計上されることになります。

その対象勤務期間は、「付与日」から「権利確定日」までの期間をいい、税務上は、その費用を権利行使日に認識することとされているため、対象勤務期間に計上された株式報酬費用は、否認され、別表四で加算調整することになります。

〈役務提供時の会計上の仕訳〉

（借）株式報酬費用×××／（貸）新株予約権 ×××

前払株式報酬費用計上もれ（加算留保）

② 上記株式報酬費用につき、税務上は、特定新株予約権の権利行使があった時に認識することとし、会計上費用計上されていることを前提に、次の調整をします。なお、適格ストック・オプションの場合は、損金算入されないため、減算した金額を加算調整しますが、本問は非適格ストック・オプションのため、加算調整は要しません。

〈権利行使時の会計上の仕訳〉

（借）新株予約権×××／（貸）資本金等×××

前払株式報酬費用計上もれ認容（減・留）

## 解 答　問題2 特定新株予約権を対価とする費用(2)

1．**前払株式報酬費用計上もれ認容**

300,000×50個＝15,000,000円

2．**役員給与の損金不算入**

⑴ **損金不算入給与**

50,000,000－10,000,000＝40,000,000円

⑵ **過大役員給与（取締役・形式基準）**

(46,500,000＋15,000,000)－60,000,000＝1,500,000円

(3) 合　計

(1)＋(2)＝41,500,000円

（単位：円）

| 項　　目 | | 金　額 | 留　保 | 社外流出 |
|---|---|---|---|---|
| 加算 | 役員給与の損金不算入額 | 41,500,000 | | 41,500,000 |
| 減算 | 前払株式報酬費用計上もれ認容 | 15,000,000 | 15,000,000 | |

## 解説

① 本問は非適格ストック・オプションのため、そのストック・オプションについて、役員給与の過大部分が認識される場合には、その過大部分は損金不算入とされます。

② 役員に対する低額譲渡により給与とされる部分（時価と対価との差額）は、定期同額給与、事前確定届出給与及び業績連動給与のいずれにも該当しないものとして、全額損金不算入となります。

## 解答 問題3 特定譲渡制限付株式を対価とする費用

1．前払株式報酬費用計上もれ認容

9,000,000円

2．役員給与の損金不算入

(1) 損金不算入給与

13,000,000円

(2) 過大役員給与（取締役・形式基準）

(9,000,000＋63,000,000＋1,800,000＋1,000,000)－50,000,000＝24,800,000円

(3) 合　計

(1)＋(2)＝37,800,000円

（単位：円）

| 項　　目 | | 金　額 | 留　保 | 社外流出 |
|---|---|---|---|---|
| 加算 | 役員給与の損金不算入額 | 37,800,000 | | 37,800,000 |
| 減算 | 前払株式報酬費用計上もれ認容 | 9,000,000 | 9,000,000 | |

## 解説

① 会計上は、特定譲渡制限付株式に係る費用は、対象勤務期間（譲渡制限期間）に計上することになりますが、税務上の費用の認識時期は、譲渡制限の解除時となり、本問は当期に譲渡制限の解除を行っているため、前期以前に費用計上した金額を減算調整します。

② 特定譲渡制限付株式に係る費用につき、当期に譲渡制限が解除され、給与等課税額が生じているため、過大役員給与の計算に含めることになります。

なお、特定譲渡制限付株式に係る費用は、事前に確定していることを要件に、届出を要しない事前確定届出給与に該当するとされています。

③ 本問の役員分賞与は、事前確定届出書を提出していないため、全額損金不算入となります。

## 解答 問題4 ミニテスト

⑴ 損金不算入給与

0

⑵ 過大役員給与（形式基準）

① 取締役

(118,000,000－19,200,000＋86,000,000)－180,000,000＝4,800,000円

② 監査役

19,200,000－20,000,000＝△800,000 → 0

③ ①＋②＝4,800,000円

⑶ 合 計

⑴＋⑵＝4,800,000 円

（単位：円）

| | 項 目 | 金 額 | 留 保 | 社外流出 |
|---|---|---|---|---|
| 加算 | 役員給与の損金不算入額 | 4,800,000 | | 4,800,000 |
| 減算 | 前払株式報酬費用計上もれ認容 | 86,000,000 | 86,000,000 | |
| | 仮 計 | ××× | ××× | ××× |
| | | | | |

# Chapter 3

# 減価償却（普通償却）

| No | 内　　容 | | 標準時間 | 重要度 | 難易度 |
|---|---|---|---|---|---|
| 問題１ | 資本的支出（原則） | 計算 | 5分 | A | 基本 |
| 問題２ | 資本的支出（特例） | 計算 | 7分 | B | 応用 |
| 問題３ | 資本的支出と修繕費の例示 | 計算 | 7分 | A | 基本 |
| 問題４ | 区分が明らかでない場合等 | 計算 | 5分 | B | 応用 |
| 問題５ | 中古資産（簡便法） | 計算 | 5分 | A | 基本 |
| 問題６ | 中古資産（折衷法） | 計算 | 5分 | B | 基本 |
| 問題７ | 償却方法の変更（旧定率法から旧定額法） | 計算 | 5分 | A | 応用 |
| 問題８ | ミニテスト | 計算 | 10分 | A | 基本 |
| 問題９ | ミニテスト | 計算 | 10分 | A | 基本 |

理論　計算

→ 解答・解説　3－11

## 問題１　資本的支出（原則）

重要　基本　5分

**次の資料により、当社の当期における税務上の調整を示しなさい。**

⑴　当社の当期における減価償却の状況等は、次のとおりである。なお、下記以外の減価償却資産については、税務調整すべき金額はない。

| 種　類 | 取得価額 | 期首帳簿価額 | 当期償却費 | 耐用年数 | 取得年月日 |
|---|---|---|---|---|---|
| 建　物 | 170,000,000円 | 166,600,000円 | 2,000,000円 | 50年 | 令和６年４月１日 |
| 車　両 | 4,000,000円 | 2,699,640円 | 800,000円 | ６年 | 令和６年５月26日 |

（注１）　建物について、令和７年９月に改修工事（資本的支出に該当する。）を行い、20,000,000円を支出し当期の費用に計上している。

（注２）　車両について、令和７年８月に改良（資本的支出に該当する。）を行い、980,000円を支出し当期の費用に計上している。なお、前期から繰り越された償却超過額が79,360円ある。

⑵　当社は、減価償却資産の償却方法について何ら選定の届出を行っていない。なお、償却方法に応じた償却率等は、次のとおりである。

減価償却資産の旧定額法、旧定率法、定額法及び定率法（平成24年４月１日以後取得分）の償却率等

| 耐用年数 | 定額法償却率 | 定率法 | | | 旧定額法償却率 | 旧定率法償却率 |
|---|---|---|---|---|---|---|
| | | 償却率 | 改定償却率 | 保証率 | | |
| 6 | 0.167 | 0.333 | 0.334 | 0.09911 | 0.166 | 0.319 |
| 50 | 0.020 | 0.040 | 0.042 | 0.01440 | 0.020 | 0.045 |

## 問題2　資本的支出（特例）　応用　7分

**次の資料により、当社の当期における税務上の調整を示しなさい。**

(1)　当社の当期における減価償却の状況等は、次のとおりである。なお、下記以外の減価償却資産については、税務調整すべき金額はない。

| 種　類 | 取得価額 | 期首帳簿価額 | 当期償却費 | 取得年月日 |
|---|---|---|---|---|
| 建　物 | 88,000,000円 | 49,000,000円 | 5,000,000円 | 平成18年４月４日 |

（注）　建物は、取得と同時に事業の用に供している。なお、令和７年10月に資本的支出に該当する工事を行い、12,000,000円を支出し、当期の費用に計上している。

(2)　当社は、減価償却資産の償却方法について何ら選定の届出を行っていない。なお、法定耐用年数24年の場合の償却率等の資料は、次のとおりである。

減価償却資産の旧定額法、旧定率法、定額法及び定率法（平成24年４月１日以後取得分）の償却率等

| 耐用年数 | 定額法償却率 | 定率法 | | | 旧定額法償却率 | 旧定率法償却率 |
|---|---|---|---|---|---|---|
| | | 償却率 | 改定償却率 | 保証率 | | |
| 24 | 0.042 | 0.083 | 0.084 | 0.02969 | 0.042 | 0.092 |

## 問題３ 資本的支出と修繕費の例示

重要 基本 7分

次の資料により、当社の当期における税務上の調整を示しなさい。

⑴ 当期に、減価償却費として費用に計上した金額の内訳及び償却限度額の計算に関する事項は、次のとおりである。なお、租税特別措置法に規定する特別償却については、一切考慮しなくてよい。

| 種 類 | 取得価額 | 期首帳簿価額 | 当期償却費 | 取得年月日 | 法定耐用年数 |
|---|---|---|---|---|---|
| 建 物 | 60,000,000円 | 57,480,000円 | 1,000,000円 | 令和６年４月１日 | 24年 |
| 機械装置 | 30,000,000円 | 25,000,000円 | 6,000,000円 | 令和６年４月１日 | 10年 |

（注１） 建物について、令和７年６月１日に避難階段の取付工事を行い、6,000,000円を支出し当期の費用に計上している。

（注２） 機械装置は、令和８年１月15日に次の改良を行い、支出額の全額を当期の費用に計上している。

① 特に性能の高い部分品への取替費用
…7,000,000円（うち通常の取替えに要する費用3,600,000円）

② ３年ごとに行っている改良費用…700,000円

なお、この機械装置は当期の７月10日に移設し、その移設に要した費用300,000円を費用計上している。

⑵ 当社は、減価償却資産の償却方法につき何ら選定の届出を行っていない。なお、償却率等は次のとおりである。

減価償却資産の定額法及び定率法（平成24年４月１日以後取得分）の償却率等

| 耐用年数 | 定額法償却率 | 定率法 | | |
|---|---|---|---|---|
| | | 償却率 | 改定償却率 | 保証率 |
| 10 | 0.100 | 0.200 | 0.250 | 0.06552 |
| 24 | 0.042 | 0.083 | 0.084 | 0.02969 |

理論 計算

➔ 解答・解説　3－14

## 問題4　区分が明らかでない場合等　応用　5分

**次の資料により、当社の当期における税務上の調整を示しなさい。**

⑴　当社が、減価償却費として当期の費用に計上した金額の内訳及び償却限度額の計算に関する事項は、次のとおりである。

| 種　類 | 取得価額 | 期首帳簿価額 | 当期償却費 | 取得年月日 | 耐用年数 |
|---|---|---|---|---|---|
| 建　　物 | 55,000,000円 | 53,625,000円 | 1,500,000円 | 令和6年4月10日 | 41年 |
| 車両運搬具 | 3,000,000円 | 550,000円 | 220,000円 | 平成19年3月5日 | 5年 |

（注1）　建物について、令和8年3月に改修工事を行い、300,000円を支出しているが、資本的支出であるか修繕費であるか不明であるため、その全額を費用に計上している。

（注2）　車両運搬具について、令和7年11月に改良を行い、150,000円を支出し費用に計上している。

⑵　当社は、減価償却資産の償却方法につき定率法及び旧定率法を選定し届け出ている。なお、償却率等は次のとおりである。

Ⅰ　減価償却資産の旧定額法、旧定率法、定額法及び定率法（平成19年4月1日から平成24年3月31日取得分）の償却率等

| 耐用年数 | 定額法償却率 | 定率法 | | | 旧定額法償却率 | 旧定率法償却率 |
|---|---|---|---|---|---|---|
| | | 償却率 | 改定償却率 | 保証率 | | |
| 5 | 0.200 | 0.500 | 1.000 | 0.06249 | 0.200 | 0.369 |
| 41 | 0.025 | 0.061 | 0.063 | 0.01306 | 0.025 | 0.055 |

Ⅱ　平成24年4月1日以後に取得をされた減価償却資産の定率法の償却率等

| 耐用年数 | 定率法 | | |
|---|---|---|---|
| | 償却率 | 改定償却率 | 保証率 |
| 5 | 0.400 | 0.500 | 0.10800 |
| 41 | 0.049 | 0.050 | 0.01741 |

理論 計算

→ 解答・解説　3－15

## 問題５　中古資産（簡便法）

重要　基本　５分

**次の資料に基づき、当社の当期における税務上の調整を示しなさい。**

⑴　当期における減価償却資産の償却状況等は、次のとおりである。

| 種　類 | 取得価額 | 損金経理した当期償却費 | 期末帳簿価額 | 耐用年数 | 備　考 |
| --- | --- | --- | --- | --- | --- |
| 工場用建物 | 18,000,000円 | 1,000,000円 | 17,000,000円 | 38年 | （注１） |
| 車両運搬具 | 700,000円 | 350,000円 | 350,000円 | ６年 | （注２） |

（注１）　工場用建物は、令和７年９月10日に取得し直ちに事業の用に供している。なお、建築後28年を経過した中古のものであるが、残存耐用年数を見積ることは困難と認められる。

（注２）　車両運搬具は、令和７年５月５日に取得し直ちに事業の用に供したものである。なお、法定耐用年数の全部を経過した中古のものであるが、残存耐用年数を見積ることは困難と認められる。

⑵　当社は、償却方法として定額法を選定し届け出ており、定額法償却率は、次のとおりである。

| 耐用年数 | 38年 | 16年 | 15年 | 11年 | ６年 | ３年 | ２年 |
| --- | --- | --- | --- | --- | --- | --- | --- |
| 償却率 | 0.027 | 0.063 | 0.067 | 0.091 | 0.167 | 0.334 | 0.500 |

→ 解答・解説　3－16

## 問題6　中古資産（折衷法）　基本　5分

**次の資料により、当社の当期における税務上の調整を示しなさい。**

(1)　当期に、減価償却費として費用に計上した金額の内訳及び償却限度額の計算に関する事項は、次のとおりである。

| 種　類 | 取得価額 | 当期償却費 | 期末帳簿価額 | 事業供用年月日 | 法定耐用年数 |
|---|---|---|---|---|---|
| 建物A | 29,000,000円 | 100,000円 | 28,900,000円 | 令和7年7月31日 | 47年 |

（注）　建物Aは、建築後11年を経過したもの（残存耐用年数を見積ることは困難である。）であり、事業の用に供するにあたり17,000,000円を支出し修繕費として処理している。なお、建物Aと同種の建物を新築するとした場合に要する金額は、40,000,000円と見込まれる。

(2)　当社は、減価償却資産の償却方法につき定額法を選定し届け出ている。なお、償却率は次のとおりである。

| 耐用年数 | 38年 | 39年 | 40年 | 41年 | 47年 |
|---|---|---|---|---|---|
| 償却率 | 0.027 | 0.026 | 0.025 | 0.025 | 0.022 |

→ 解答・解説　3－17

## 問題7　償却方法の変更（旧定率法から旧定額法）

応用　5分

**次の資料により、当社の当期における税務上の調整を示しなさい。**

⑴　当社の当期における建物Aの減価償却の状況等は、次のとおりである。

| 種　　類 | 取得価額 | 期首帳簿価額 | 当期償却費計上額 | 耐用年数 |
|---|---|---|---|---|
| 建　物　A | 15,000,000円 | 10,750,000円 | 590,000円 | 24年 |

（注）当社は平成10年３月31日以前に取得した建物の償却方法として前期まで旧定率法を採用していたが、当期から旧定額法に変更することとし、その旨を記載した申請書を、令和７年２月14日に納税地の所轄税務署長に提出している。

なお、当期末に至るまで何らの通知も受けていない。

⑵　耐用年数が24年の場合の、旧定率法による未償却残額割合は次のとおりである。

| 経過年数＼耐用年数 | 24年 |
|---|---|
| ３年 | 0.750 |
| ４年 | 0.681 |
| ５年 | 0.619 |

⑶　耐用年数に応ずる償却率等の資料は、次のとおりである。

| 耐用年数 | 旧定額法償却率 | 旧定率法償却率 |
|---|---|---|
| 24年 | 0.042 | 0.092 |
| 21年 | 0.048 | 0.104 |
| 20年 | 0.050 | 0.109 |
| 19年 | 0.052 | 0.114 |

⑷　当社は小売業を営む内国法人であり、当期末における資本金の額は300,000,000円である。

## 問題8 ミニテスト

重要　基本　10分

**次の資料に基づき、当社の当期における税務調整すべき金額を計算しなさい。**

⑴ 当社が減価償却の方法として選定し、届け出た方法は旧定率法又は定率法である。

⑵ 次表に掲げる資産について、当期において償却費として費用に計上した金額の内訳及びその償却限度額の計算に関する事項は次のとおりである。なお、これら以外の減価償却資産については調整すべき金額はないものとする。

| 区　分 | 取　得　日 | 取得価額 | 期首帳簿価額 | 当期償却費 | 法定耐用年数 |
|---|---|---|---|---|---|
| 倉庫用建物 | 令７．８．２ | 50,000,000 円 | － | 2,000,000 円 | 24 年 |
| 機 械 装 置 | 前 期 以 前 | 15,000,000 円 | 9,000,000 円 | 3,000,000 円 | 10 年 |

（注１） 倉庫用建物は、建築後５年を経過した中古の家屋を 50,000,000 円で購入したものであるが改良費 33,750,000 円を支出し損金経理し、令和７年９月３日に、事業の用に供している。

なお、この建物の再取得価額は 100,000,000 円であり、その残存耐用年数を見積もることは困難である。

（注２） 機械装置（平成 19 年３月 31 日以前に取得）については、令和８年２月 26 日にその部品を特に性能の高いものに取り替えるため、6,000,000 円を支出し、修繕費として損金経理している。

なお、その部品の通常の取替えに要すると認められる金額は 2,500,000 円である。

（参考）

| 法定耐用年数 | 10 年 | 19 年 | 20 年 | 21 年 | 22 年 | 24 年 |
|---|---|---|---|---|---|---|
| 旧定率法償却率 | 0.206 | 0.114 | 0.109 | 0.104 | 0.099 | 0.092 |
| 旧定額法償却率 | 0.100 | 0.052 | 0.050 | 0.048 | 0.046 | 0.042 |
| 200％定率法償却率 | 0.200 | 0.105 | 0.100 | 0.095 | 0.091 | 0.083 |
| 同上の改定償却率 | 0.250 | 0.112 | 0.112 | 0.100 | 0.100 | 0.084 |
| 同上の償却保証率 | 0.06552 | 0.03693 | 0.03486 | 0.03335 | 0.03182 | 0.02969 |
| 定 額 法 償 却 率 | 0.100 | 0.053 | 0.050 | 0.048 | 0.046 | 0.042 |

→ 解答・解説　3－19

## 問題9　ミニテスト

基本　10分

**次の資料に基づき、当社の当期における税務調整すべき金額を計算しなさい。**

⑴　当期末において有する減価償却資産で税務調整について検討を要するものは、次のとおりである。

| 種　類 | 取得価額 | 当期償却額等 | 期末帳簿価額 | 耐用年数 |
|---|---|---|---|---|
| 構築物 | 18,300,000円 | 3,000,000円 | 12,000,000円 | 20年 |
| 車両及び運搬具 | 5,000,000円 | 1,500,000円 | 3,500,000円 | 5年 |

（注１）　構築物は平成18年9月4日に取得し事業の用に供したものである。なお、構築物については、旧定率法又は定率法から旧定額法又は定額法へ変更することとし、前期末までに承認を受けている。なお、前期において生じた償却超過額が100,000円ある。

（注２）　車両及び運搬具は時価3,000,000円のものを当社の取締役担当から5,000,000円で当期の11月22日に購入し、直ちに事業の用に供したものである。

⑵　当社は、減価償却資産の償却方法について、特に記載があるものを除き、旧定額法又は定額法を選定している。なお、償却率等及び未償却残額割合は次のとおりである。

①　償却率等

| 区　分 | 5年 | 15年 | 16年 | 17年 | 18年 | 19年 | 20年 | 24年 |
|---|---|---|---|---|---|---|---|---|
| 旧定額法 | 0.200 | 0.066 | 0.062 | 0.058 | 0.055 | 0.052 | 0.050 | 0.042 |
| 定額法 | 0.200 | 0.067 | 0.063 | 0.059 | 0.056 | 0.053 | 0.050 | 0.042 |
| 旧定率法 | 0.369 | 0.142 | 0.134 | 0.127 | 0.120 | 0.114 | 0.109 | 0.092 |
| 250%定率法 | 0.500 | 0.167 | 0.156 | 0.147 | 0.139 | 0.132 | 0.125 | 0.104 |

②　法定耐用年数が20年の経過年数ごとの未償却残額割合

(ｲ) 旧定率法未償却残額割合は、次のとおりである。

| 経過年数 | 1年 | 2年 | 3年 | 4年 | 5年 | 6年 | 7年 | 8年 |
|---|---|---|---|---|---|---|---|---|
| 未償却残額割合 | 0.891 | 0.794 | 0.708 | 0.631 | 0.562 | 0.501 | 0.447 | 0.398 |

(ﾛ) 250%定率法未償却残額割合は、次のとおりである。

| 経過年数 | 1年 | 2年 | 3年 | 4年 | 5年 | 6年 | 7年 | 8年 |
|---|---|---|---|---|---|---|---|---|
| 未償却残額割合 | 0.875 | 0.766 | 0.670 | 0.586 | 0.513 | 0.449 | 0.393 | 0.344 |

## 解答　問題1　資本的支出（原則）

1．建　物

(1)　償却限度額

①　本　体

170,000,000×0.020＝3,400,000円

②　資本的支出

$20,000,000\times 0.020\times \frac{7}{12}=233,333$円

③　①＋②＝3,633,333円

(2)　償却超過額

(2,000,000＋20,000,000)－3,633,333＝18,366,667円

2．車　両

(1)　償却限度額

①　本　体

(2,699,640＋79,360)×0.333＝925,407円≧4,000,000×0.09911＝396,440円

∴　925,407円

②　資本的支出

980,000×0.333＝326,340円≧980,000×0.09911＝97,127円

∴　$326,340\times \frac{8}{12}=217,560$円

③　①＋②＝1,142,967円

(2)　償却超過額

(800,000＋980,000)－1,142,967＝637,033円

（単位：円）

| | 項　　目 | 金　額 | 留　保 | 社外流出 |
|---|---|---|---|---|
| 加算 | 減価償却超過額 | | | |
| | （建物本体・資本的支出） | 18,366,667 | 18,366,667 | |
| | （車両本体・資本的支出） | 637,033 | 637,033 | |
| 減算 | | | | |

## 解説

資本的支出は、本体と種類及び耐用年数を同じくする「新たな資産の取得」として取り扱われます。グルーピング計算を忘れないように注意しましょう。

## 解答　問題2　資本的支出（特例）

1．原　則

⑴　本　体

①　償却限度額

88,000,000×0.9×0.042＝3,326,400円

②　償却超過額

5,000,000－3,326,400＝1,673,600円

⑵　資本的支出

①　償却限度額

$12,000,000 \times 0.042 \times \frac{6}{12} = 252,000$円

②　償却超過額

12,000,000－252,000＝11,748,000円

⑶　合　計

1,673,600＋11,748,000＝13,421,600円

2．特　例

⑴　償却限度額

①　本　体

88,000,000×0.9×0.042＝3,326,400円

②　資本的支出

$12,000,000 \times 0.9 \times 0.042 \times \frac{6}{12} = 226,800$円

③　合　計

3,326,400＋226,800＝3,553,200円

⑵　償却超過額

(5,000,000＋12,000,000)－3,553,200＝13,446,800円

3．判　定

13,421,600円＜13,446,800円　　∴　原　則

（単位：円）

| | 項　　目 | 金　額 | 留　保 | 社外流出 |
|---|---|---|---|---|
| 加算 | 減価償却超過額 | | | |
| | （建　物　・　本　体） | 1,673,600 | 1,673,600 | |
| | （建物・資本的支出） | 11,748,000 | 11,748,000 | |
| 減算 | | | | |

## 解説

① 資本的支出の額は、原則として新たな資産の取得とされますが、本体について旧定額法又は旧定率法を採用している場合には、特例として資本的支出の額を本体の取得価額に加算し、一体的に償却することが認められています。

② 本問の場合、建物本体は平成18年４月に取得したものであり、旧定額法により償却されています。したがって、特例を採用することができるため、原則による償却超過額と特例による償却超過額を比較して、償却超過額が少なくなる原則を採用することになります。

## 解答 問題３ 資本的支出と修繕費の例示

1．建　物

(1) 償却限度額

① 本　体

60,000,000×0.042＝2,520,000円

② 資本的支出

$6,000,000\times0.042\times\frac{10}{12}=210,000$円

③ 合　計

①＋②＝2,730,000円

(2) 償却超過額

(1,000,000＋6,000,000)－2,730,000＝4,270,000円

2．機械装置

(1) 資本的支出の判定

① 特に性能の高い部分品への取替費用

7,000,000－3,600,000＝3,400,000円（資本的支出）

② ３年ごとに行っている改良費用

３年以内の周期で行われる改良等　∴ 修繕費

③ 移設に要した費用

移設費　∴ 修繕費

(2) 償却限度額

① 本　体

25,000,000×0.200＝5,000,000円≧30,000,000×0.06552＝1,965,600円

∴ 5,000,000円

② 資本的支出

3,400,000×0.200＝680,000円≧3,400,000×0.06552＝222,768円

∴ $680,000\times\frac{3}{12}=170,000$円

③ 合　計

①＋②＝5,170,000円

(3) 償却超過額

(6,000,000＋3,400,000)－5,170,000＝4,230,000円

（単位：円）

| | 項　　　目 | 金　額 | 留　保 | 社外流出 |
|---|---|---|---|---|
| 加算 | 減価償却超過額 | | | |
| | （建物本体・資本的支出） | 4,270,000 | 4,270,000 | |
| | （機械装置本体・資本的支出） | 4,230,000 | 4,230,000 | |
| 減算 | | | | |

## 解説

① 建物に係る避難階段の取付費用は、資本的支出に該当します。

② 機械装置に係る取替費用の額のうち、通常の取替費用の額を超える部分の金額は、資本的支出に該当します。なお、３年以内の周期で支出されるもの及び移設費は資本的支出に該当せず、修繕費として当期の損金の額に算入されます。

③ 本問のいずれの資本的支出も、新たな資産の取得として取り扱いますが、グルーピングを忘れないように注意が必要です。

## 解答　問題４　区分が明らかでない場合等

**1．建　物**

**(1) 資本的支出の判定**

300,000円＜600,000円　　∴　修繕費

**(2) 償却限度額**

55,000,000×0.025＝1,375,000円

**(3) 償却超過額**

1,500,000－1,375,000＝125,000円

**2．車両運搬具**

**(1) 資本的支出の判定**

150,000円＜200,000円　　∴　修繕費

**(2) 償却限度額**

550,000×0.369＝202,950円

**(3) 償却超過額**

220,000－202,950＝17,050円

（単位：円）

| | 項　　　目 | 金　額 | 留　保 | 社外流出 |
|---|---|---|---|---|
| 加算 | 減価償却超過額 | | | |
| | （建　　物） | 125,000 | 125,000 | |
| | （車両運搬具） | 17,050 | 17,050 | |
| 減算 | | | | |

## 解説

① 建物について支出した金額は、資本的支出であるか修繕費であるか不明なものですが、その支出額が600,000円未満であるものは、修繕費とすることができます。

② 車両運搬具について支出した金額は、200,000円未満であることから、資本的支出に該当するものであっても、修繕費とすることができます。

## 解答 問題5 中古資産（簡便法）

1．工場用建物

⑴ 耐用年数

(38－28)＋28×20%＝15.6 → 15年

⑵ 償却限度額

$18,000,000 \times 0.067 \times \frac{7}{12} = 703,500$円

⑶ 償却超過額

1,000,000－703,500＝296,500円

2．車両運搬具

⑴ 耐用年数

６×20%＝1.2＜２年 ∴ ２年

⑵ 償却限度額

$700,000 \times 0.500 \times \frac{11}{12} = 320,833$円

⑶ 償却超過額

350,000－320,833＝29,167円

（単位：円）

| | 項目 | 金額 | 留保 | 社外流出 |
|---|---|---|---|---|
| 加算 | 減価償却超過額 | | | |
| | （工場用建物） | 296,500 | 296,500 | |
| | （車両運搬具） | 29,167 | 29,167 | |
| 減算 | | | | |

## 解説

① 工場用建物及び車両運搬具のいずれも、残存耐用年数の見積りは困難とあり、資本的支出の額の資料がない(資本的支出の額はないものと考えて、本体の取得価額の50%以下と判断します。)ことから、簡便法により耐用年数を見積ることになります。

② 計算した年数の１年未満の端数は切捨て、その年数が２年未満である場合には２年とします。

## 解答　問題6　中古資産（折衷法）

⑴　耐用年数

①　判　定

29,000,000×50%＝14,500,000円＜17,000,000円≦40,000,000×50%＝20,000,000円

②　耐用年数

$(29,000,000+17,000,000)\div(\frac{29,000,000}{※38}+\frac{17,000,000}{47})=40.8$ …→ 40年

※　(47－11)＋11×20%＝38.2 → 38年

⑵　償却限度額

$(29,000,000+17,000,000)\times0.025\times\frac{9}{12}=862,500$円

⑶　償却超過額

(100,000＋17,000,000)－862,500＝16,237,500円

（単位：円）

| | 項　目 | 金　額 | 留　保 | 社外流出 |
|---|---|---|---|---|
| 加算 | 減価償却超過額（建物A） | 16,237,500 | 16,237,500 | |
| 減算 | | | | |

### 解説

①　事業の用に供するにあたって支出した17,000,000円は、取得価額を構成します。

②　建物を新築するとした場合に要する金額とは、再取得価額を示しています。

③　①の金額が本体の取得価額（29,000,000円）の50%を超え、再取得価額（40,000,000円）の50%以下であるため、折衷法により耐用年数を計算します。

## 解答　問題7　償却方法の変更(旧定率法から旧定額法)

(1)　耐用年数

①　未償却残額割合

$\frac{10,750,000}{15,000,000}=0.7166\cdots \rightarrow 0.717$

②　経過年数

0.750(３年)＞0.717＞0.681(４年)　∴　直近下位　４年

③　24－４＝20年

(2)　償却限度額

(10,750,000－15,000,000×0.1)×0.050＝462,500円

(3)　償却超過額

590,000－462,500＝127,500円

(単位：円)

| 項目 | | 金額 | 留保 | 社外流出 |
|---|---|---|---|---|
| 加算 | 減価償却超過額（建物） | 127,500 | 127,500 | |
| 減算 | | | | |

## 解説

①　旧定率法から旧定額法に償却方法を変更した場合には、未償却残額割合（小数点以下３位未満四捨五入したもの）から経過年数を求め、法定耐用年数からその経過年数を控除した年数に応ずる旧定額法償却率により償却限度額を計算することになります。

②　旧定率法から旧定額法に償却方法を変更した場合には、その償却方法を変更した事業年度の期首帳簿価額を取得価額とみなし、実際取得価額の10%を残存価額として、償却限度額を計算します。

## 解答 問題8 ミニテスト

1．倉庫用建物

(1) 耐用年数

① 判　定

50,000,000×50%＝25,000,000円＜33,750,000円≦100,000,000×50%＝50,000,000円

② 耐用年数

$$(50,000,000+33,750,000)\div\left(\frac{50,000,000}{※20}+\frac{33,750,000}{24}\right)=21.44 \rightarrow 21年（１年未満切捨）$$

※　(24－５)＋５×20%＝20年（１年未満切捨）

(2) 償却限度額

$$(50,000,000+33,750,000)\times0.048\times\frac{7}{12}=2,345,000円$$

(3) 償却超過額

(2,000,000＋33,750,000）－2,345,000＝33,405,000円

2．機械装置（0.206＞0.200　∴　旧定率法有利、資産の取得価額に加算する方法を選択）

(1) 償却限度額

① 本　体

9,000,000×0.206＝1,854,000円

② 資本的支出

$$(6,000,000-2,500,000)\times0.206\times\frac{2}{12}=120,166円$$

③ ①＋②＝1,974,166円

(2) 償却超過額

(3,000,000＋6,000,000－2,500,000)－1,974,166＝4,525,834 円

（単位：円）

| | 項　目 | 金　額 | 留　保 | 社外流出 |
|---|---|---|---|---|
| 加算 | 減価償却超過額 | | | |
| | （倉庫用建物） | 33,405,000 | 33,405,000 | |
| | （機械装置） | 4,525,834 | 4,525,834 | |
| 減算 | | | | |

## 解 答　問題9 ミニテスト

1．構築物

(1) 耐用年数

① 未償却残額割合

$$\frac{3,000,000+12,000,000+100,000}{18,300,000}=0.8251\cdots \rightarrow 0.825$$

② 経過年数

0.891（１年）と0.794（２年）　∴　直近下位　２年

③ 20年－２年＝18年

(2) 償却限度額

{(3,000,000＋12,000,000＋100,000）－18,300,000×10%}×0.055＝729,850円

(3) 償却超過額

3,000,000－729,850＝2,270,150円

2．車両及び運搬具

(1) 取得価額減額及び役員給与

5,000,000－3,000,000＝2,000,000 円

(2) 償却限度額

$$3,000,000\times0.200\times\frac{5}{12}=250,000円$$

(3) 償却超過額

1,500,000－250,000＝1,250,000円

（単位：円）

| | 項目 | 金額 | 留保 | 社外流出 |
|---|---|---|---|---|
| 加算 | 減価償却超過額 | | | |
| | （構築物） | 2,270,150 | 2,270,150 | |
| | （車両及び運搬具） | 1,250,000 | 1,250,000 | |
| | 役員給与の損金不算入額 | 2,000,000 | | 2,000,000 |
| 減算 | 車両及び運搬具減額 | 2,000,000 | 2,000,000 | |

# Chapter 4

# 特別償却

| No | 内　容 | | 標準時間 | 重要度 | 難易度 |
|---|---|---|---|---|---|
| 問題１ | 中小企業者等の機械等（グルーピングとの関係） | 計算 | ５分 | A | 基本 |
| 問題２ | 中小企業者等の機械等（圧縮記帳との関係） | 計算 | ５分 | A | 基本 |
| 問題３ | 特定経営力向上設備等 | 計算 | ６分 | A | 基本 |
| 問題４ | 特別償却不足額（発生事業年度） | 計算 | ５分 | A | 基本 |
| 問題５ | 特別償却不足額（定率法） | 計算 | ５分 | A | 応用 |
| 問題６ | 特別償却不足額（定額法） | 計算 | ３分 | A | 応用 |
| 問題７ | 特別償却不足額（総合） | 計算 | 10分 | A | 応用 |
| 問題８ | 特別償却準備金（グルーピングとの関係） | 計算 | 10分 | A | 基本 |
| 問題９ | 特別償却準備金（取崩し） | 計算 | 10分 | A | 基本 |
| 問題10 | 特別償却準備金（総合） | 計算 | ５分 | A | 応用 |
| 問題11 | ミニテスト | 計算 | 12分 | A | 基本 |

## 問題１　中小企業者等の機械等（グルーピングとの関係）　重要　基本　5分

次の資料により、当社（適用除外事業者に該当しない。）の当期における税務上の調整を示しなさい。

⑴　当社は当期において次の機械装置を取得し、事業の用に供している。

| 種類 | 取得価額 | 当期償却費計上額 | 取得年月日 | 事業供用年月日 |
|---|---|---|---|---|
| Ａ機械装置 | 1,200,000円 | 450,000円 | 令和７年５月10日 | 令和７年５月15日 |
| Ｂ機械装置 | 1,800,000円 | 1,000,000円 | 令和７年５月10日 | 令和７年６月20日 |

（注）　Ａ機械装置及びＢ機械装置は、同一の設備の種類に属するものであり、いずれも法定耐用年数10年の新品のものである。

⑵　当社が選定し届け出た償却方法は定率法であり、償却率は次のとおりである。

| 耐用年数 | 200％定率法 | | |
|---|---|---|---|
| | 償却率 | 改定償却率 | 保証率 |
| 10 | 0.200 | 0.250 | 0.06552 |

⑶　当社は、青色申告書を提出する資本金50,000,000円（当社の株主に法人株主はいない。）の同族会社である。

## 問題2 中小企業者等の機械等（圧縮記帳との関係） 重要 基本 5分

**次の資料により、当社（適用除外事業者に該当しない。）の当期における税務上の調整を示しなさい。**

⑴ 当社が当期において取得し、事業の用に供した機械装置の取得価額等は、次のとおりである。

| 種類 | 取得価額 | 償却費の当期計上額 | 事業供用日 | 耐用年数 |
|---|---|---|---|---|
| 機械装置 | 14,000,000円 | 5,000,000円 | 令和７年７月７日 | 10年 |

（注１） 当社は、令和７年６月１日に国から機械装置の取得に充てるための国庫補助金4,000,000円の交付を受け、その全額を当期の収益に計上している。当社は、交付を受けた国庫補助金の全額を上記の新品の機械装置（１台）の取得に充て、その国庫補助金は当期末までに全額の返還不要が確定している。

（注２） 上記の機械装置を取得するために要した購入手数料500,000円は雑費勘定として費用に計上されている。

（注３） 上記の機械装置について圧縮記帳の適用を受けるため、剰余金の処分により圧縮積立金7,500,000円を積み立てている。

⑵ 当社は機械装置の償却方法として定率法を選定しており、耐用年数10年の場合の償却率等は、次のとおりである。

| 耐用年数 | 200%定率法 | | |
|---|---|---|---|
| | 償却率 | 改定償却率 | 保証率 |
| 10 | 0.200 | 0.250 | 0.06552 |

⑶ 当社は、青色申告書を提出する法人であり、当期末における資本金の額は100,000,000円である。なお、当社の株主はすべて個人である。

## 問題３　特定経営力向上設備等　重要　基本　6分

**次の資料により、当社（中小企業等経営強化法の経営力向上計画の認定を受けたもの）の当期（適用除外事業者に該当しない。）における税務上の調整を示しなさい。**

⑴　当社は当期において次の機械装置を取得し、事業の用に供している。

| 種類 | 取得価額 | 当期償却費計上額 | 取得年月日 | 事業供用年月日 |
|---|---|---|---|---|
| Ａ機械装置 | 1,200,000円 | 450,000円 | 令和７年５月10日 | 令和７年５月15日 |
| Ｂ機械装置 | 1,800,000円 | 1,800,000円 | 令和７年５月10日 | 令和７年６月20日 |

（注）　Ａ機械装置及びＢ機械装置は、同一の設備の種類に属するものであり、いずれも法定耐用年数10年の新品のものである。なお、いずれも経営力向上設備等に該当するものであり、当社は特別償却と特別控除の選択適用ができる資産については、特別償却を選択することとしている。

⑵　当社が選定し届け出た償却方法は定率法であり、償却率は次のとおりである。

| 耐用年数 | 200％定率法 | | |
|---|---|---|---|
| | 償却率 | 改定償却率 | 保証率 |
| 10 | 0.200 | 0.250 | 0.06552 |

⑶　当社は、青色申告書を提出する資本金50,000,000円（当社の株主に法人株主はいない。）の同族会社である。

→ 解答・解説 4－16

## 問題4 特別償却不足額（発生事業年度）

重要 基本 5分

**次の資料により、当社（適用除外事業者に該当しない。）の当期における税務上の調整を示しなさい。**

⑴ 当社が、当期において取得した機械装置（新品）の減価償却の状況等は、次のとおりである。

| 区分 | 取得価額 | 当期償却費 | 期末帳簿価額 | 法定耐用年数 | 事業供用日 |
|---|---|---|---|---|---|
| 機械装置A | 1,450,000円 | 400,000円 | 1,050,000円 | 10年 | 令和7年4月2日 |
| 機械装置B | 2,500,000円 | 700,000円 | 1,800,000円 | 11年 | 令和8年1月15日 |

⑵ 当社は減価償却資産の償却方法として定率法を選定し届け出ている。なお、償却率等の資料は、次のとおりである。

| 耐用年数 | 定額法償却率 | 200%定率法 | | |
|---|---|---|---|---|
| | | 償却率 | 改定償却率 | 保証率 |
| 10 | 0.100 | 0.200 | 0.250 | 0.06552 |
| 11 | 0.091 | 0.182 | 0.200 | 0.05992 |

⑶ 当社は製造業を営む期末資本金の額が100,000,000円（当期中における増減はなかった。なお、株主は全員個人である。）の青色申告書を提出する内国法人である。

理論 計算

→ 解答・解説 4－17

## 問題5 特別償却不足額（定率法）

応用 5分

**次の資料により、当社（適用除外事業者に該当しない。）の当期における税務上の調整を示しなさい。**

⑴ 当社が前期において取得し、事業の用に供した機械装置A及び機械装置Bの当期における減価償却の状況等は、次のとおりである。

| 区分 | 取得価額 | 当期償却費（損金経理） | 期末帳簿価額 | 法定耐用年数 |
|---|---|---|---|---|
| 機械装置A | 1,450,000円 | 210,000円 | 840,000円 | 10年 |
| 機械装置B | 2,500,000円 | 504,000円 | 1,296,000円 | 11年 |

（注１） 機械装置Aには、前期から繰り越された償却超過額が110,000円ある。

（注２） 機械装置Bには、前期から繰り越された特別償却不足額が505,000円ある。

⑵ 当社は減価償却資産の償却方法として定率法を選定し届け出ている。なお、償却率等の資料は、次のとおりである。

| 耐用年数 | 定額法償却率 | 200％定率法 | | |
|---|---|---|---|---|
| | | 償却率 | 改定償却率 | 保証率 |
| 10 | 0.100 | 0.200 | 0.250 | 0.06552 |
| 11 | 0.091 | 0.182 | 0.200 | 0.05992 |

⑶ 当社は製造業を営む期末資本金の額が100,000,000円（期中における変動はなかった。なお、当社の株主に法人株主はいない。）の青色申告書を提出する内国法人である。

理論 計算

→ 解答・解説　4－18

## 問題6　特別償却不足額（定額法）

重要　応用　3分

**次の資料により、当社（適用除外事業者に該当しない。）の当期における税務上の調整を示しなさい。**

(1)　当社が前期において取得し、事業の用に供した機械装置の当期における減価償却に関する資料は、次のとおりである。

| 種　　　類 | 取 得 価 額 | 当 期 償 却 費 | 期末帳簿価額 | 法定耐用年数 |
|---|---|---|---|---|
| 機 械 装 置 | 9,000,000円 | 1,400,000円 | 4,292,500円 | 10年 |

（注）　この機械装置には、前期から繰り越された特別償却に係る償却不足額が292,500円ある。

(2)　当社は機械装置の償却方法として定額法を選定し届け出ており、耐用年数が10年の場合の償却率は0.100である。

(3)　当社は、製造業を営む中小企業者に該当する内国法人である。なお、当社は、設立以来継続して青色の申告書により確定申告書を提出している。

## 問題7　特別償却不足額（総合）

応用　10分

**次の資料により、当社（適用除外事業者に該当しない。）の当期における税務上の調整を示しなさい。**

(1)　当社が、当期において機械装置に係る減価償却費として計上した金額等に関する資料は次のとおりである。

| 種　　類 | 取得価額 | 減価償却費 | 期末帳簿価額 | 耐用年数 |
|---|---|---|---|---|
| 機械装置Ａ | 16,200,000円 | 6,000,000円 | 6,400,000円 | 15年 |
| 機械装置Ｂ | 8,000,000円 | 3,000,000円 | 5,000,000円 | 10年 |

（注１）　機械装置Ａは、前期に取得したものであり、前期において租税特別措置法第52条の２に規定する特別償却不足額3,214,600円が生じている。

（注２）　機械装置Ｂは、令和７年７月１日に取得した新品（１台）のものであり、同日より事業の用に供したものである。

(2)　当社は償却方法について何ら届出をしていない。なお、償却率等の資料は、次のとおりである。

| 耐用年数 | 定額法償却率 | 200%定率法 | | |
|---|---|---|---|---|
| | | 償却率 | 改定償却率 | 保証率 |
| 10 | 0.100 | 0.200 | 0.250 | 0.06552 |
| 15 | 0.067 | 0.133 | 0.143 | 0.04565 |

(3)　当社は資本金の額が100,000,000円の青色申告法人であり、租税特別措置法第42条の４に規定する中小企業者に該当する。

理論 計算

→ 解答・解説 4－20

## 問題8 特別償却準備金（グルーピングとの関係）

重要 基本 10分

**次の資料により、当社（適用除外事業者に該当しない。）の当期における税務上の調整を示しなさい。**

(1) 当期に取得し、事業の用に供した機械装置（いずれも新品のものである。）について計上した減価償却費に関する資料は次のとおりである。

| 種　類 | 取得価額 | 当期償却費 | 事業供用年月日 | 耐用年数 |
|---|---|---|---|---|
| 機械装置A | 3,600,000円 | 360,000円 | 令和７年11月５日 | 12年 |
| 機械装置B | 2,100,000円 | 210,000円 | 令和７年11月15日 | 12年 |

（注） 機械装置A及び機械装置Bは、設備の種類及び細目が同一のものである。

(2) 上記の他、当社は機械装置A及び機械装置Bについて、株主資本等変動計算書において特別償却準備金を機械装置Aについて1,200,000円、機械装置Bについて700,000円積み立てている。

(3) 当社は、償却方法として定率法を選定し届け出ており、法定耐用年数12年の場合の200％定率法の償却率等は次のとおりである。

| 償　却　率 | 改定償却率 | 保　証　率 |
|---|---|---|
| 0.167 | 0.200 | 0.05566 |

(4) 当社は、製造業を営む資本金の額が100,000,000円（当社の株主に大規模法人はいない。）の法人であり、設立以来継続して青色申告書を提出している。

理論 計算

## 問題9 特別償却準備金（取崩し）

重要 基本 10分

**次の資料により、当社の当期における税務上の調整を示しなさい。**

⑴ 当社（適用除外事業者に該当しない。）は、前期において機械装置を３台（いずれも新品のものである。）取得し、事業の用に供している。なお、当社は、前期においてこれらの機械装置が租税特別措置法第42条の６の規定の適用要件を満たしていたことから、株主資本等変動計算書において特別償却準備金を次のとおり積み立てている（積立額は、その全額が前期の損金の額に算入されている。）。

| 区　　分 | 耐用年数 | 積　立　額 |
|---|---|---|
| 機械装置Ａ | ７年 | 2,450,000円 |
| 機械装置Ｂ | ８年 | 2,600,000円 |
| 機械装置Ｃ | 10年 | 2,800,000円 |

⑵ 当社は、前期において積み立てた特別償却準備金について、当期の株主資本等変動計算書において次のとおり取り崩している。

| 区　　分 | 取　崩　額 |
|---|---|
| 機械装置Ａ | 350,000円 |
| 機械装置Ｂ | 325,000円 |
| 機械装置Ｃ | 280,000円 |

（注） 機械装置Ａは、当期において取引先に対して譲渡しているが、機械装置Ｂ及び機械装置Ｃについては当期末においても引き続き所有している。

➔ 解答・解説 4－22

## 問題10 特別償却準備金（総合）

重要 応用 5分

**次の資料により、当社（適用除外事業者に該当しない。）の当期における税務上の調整を示しなさい。**

(1) 当社の当期における機械装置に係る減価償却の状況等は、次のとおりである。なお、償却費の額を当期の費用に計上している。

| 種　　類 | 取得価額 | 償却費の額 | 期末帳簿価額 | 事業供用年月 | 耐用年数 |
|---|---|---|---|---|---|
| A機械装置 | 4,900,000円 | 867,000円 | 2,906,000円 | 令和6年4月 | 10年 |
| B機械装置 | 3,300,000円 | —— | —— | 令和6年4月 | 10年 |
| C機械装置 | 2,000,000円 | 700,000円 | 1,300,000円 | 令和7年7月 | 10年 |

（注1） A機械装置は、前期の株主資本等変動計算書において特別償却準備金1,470,000円（税務上の適正額である。）を積み立てているが、当期において取崩しは一切行っていない。

（注2） B機械装置は、前期の株主資本等変動計算書において特別償却準備金990,000円（税務上の適正額である。）を積み立てているが、当期において取崩しは一切行っていない。

なお、当期において売却している。

（注3） C機械装置は、当期に取得した新品のものであり、当期の株主資本等変動計算書において特別償却準備金675,000円を積み立てている。

（注4） A機械装置、B機械装置及びC機械装置は、設備の種類及び細目が同一のものである。

(2) 当社は、機械装置の償却方法について、定率法を選定し所定の届出を行っている。なお、耐用年数10年の場合の200%定率法償却率等の資料は、次のとおりである。

| 耐用年数 | 償却率 | 改定償却率 | 保証率 |
|---|---|---|---|
| 10 | 0.200 | 0.250 | 0.06552 |

(3) 当社は、製造業を営む資本金の額が50,000,000円の青色申告法人である。なお、当社は、租税特別措置法第42条の4に規定する中小企業者に該当する。

理論 計算

→ 解答・解説　4－23

## 問題11　ミニテスト

重要　基本　12分

**次の資料により、当社（適用除外事業者に該当しない。）の当期における税務上の調整を示しなさい。**

⑴　当社（中小企業者等）は減価償却資産の償却方法として、旧定額法又は定額法を選定し、所轄税務署長に届け出ている。

⑵　当期末に有する減価償却資産で税務調整について検討すべきものは、次のとおりである。なお、法人税等調整額 1,750,000 円が損益計算書の法人税、住民税及び事業税に加算されている。

| 種類等 | 取得価額 | 法定耐用年数 | 期首帳簿価額 | 当期償却額 | 事業供用日 | 備考 |
|---|---|---|---|---|---|---|
| 機械装置A | 15,200,000円 | 10年 | — | 3,000,000円 | 令7.10.15 | (注1) |
| 機械装置B | 18,000,000円 | 10年 | 17,700,000円 | 1,000,000円 | 令7.2.10 | (注2) |
| 機械装置C | 14,000,000円 | 7年 | 12,999,000円 | 2,000,000円 | 令6.10.17 | (注3) |

(注1) 租税特別措置法第42条の6《中小企業者等が機械等を取得した場合の特別償却又は法人税額の特別控除》第1項に規定する特定機械装置等に該当するものである。なお、直接償却する方法に代えて特別償却準備金を剰余金処分により 3,250,000 円積み立て、これに係る繰延税金負債を 1,750,000 円計上している。

(注2) 同条同項に規定する特定機械装置等に該当するものであり、前期において特別償却準備金を剰余金処分により 3,510,000 円積み立て、これに係る繰延税金負債を 1,890,000 円計上している。なお、当該特別償却準備金の取崩しは一切行っていない。なお、機械装置Aと設備の種類が同じものである。

(注3) 同条同項に規定する特定機械装置等に該当するものであり、前期において特別償却準備金を剰余金処分により 2,925,000 円積み立て、これに係る繰延税金負債を 1,575,000 円計上している（前期の確定申告において特別償却準備金積立超過額として加算調整された金額が 300,000 円ある。）。なお、当該特別償却準備金の取崩しは一切行っていない。

（参考）　償却率等は、次のとおりである。

| 区分 | 7年 | 10年 |
|---|---|---|
| 旧定額法 | 0.142 | 0.100 |
| 旧定率法 | 0.280 | 0.206 |
| 定額法 | 0.143 | 0.100 |
| 200％定率率法 | 0.286 | 0.200 |
| 改定償却率 | 0.334 | 0.250 |
| 保証率 | 0.08680 | 0.06552 |

## 解答　問題1　中小企業者等の機械等（グルーピングとの関係）

1．A機械装置

(1)　償却限度額

1,200,000×0.200＝240,000円≧1,200,000×0.06552＝78,624円

∴　$240,000\times\frac{11}{12}$＝220,000円

(2)　償却超過額

450,000－220,000＝230,000円

2．B機械装置

(1)　償却限度額

①　普通償却

1,800,000×0.200＝360,000円≧1,800,000×0.06552＝117,936円

∴　$360,000\times\frac{10}{12}$＝300,000円

②　特別償却

1,800,000×30%＝540,000円

③　①＋②＝840,000円

(2)　償却超過額

1,000,000－840,000＝160,000円

（単位：円）

| | 項　　目 | 金　額 | 留　保 | 社外流出 |
|---|---|---|---|---|
| 加算 | 減価償却超過額 | | | |
| | （A機械装置） | 230,000 | 230,000 | |
| | （B機械装置） | 160,000 | 160,000 | |
| 減算 | | | | |

## 解説

①　当社は、資本金の額が1億円以下であり、株主に法人株主がいないことから大規模法人に支配されている状況もありません。したがって、中小企業者に該当し、新品で取得した機械装置のうち一定規模以上のものについては、中小企業者等の機械等の特別償却を適用することができます。

②　A機械装置については、取得価額が1,600,000円未満であるため、一定規模以上という要件を満たしません。したがって、B機械装置については特別償却を適用しますが、A機械装置については普通償却のみの計算となります。

③　B機械装置については、特別償却を適用するためグルーピングは認められません。したがって、A機械装置とB機械装置は同一の設備の種類に属するものですが、グルーピングをすることはできず、それぞれ償却限度額を計算することになります。

## 解答　問題2　中小企業者等の機械等（圧縮記帳との関係）

1．圧縮記帳

⑴　圧縮限度額

4,000,000円＜14,000,000＋500,000＝14,500,000円　∴　4,000,000円

⑵　圧縮超過額

7,500,000－4,000,000＝3,500,000円

2．減価償却

⑴　償却限度額

①　普通償却

(14,500,000－4,000,000)×0.200＝2,100,000円≧(14,500,000－4,000,000)×0.06552

＝687,960円　∴　$2,100,000\times\frac{9}{12}$＝1,575,000円

②　特別償却

(14,500,000－4,000,000)×30%＝3,150,000円

③　①＋②＝4,725,000円

⑵　償却超過額

(5,000,000＋500,000)－4,725,000＝775,000円

（単位：円）

| 項目 | | 金額 | 留保 | 社外流出 |
|---|---|---|---|---|
| 加算 | 圧縮積立金積立超過額（機械装置） | 3,500,000 | 3,500,000 | |
| | 減価償却超過額（機械装置） | 775,000 | 775,000 | |
| 減算 | 圧縮積立金認定損（機械装置） | 7,500,000 | 7,500,000 | |

## 解説

①　特別償却は、租税特別措置法上の圧縮記帳制度との重複適用は原則として認められないが、法人税法上の圧縮記帳制度との重複適用は認められています。

②　適用順序としては、まず、国庫補助金の圧縮記帳を適用し、その後、圧縮記帳後の取得価額に基づいて、特別償却の適用判定を行うことになります。

③　普通償却限度額及び特別償却限度額は、いずれも圧縮記帳後の取得価額に基づいて計算することになります。

## 解答　問題3　特定経営力向上設備等

1．A機械装置

⑴　償却限度額

1,200,000×0.200＝240,000円≧1,200,000×0.06552＝78,624円

∴　$240,000 \times \frac{11}{12} = 220,000$円

⑵　償却超過額

450,000－220,000＝230,000円

2．B機械装置

⑴　償却限度額

①　普通償却

1,800,000×0.200＝360,000円≧1,800,000×0.06552＝117,936円

∴　$360,000 \times \frac{10}{12} = 300,000$円

②　特別償却

1,800,000－300,000＝1,500,000円

③　①＋②＝1,800,000円

⑵　償却超過額

1,800,000－1,800,000＝0（税務調整なし）

（単位：円）

| | 項目 | 金額 | 留保 | 社外流出 |
|---|---|---|---|---|
| 加算 | 減価償却超過額（A機械装置） | 230,000 | 230,000 | |
| 減算 | | | | |

## 解説

①　当社は、資本金の額が1億円以下であり、株主に法人株主がいないことから大規模法人に支配されている状況もありません。したがって、中小企業者に該当します。また、中小企業等経営強化法の経営力向上計画の認定を受けたものに該当するため、新品で取得した特定経営力向上設備等については、中小企業者等の特定経営力向上設備等の特別償却を適用することができます。

②　A機械装置については、取得価額が1,600,000円未満であるため、一定規模以上という要件を満たしません。経営力向上設備等のうち、一定規模以上のものを特定経営力向上設備等といいます。したがって、B機械装置については特別償却を適用しますが、A機械装置については普通償却のみの計算となります。

③　B機械装置については、特別償却を適用するためグルーピングは認められません。したがって、A機械装置とB機械装置は同一の設備の種類に属するものですが、グルーピングをすることはできず、それぞれ償却限度額を計算することになります。

## 解答　問題4　特別償却不足額（発生事業年度）

1．機械装置Ａ

(1)　償却限度額

1,450,000×0.200＝290,000円≧1,450,000×0.06552＝95,004円

∴　$290,000 \times \frac{12}{12}$＝290,000円

(2)　償却超過額

400,000－290,000＝110,000円

2．機械装置Ｂ

(1)　償却限度額

①　普通償却

2,500,000×0.182＝455,000円≧2,500,000×0.05992＝149,800円

∴　$455,000 \times \frac{3}{12}$＝113,750円

②　特別償却

2,500,000×30％＝750,000円

③　①＋②＝863,750円

(2)　償却超過額

700,000－863,750＝△163,750

163,750円＜750,000円　　∴　163,750円（１年間繰越）

（単位：円）

| 項目 | | 金額 | 留保 | 社外流出 |
|---|---|---|---|---|
| 加算 | 減価償却超過額（機械装置Ａ） | 110,000 | 110,000 | |
| 減算 | | | | |

## 解説

①　当社は、中小企業者に該当することから、中小企業者等の機械等の特別償却の適用について検討しますが、機械装置Ａについては取得価額が1,600,000円未満であることから適用がありません。したがって、機械装置Ｂについて特別償却を適用します。

②　機械装置Ｂについて、償却超過額を計算してみると償却不足額が生じますが、特別償却限度額に係る不足額（特別償却不足額）については、１年間の繰越しが認められています。償却不足額と特別償却限度額のいずれか少ない金額を求め「１年間繰越」のコメントを付してください。

## 解答　問題5　特別償却不足額（定率法）

1．機械装置Ａ

⑴　償却限度額

(840,000＋210,000＋110,000)×0.200＝232,000円≧1,450,000×0.06552＝95,004円

∴　232,000円

⑵　償却超過額

210,000－232,000＝△22,000

22,000円＜110,000円　　∴　22,000円(認　容)

2．機械装置Ｂ

⑴　償却限度額

①　普通償却

(1,296,000＋504,000－505,000)×0.182＝235,690円≧2,500,000×0.05992＝149,800円

∴　235,690円

②　特別償却不足額

505,000円

③　①＋②＝740,690円

⑵　償却超過額

504,000－740,690＝△236,690 → 0

（単位：円）

| | 項　目 | 金　額 | 留　保 | 社外流出 |
|---|---|---|---|---|
| 加算 | | | | |
| 減算 | 減価償却超過額認容（機械装置Ａ） | 22,000 | 22,000 | |

## 解説

①　機械装置Ｂについては、特別償却不足額が繰り越されてきていますが、その特別償却不足額は、当期の償却限度額として使用することができます。本問とは直接関係ありませんが、特別償却不足額を償却限度額として使用する場合には、その使用する資産について、グルーピングは認められないことも確認してください。

②　特別償却不足額がある資産について、定率法により償却限度額を計算する場合には、償却率を乗ずる帳簿価額は、期首帳簿価額からその特別償却不足額を控除した金額によります。なお、取得価額については、特に改定する必要はないため、特別償却不足額を償却保証率の計算に影響させないように注意しましょう。

③　特別償却不足額の繰越しは１年間に限って認められています。特別償却不足額を償却限度額として使用した事業年度において再び償却不足額が生じた場合であっても、２年間繰越すことはできないことに注意してください。

## 解答　問題6　特別償却不足額（定額法）

⑴　償却限度額

①　普通償却

9,000,000×0.100＝900,000円

②　特別償却不足額

292,500円

③　①＋②＝1,192,500円

⑵　償却超過額

1,400,000－1,192,500＝207,500円

（単位：円）

| 項目 | | 金額 | 留保 | 社外流出 |
|---|---|---|---|---|
| 加算 | 減価償却超過額（機械装置） | 207,500 | 207,500 | |
| 減算 | | | | |

## 解説

前期から繰り越されてきた特別償却不足額がある場合であっても、定額法の計算には影響しないことに注意してください。なお、前期から繰り越されてきた特別償却不足額を償却限度額の計算上、加算することを忘れないように注意しましょう。

## 解答　問題7　特別償却不足額（総合）

1．機械装置A

⑴　償却限度額

①　普通償却

(6,000,000＋6,400,000－3,214,600)×0.133＝1,221,658円≧16,200,000×0.04565＝739,530円

∴　1,221,658円

②　特別償却不足額

3,214,600円

③　①＋②＝4,436,258円

⑵　償却超過額

6,000,000－4,436,258＝1,563,742円

2．機械装置B

⑴　償却限度額

①　普通償却

8,000,000×0.200＝1,600,000円≧8,000,000×0.06552＝524,160円

∴　$1,600,000 \times \frac{9}{12}$＝1,200,000円

②　特別償却

8,000,000×30%＝2,400,000円

③　①＋②＝3,600,000円

⑵　償却超過額

3,000,000－3,600,000＝△600,000

600,000円＜2,400,000円　　∴　600,000円（1年間繰越）

（単位：円）

| 項目 | | 金額 | 留保 | 社外流出 |
|---|---|---|---|---|
| 加算 | 減価償却超過額（機械装置A） | 1,563,742 | 1,563,742 | |
| 減算 | | | | |

## 解 答　問題8　特別償却準備金（グルーピングとの関係）

1．減価償却

⑴　償却限度額

①　3,600,000×0.167＝601,200円≧3,600,000×0.05566＝200,376円

$\therefore$　601,200×$\frac{5}{12}$＝250,500円

②　2,100,000×0.167＝350,700円≧2,100,000×0.05566＝116,886円

$\therefore$　350,700×$\frac{5}{12}$＝146,125円

③　①＋②＝396,625円

⑵　償却超過額

(360,000＋210,000)－396,625＝173,375円

2．特別償却準備金

⑴　機械装置A

①　積立限度額

3,600,000×30%＝1,080,000円

②　積立超過額

1,200,000－1,080,000＝120,000円

⑵　機械装置B

①　積立限度額

2,100,000×30%＝630,000円

②　積立超過額

700,000－630,000＝70,000円

（単位：円）

| 項 | 目 | 金　額 | 留　保 | 社外流出 |
|---|---|---|---|---|
| 加算 | 減価償却超過額 | | | |
| | （機械装置A・B） | 173,375 | 173,375 | |
| | 特別償却準備金積立超過額 | | | |
| | （機械装置A） | 120,000 | 120,000 | |
| | （機械装置B） | 70,000 | 70,000 | |
| 減算 | 特別償却準備金認定損 | | | |
| | （機械装置A） | 1,200,000 | 1,200,000 | |
| | （機械装置B） | 700,000 | 700,000 | |

## 解説

①　当社は、中小企業者に該当し、新品の機械装置A及び機械装置Bを取得しているため、特別償却の適用を受けることができます。当社は、特別償却の適用について特別償却準備金制度を選択している（特別償却準備金の積立てを行っている）ため、特別償却限度額を積立限度額として特別償却準備金の積立超過額を計算することになります。

② 機械装置A及び機械装置Bは、設備の種類及び細目が同一であり、償却方法及び耐用年数も同じです。特別償却準備金制度を適用する場合には、特別償却とは異なり、特別償却限度額を償却限度額として使用することはないため、償却限度額の計算についてグルーピングが必要になります。

③ 特別償却準備金の積立限度額及び積立超過額は､対象資産ごとにそれぞれ計算することになります。

## 解 答 問題9 特別償却準備金（取崩し）

(1) 要取崩額

① 機械装置A

2,450,000円

② 機械装置B

$2,600,000 \times \frac{12}{※60} = 520,000$円

※ 8＜10

(イ) 60

(ロ) 8×12＝96

(ハ) (イ)＜(ロ) ∴ 60

③ 機械装置C

$2,800,000 \times \frac{12}{84} = 400,000$円

(2) 取崩もれ

① 機械装置A

2,450,000－350,000＝2,100,000円

② 機械装置B

520,000－325,000＝195,000円

③ 機械装置C

400,000－280,000＝120,000円

（単位：円）

| | 項目 | 金額 | 留保 | 社外流出 |
|---|---|---|---|---|
| 加算 | 特別償却準備金取崩額 | | | |
| | (機械装置A) | 350,000 | 350,000 | |
| | (機械装置B) | 325,000 | 325,000 | |
| | (機械装置C) | 280,000 | 280,000 | |
| | 特別償却準備金取崩もれ | | | |
| | (機械装置A) | 2,100,000 | 2,100,000 | |
| | (機械装置B) | 195,000 | 195,000 | |
| | (機械装置C) | 120,000 | 120,000 | |
| 減算 | | | | |

## 解説

① 特別償却準備金は、積み立てた事業年度別に区分し、それぞれの資産ごとに一定の金額を取り崩し、益金の額に算入する必要があります。

② 特別償却準備金は、原則として7年間（84月）で取崩しを行うことになりますが、対象資産の耐用年数が10年未満である場合には、「60」と「耐用年数×12」のいずれか少ない月数に渡って取崩しを行うことになります。

③ 譲渡等したため対象資産を有しないこととなった場合には、その対象資産に係る特別償却準備金の全額を取り崩して、益金の額に算入する必要があります。

## 解答 問題10 特別償却準備金（総合）

1．特別償却準備金

(1) 取崩し

① 要取崩額

(イ) A機械装置 $1,470,000\times\frac{12}{84}=210,000$円

(ロ) B機械装置 990,000円

② 取崩もれ

(イ) A機械装置 210,000－0＝210,000円

(ロ) B機械装置 990,000－0＝990,000円

(2) 積立て

① 積立限度額

C機械装置 2,000,000×30%＝600,000円

② 積立超過額

C機械装置 675,000－600,000＝75,000円

2．減価償却

(1) 償却限度額

① (867,000＋2,906,000)×0.200＝754,600円≧4,900,000×0.06552＝321,048円

∴ 754,600円

② 2,000,000×0.200＝400,000円≧2,000,000×0.06552＝131,040円

∴ $400,000\times\frac{9}{12}=300,000$円

③ ①＋②＝1,054,600円

(2) 償却超過額

(867,000＋700,000)－1,054,600＝512,400円

単位：円）

| 項目 | | 金額 | 留保 | 社外流出 |
|---|---|---|---|---|
| 加算 | 特別償却準備金取崩もれ | | | |
| | （A 機械装置） | 210,000 | 210,000 | |
| | （B 機械装置） | 990,000 | 990,000 | |
| | 特別償却準備金積立超過額 | | | |
| | （C 機械装置） | 75,000 | 75,000 | |
| | 減価償却超過額 | | | |
| | （A・C機械装置） | 512,400 | 512,400 | |
| 減算 | 特別償却準備金認定損 | | | |
| | （C 機械装置） | 675,000 | 675,000 | |

## 解答 問題11 ミニテスト

1．特別償却準備金

(1) 取崩し

① 要取崩額

(イ) 機械装置B　$(3,510,000+1,890,000)\times\frac{12}{84}=771,428$円

(ロ) 機械装置C　$(2,925,000+1,575,000-300,000)\times\frac{12}{※60}=840,000$円

※　7＜10

(イ) 60

(ロ) 7×12＝84

(ハ) (イ)＜(ロ)　∴　60

② 取崩もれ

(イ) 機械装置B　771,428－0＝771,428円

(ロ) 機械装置C　840,000－0＝840,000円

(2) 積立て

① 積立限度額

機械装置A　15,200,000×30%＝4,560,000円

② 積立超過額

機械装置A　※5,000,000－4,560,000＝440,000円

※　3,250,000＋1,750,000＝5,000,000円

2．機械装置A・B

(1) 償却限度額

① 機械装置A　$15,200,000\times0.100\times\frac{6}{12}=760,000$円

② 機械装置B　18,000,000×0.100＝1,800,000円

③ ①＋②＝2,560,000円

⑵　償却超過額

(3,000,000＋1,000,000)－2,560,000＝1,440,000円

3．機械装置C

⑴　償却限度額

14,000,000×0.143＝2,002,000円

⑵　償却超過額

2,000,000－2,002,000＝△2,000（切捨）

（単位：円）

| 項目 | | 金額 | 留保 | 社外流出 |
|---|---|---|---|---|
| 加算 | 法人税等調整額 | 1,750,000 | 1,750,000 | |
| | 特別償却準備金取崩もれ | | | |
| | （機械装置B） | 771,428 | 771,428 | |
| | （機械装置C） | 840,000 | 840,000 | |
| | 特別償却準備金積立超過額 | | | |
| | （機械装置A） | 440,000 | 440,000 | |
| | 減価償却超過額 | | | |
| | （機械装置A・B） | 1,440,000 | 1,440,000 | |
| 減算 | 特別償却準備認定損 | | | |
| | （機械装置A） | 5,000,000 | 5,000,000 | |

# Chapter 5

# 特別控除

| No | 内　容 | | 標準時間 | 重要度 | 難易度 |
|---|---|---|---|---|---|
| 問題１ | 試験研究費の特別控除・中小企業者等以外の場合 | 計算 | 12分 | A | 基本 |
| 問題２ | 試験研究費の特別控除・中小企業者等の場合 | 計算 | 12分 | A | 基本 |
| 問題３ | 試験研究費の特別控除・国庫補助金がある場合 | 計算 | 15分 | A | 応用 |
| 問題４ | 中小企業者等の機械等（特別控除） | 計算 | ３分 | A | 基本 |
| 問題５ | 中小企業者等の機械等（控除税額の繰越し） | 計算 | ７分 | A | 応用 |
| 問題６ | 中小企業者等の特定経営力向上設備等（特別控除） | 計算 | ４分 | A | 基本 |
| 問題７ | 給与等の支給額が増加した場合の特別控除・中小企業者等 | 計算 | ５分 | A | 基本 |
| 問題８ | 給与等の支給額が増加した場合の特別控除・中小企業者等以外 | 計算 | ５分 | A | 基本 |
| 問題９ | 給与等の支給額が増加した場合の特別控除・教育訓練費(1) | 計算 | ７分 | A | 基本 |
| 問題10 | 給与等の支給額が増加した場合の特別控除・教育訓練費(2) | 計算 | ７分 | A | 基本 |
| 問題11 | ミニテスト | 計算 | 10分 | A | 基本 |
| 問題12 | ミニテスト | 計算 | 12分 | A | 応用 |

理論 計算

→ 解答・解説　5－14

## 問題１　試験研究費の特別控除・中小企業者等以外の場合

重要　基本　12分

次の資料に基づき、青色申告法人である当社の当期における試験研究費の特別控除額の計算を行いなさい。

⑴　当期以前５事業年度の試験研究費の額は、それぞれ次のとおりである。

| 事業年度 | 試験研究費の額 | 売上金額 |
|---|---|---|
| 令和３年４月１日～令和４年３月31日 | 57,600,000 円 | 1,367,650,000 円 |
| 令和４年４月１日～令和５年３月31日 | 62,340,000 円 | 1,547,845,000 円 |
| 令和５年４月１日～令和６年３月31日 | 58,650,000 円 | 1,483,450,000 円 |
| 令和６年４月１日～令和７年３月31日 | 69,600,000 円 | 1,573,450,000 円 |
| 令和７年４月１日～令和８年３月31日 | 65,375,000 円 | 1,772,140,000 円 |

⑵　当社の期末資本金の額は２億円であり、当期の調整前法人税額は 140,360,000 円である。なお、当社は、継続雇用者給与等支給額がその継続雇用者比較給与等支給額を超えている。

→ 解答・解説　5－15

## 問題2　試験研究費の特別控除・中小企業者等の場合

重要　基本　12分

次の資料に基づき、青色申告法人である当社の当期における試験研究費の特別控除額の計算を行いなさい。

⑴　当期において試験研究等のために要した費用の額は、次のとおりである。

①　原材料費　　12,250,000円

②　人 件 費　　32,504,300円

なお、人件費の内訳は、次のとおりである。

(イ)　研究所の守衛分　　2,080,000円

(ロ)　研究所の事務職員分　　2,320,000円

(ハ)　研究所専属の研究職員分　　20,964,200円

(ニ)　製造部門との兼任の研究職員分　　7,140,100円

③　経　　費　　45,820,000円

なお、経費の額には、研究の委託費用4,500,000円及び試験研究用の固定資産の通常の取替更新に基づく除却損4,390,000円（税務上適正額）が含まれている。

⑵　当期以前5事業年度の損金の額に算入された試験研究費の額等は、それぞれ次のとおりである。

| 事業年度 | 試験研究費の額 | 売上金額 |
|---|---|---|
| 令和3年4月1日～令和4年3月31日 | 59,640,000円 | 715,220,000円 |
| 令和4年4月1日～令和5年3月31日 | 66,276,000円 | 979,506,000円 |
| 令和5年4月1日～令和6年3月31日 | 61,110,000円 | 885,060,000円 |
| 令和6年4月1日～令和7年3月31日 | 91,140,000円 | 1,017,060,000円 |
| 令和7年4月1日～令和8年3月31日 | 各自算定 | 1,066,670,000円 |

⑶　当社は中小企業者等（適用除外事業者に該当しない。）であり、当期の調整前法人税額は93,304,000円である。

理論 計算

→ 解答・解説 5−16

## 問題3 試験研究費の特別控除・国庫補助金がある場合

重要 応用 15分

**次の資料により、当社の当期における試験研究費の特別控除額を計算しなさい。**

⑴ 当期において試験研究のために要した費用の額は、次のとおりである。

| 内 容 | 金 額 | 備 考 |
|---|---|---|
| 原材料費 | 32,450,000円 | ――― |
| 人件費 | 22,000,000円 | 内訳は次のとおりである。<br>① 研究所の専任研究員分 15,400,000円<br>② 研究所の事務職員、守衛分 6,600,000円 |
| 経費 | 44,000,000円 | 研究項目の廃止により生じた試験研究用資産に係る除却損が4,400,000円含まれている。 |

⑵ 当社は、令和7年7月4日に試験研究用の機械装置の取得に充てるため、国から国庫補助金の額3,300,000円の交付を受け、収益に計上している（当該国庫補助金は、当期末において全額の返還不要が確定している。）。

なお、当該機械装置について損金経理により機械装置圧縮損及び減価償却費を計上している（上記⑴の経費の金額に含まれている。）が、そのうち償却限度額（特別償却限度額も含む。）を超える金額であるため当期の別表四において加算調整される金額が550,000円ある。

⑶ 当期における試験研究費の額のうち租税特別措置法第42条の4に規定する特別試験研究費の額（特別試験研究機関等と共同して行う試験研究又は特別試験研究機関等に委託する試験研究及び革新的なものに係る試験研究費に該当しない。）に該当するものは、1,100,000円である。

⑷ 当社の前期までの各事業年度における試験研究費の額等の資料は、次のとおりである。なお、試験研究費の額は、いずれもそれぞれの事業年度において損金の額に算入された金額である。

| 区 分 | 金 額 |
|---|---|
| 当期前3期分の試験研究費の額の平均額 | 42,900,000円 |
| 前期及び前々期の試験研究費の額のうちいずれか多い金額 | 46,200,000円 |
| 租税特別措置法第42条の4に規定する平均売上金額 | 1,197,735,000円 |

⑸ 当社の当期の別表一②の欄に記載されている法人税額は、92,800,000円である。

⑹ 当社は、青色申告書を提出する期末資本金の額が300,000,000円（株主は全員個人である。）の法人である。

⑺ 当社は、①継続雇用者給与等支給額がその継続雇用者比較給与等支給額を超えること、②国内設備投資額が減価償却費の総額の30%を超えること、の要件のいずれかに該当する。

理論 計算

→ 解答・解説　5-17

## 問題4　中小企業者等の機械等（特別控除）

重要　基本　3分

**次の資料により、当社（適用除外事業者に該当しない。）の当期における法人税額の特別控除額を計算しなさい。**

⑴　当社は、令和７年８月５日に次の機械及び装置（新品のものである。）を取得している。

| 種　類 | 取得価額 | 耐用年数 | 事業供用日 |
|---|---|---|---|
| 機械及び装置 | 7,200,000円 | ９年 | 令和７年８月10日 |

⑵　当社の当期における法人税額（別表一②の欄に記載されている金額）は19,760,000円と計算されている。

⑶　当社は、青色申告書を提出する期末資本金の額が30,000,000円（中小企業者に該当する。）の内国法人である。

理論 計算

→ 解答・解説　5－17

## 問題５　中小企業者等の機械等（控除税額の繰越し）

応用　7分

**次の資料により、当社（適用除外事業者に該当しない。）の当期における税務上の調整を示すとともに、法人税額の特別控除額を計算しなさい。**

⑴　当社の当期における減価償却資産の償却状況等のうち特に考慮すべき事項には、次のものがある。なお、当社は下記の資産について、取得後直ちに事業の用に供している。

| 種類等 | 取得価額 | 期首帳簿価額 | 当期償却費 | 取得年月日 | 耐用年数 |
|---|---|---|---|---|---|
| 機械装置Ａ | 9,000,000円 | 6,858,000円 | 1,800,000円 | 令和６年４月１日 | 11年 |
| 機械装置Ｂ | 7,600,000円 | — | 900,000円 | 令和７年10月15日 | 11年 |

（注１）　機械装置Ａについては、前期において、租税特別措置法第42条の６《中小企業者等が機械等を取得した場合の法人税額の特別控除等》の規定の適用を受け、法人税額の特別控除を適用している。なお、繰越税額控除限度超過額が85,000円、繰越償却超過額が99,000円それぞれ当期に繰り越されてきている。

（注２）　機械装置Ｂについては、当期において、租税特別措置法第42条の６の規定による法人税額の特別控除を適用することとしている。

（注３）　機械装置Ａ及び機械装置Ｂは、同一の構造・用途・細目に属するものである。

⑵　当社は、減価償却資産につき償却の方法として定率法を選定し届け出ており、耐用年数が11年の200％定率法の場合の償却率等の資料は、次のとおりである。

| 償却率 | 0.182 |
|---|---|
| 改定償却率 | 0.200 |
| 保証率 | 0.05992 |

⑶　当社は、製造業を営む期末資本金の額が15,000,000円（株主に法人株主はいない。）の青色申告書を提出する内国法人である。

⑷　当社の当期における法人税額（別表一②の欄に記載されている金額）は3,056,000円と計算されている。

→ 解答・解説 5－19

## 問題6 中小企業者等の特定経営力向上設備等（特別控除） 重要 基本 4分

次の資料により、当社（適用除外事業者に該当しない。また、中小企業者等であり、中小企業等経営強化法の経営力向上計画の認定を受けたものである。）が資本金の額が3,000万円以下である場合と3,000万円超である場合における法人税額の特別控除額を計算しなさい。

(1) 当社は、令和７年８月５日に次の機械及び装置（新品の特定経営力向上設備等に該当する。）を取得している。

| 種　類 | 取得価額 | 耐用年数 | 事業供用日 |
|---|---|---|---|
| 機械及び装置 | 7,200,000円 | ９年 | 令和７年８月10日 |

(2) 当社の当期における法人税額（別表一②の欄に記載されている金額）は17,440,000円と計算されている。

理論 計算

→ 解答・解説　5－19

## 問題７　給与等の支給額が増加した場合の特別控除・中小企業者等

基本　5分

**次の資料により、当社（適用除外事業者に該当しない。）の当期における法人税額の特別控除額を計算しなさい。**

⑴　当社の当期における給与等支給額は455,400,000円である。また、前期における給与等支給額は402,500,000円であった。

⑵　当社の当期における法人税額（別表一②の欄に記載されている金額）は70,800,000円である。

⑶　当社は、青色申告書を提出する中小企業者である。

→ 解答・解説　5－20

## 問題８　給与等の支給額が増加した場合の特別控除・中小企業者等以外

基本　5分

**次の資料により、当社の当期における法人税額の特別控除額を計算しなさい。**

⑴　当社の当期における給与等支給額は455,400,000円である。また、前期における給与等支給額は402,500,000円であった。なお、前期首から当期末まで、雇用者に変動は生じていない。

⑵　当社の当期における法人税額（別表一②の欄に記載されている金額）は74,240,000円である。

⑶　当社は、青色申告書を提出する法人（常時使用する従業員数は2,000人以下である。）であるが、中小企業者に該当しない。

理論 計算

→ 解答・解説　5－20

## 問題９　給与等の支給額が増加した場合の特別控除・教育訓練費⑴

基本　7分

次の資料により、当社（適用除外事業者に該当しない。）の当期における法人税額の特別控除額を計算しなさい。

⑴　当社の当期における雇用者の給与等支給額は460,400,000円、前期における給与等支給額は402,500,000円である。

⑵　当社の当期における法人税額（別表一②の欄に記載されている金額）は70,800,000円である。

⑶　当社は、青色申告書を提出する中小企業者である。

⑷　当社が当期中に支出した教育訓練に係る費用で損金の額に算入したものは、次のとおりである。

| | | |
|---|---|---|
| ① | 研修の会場として使用した施設の使用料 | 1,200,000円 |
| ② | 外部の講師に対して支払った謝礼金 | 2,400,000円 |
| ③ | 他社が主催したセミナーの参加費（教育訓練に必要なもの） | 90,000円 |

⑸　過年度における教育訓練費は、前期において2,000,000円、前々期において1,200,000円、前々々期において1,000,000円である。

理論 計算

→ 解答・解説 5－21

## 問題10 給与等の支給額が増加した場合の特別控除・教育訓練費(2)

基本 7分

**次の資料により、当社の当期における法人税額の特別控除額を計算しなさい。**

(1) 当社の雇用者の当期における給与等支給額は455,400,000円、前期における給与等支給額は402,500,000円である。なお、前期首から当期末まで、雇用者に変動は生じていない。

(2) 当社の当期における法人税額（別表一②の欄に記載されている金額）は74,240,000円である。

(3) 当社は、青色申告書を提出する法人（常時使用する従業員数は2,000人以下である。）であるが、中小企業者に該当しない。

(4) 当社が当期中に支出した教育訓練に係る費用で損金の額に算入したものは、次のとおりである。

① 研修の会場として使用した施設の使用料　1,200,000円

② 外部の講師に対して支払った謝礼金　2,400,000円

③ 講師を行った当社の社員に対して支払った指導料　80,000円

(5) 過年度における教育訓練費は、前期において1,650,000円、前々期において1,300,000円、前々々期において1,000,000円である。

理論 計算

→ 解答・解説　5－21

## 問題11　ミニテスト

重要　基本　10分

**次の資料により、当社（適用除外事業者に該当しない。）の当期における税務上の調整を示すとともに、試験研究費の特別控除額を計算しなさい。**

⑴　当期において試験研究のために要した費用の額は次のとおりであり、いずれも当期の費用に計上されている。

| 内　容 | 金　額 | 備　考 |
|---|---|---|
| 原材料費 | 42,000,000円 | ―――― |
| 人件費 | 21,000,000円 | 内訳は次のとおりである。<br>(イ)　研究所の専属の研究職員分　15,400,000円<br>(ロ)　研究所の専属の事務職員分　5,600,000円 |
| 経　費 | 35,000,000円 | 左の金額のうち、4,247,600円は下記⑵の機械装置に係る減価償却費である。 |

⑵　当社の減価償却資産の償却状況等は次のとおりである。なお、下記以外の減価償却資産については適正に処理されている。

| 種類等 | 取得価額 | 当期償却費 | 期末帳簿価額 | 法定耐用年数 | 事業供用日 |
|---|---|---|---|---|---|
| 機械装置 | 8,400,000円 | 4,247,600円 | 4,152,400円 | 7年 | 令和7年11月20日 |

（注）　当社は機械装置の償却方法として定率法を選定し届け出ており、耐用年数が7年の場合の200%定率法の償却率は次のとおりである。なお、この機械装置は新品のものである。

| 償却率 | 0.286 |
|---|---|
| 改定償却率 | 0.334 |
| 保証率 | 0.08680 |

⑶　当社の当期の別表一②の欄に記載されている法人税額は、70,800,000円である。

⑷　当社の当期末における資本金の額は50,000,000円（株主に大規模法人はいない。）の青色申告書を提出する法人である。

⑸　当期の試験研究費の額が平均売上金額の10%以下であり、増減試験研究費割合は12%以下である。

→ 解答・解説　5－22

## 問題12　ミニテスト

応用　12分

**次の資料により、当社（適用除外事業者に該当しない。）の当期における税務上の調整を示すとともに、試験研究費の特別控除額を計算しなさい。**

⑴　当社は、製品の製造に関する試験研究を行っており、租税特別措置法第42条の４第１項に規定する試験研究費を支出している。

当社が当期において試験研究費として費用に計上した金額の内訳は、次のとおりである。

| 原材料費の額 | 専任研究員の人件費の額 | 経費の額 |
|---|---|---|
| 55,900,000円 | 59,800,000円 | 66,300,000円 |

（注１）　当期における租税特別措置法第42条の４に規定する特別試験研究費の額（大学に委託する試験研究で協定に基づくもの）は6,500,000円である。

（注２）　経費の額のうちには、下記⑵の機械装置に係る圧縮損及び減価償却費が含まれている。

⑵　当社は、令和７年４月17日に中古の機械装置（試験研究用資産である。）の取得に充てるための国庫補助金1,500,000円の交付を受けたため、当期の収益に計上するとともに、当該国庫補助金に自己資金を加えて次の機械装置を取得し、事業の用に供している。

| 種類 | 取得価額 | 耐用年数 | 事業供用日 |
|---|---|---|---|
| 機械装置 | 4,000,000円 | 15年 | 令和７年７月20日 |

なお、当社は、この機械装置につき損金経理により圧縮損として2,000,000円を計上し、その帳簿価額を直接減額するとともに、減価償却費として840,000円を当期の費用に計上している。なお、当該国庫補助金は、当期末までにその全額の返還を要しないことが確定している。

⑶　当社は、機械装置の償却方法として、定率法を選定し届け出ており、耐用年数15年の場合の200％定率法の償却率等の資料は次のとおりである。

| 償却率 | 0.133 |
|---|---|
| 改定償却率 | 0.143 |
| 保証率 | 0.04565 |

⑷　当社の当期の別表一②の欄に記載されている法人税額は、170,560,000円である。

⑸　当社は、青色申告書を提出する中小企業者等に該当する内国法人である。

⑹　当期の試験研究費の額が平均売上金額の10％以下であり、増減試験研究費割合は12％以下である。

## 解答　問題1　試験研究費の特別控除・中小企業者等以外の場合

1．総　額

⑴　判　定

当社は、①継続雇用者給与等支給額がその継続雇用者比較給与等支給額を超えること、②国内設備投資額が減価償却費の総額の30％を超えること、の要件のいずれかに該当する。

∴　適用あり

⑵　高水準制度の判定

①　当期試験研究費　65,375,000円

②　平均売上金額

(1,547,845,000＋1,483,450,000＋1,573,450,000＋1,772,140,000)÷4＝1,594,221,250円

③　試験研究費割合　$\frac{①}{②}$

④　判　定　③≦10％　　∴　適用なし

⑶　総額制度に係る税額控除割合

①　当期試験研究費　65,375,000円

②　比較試験研究費

$\frac{62,340,000+58,650,000+69,600,000}{3}$＝63,530,000円

③　増減試験研究費　①－②＝1,845,000円

④　増減試験研究費割合　$\frac{③}{②}$＝0.02904…

⑤　税額控除割合

④≦12％　∴　11.5％－（12％－$\frac{③}{②}$）×0.25＝0.0922…

（小数点以下3位未満切捨、最低1％）　→　0.092

⑥　特別控除額

イ　支出基準額

65,375,000×0.092＝6,014,500円

ロ　税額基準額

140,360,000×25％＝35,090,000円

ハ　イ＜ロ　　∴　6,014,500円

## 解説

①　当社は、中小企業者等以外であり、**増減試験研究費割合が12%以下の場合に該当するため、税額控除割合は、11.5%－（12%－その割合）×0.25の算**式で求めます。その割合は、小数点以下3位未満切捨で最低1％となります。

②　税額基準額は、法人税額（税率を適用した直後の法人税額）の25％相当額となります。

③　比較試験研究費の額は、当期前3年以内に開始した各事業年度（通常は前期以前の3期）の試験研究費の額の平均額をいいます。

# 解答　問題2　試験研究費の特別控除・中小企業者等の場合

中　小（控除割合より、明らかに中小企業者等の特例が有利。）

⑴　高水準制度の判定

①　当期試験研究費

12,250,000＋20,964,200＋45,820,000＝79,034,200円

②　平均売上金額

(979,506,000＋885,060,000＋1,017,060,000＋1,066,670,000)÷４＝987,074,000円

③　試験研究費割合　$\frac{①}{②}$

④　判　定　③≦10%　　∴　適用なし

⑵　中小企業者等制度に係る税額控除割合

①　当期試験研究費

79,034,200円

②　比較試験研究費

$\frac{66,276,000+61,110,000+91,140,000}{3}=72,842,000$円

③　増減試験研究費

①－②＝6,192,200円

④　増減試験研究費割合

$\frac{③}{②}=0.085\cdots$

⑤　税額控除割合

④≦12%　∴　12%

⑶　支出基準額

79,034,200×0.12＝9,484,104 円

⑷　税額基準額

93,304,000×25%＝23,326,000 円

⑸　特別控除額

⑶＜⑷　　∴　9,484,104円

## 解説

①　当社は、中小企業者に該当します。したがって、中小企業者等の特例により控除税額を計算します。

②　中小企業者等の特例における支出基準額に係る税額控除割合は、増減試験研究費割合≦12%の場合には、12%になります。

## 解 答　問題３試験研究費の特別控除・国庫補助金がある場合

1．総　額

⑴　判　定

当社は、①継続雇用者給与等支給額がその継続雇用者比較給与等支給額を超えること、②国内設備投資額が減価償却費の総額の30%を超えること、の要件のいずれかに該当する。　∴　適用あり

⑵　高水準制度の判定

①　当期試験研究費

32,450,000＋15,400,000＋(44,000,000－4,400,000)－3,300,000－550,000＝83,600,000円

②　平均売上金額

1,197,735,000円

③　試験研究費割合　$\frac{①}{②}$

④　判　定　③≦10%　　∴　適用なし

⑶　総額制度に係る税額控除割合

①　当期試験研究費

83,600,000円

②　比較試験研究費

42,900,000円

③　増減試験研究費

①－②＝40,700,000円

④　増減試験研究費割合

$\frac{③}{②}$＝0.948…

⑤　税額控除割合

④＞12%　∴　11.5%＋（④－12%）×0.375＝0.4257…（小数点以下３位未満切捨、最高14%）

→　0.14

⑥　特別控除額

イ　支出基準額

(⑶①－1,100,000)×0.14＝11,550,000円

ロ　税額基準額

④＞４%

∴　92,800,000×25%＋当期の法人税額×※0.05＝27,840,000円

※　(④－４%)×0.625＝0.567…→0.05（小数点以下３位未満切捨、最高５%）

ハ　イ＜ロ　　∴　11,550,000円

2．特　別

⑴　支出基準額

1,100,000×20%＝220,000円

⑵　税額基準額

92,800,000×10%＝9,280,000円

⑶　⑴＜⑵　　∴　220,000円

3．１．＋２．＝11,770,000円

## 解説

① 人件費のうち「研究所の事務職員、守衛分」については、専門的知識をもってその試験研究業務に専ら従事する者に係るものではないことから、試験研究費の額に含まれません。

② 経費のうち、研究項目廃止により生じた除却損は、臨時に生じたものであり、試験研究費の額に含まれません。

③ 当社は、試験研究用の機械装置の取得に充てるための国庫補助金の交付を受けていますが、圧縮記帳による損金算入額は試験研究費の額に含まれます。また、返還不要が確定した国庫補助金の額は、他の者から支払いを受ける金額として試験研究費の額から控除します。なお、試験研究費の額に含まれる減価償却費は、損金算入額に限られるため、償却超過額を控除して集計する必要があります。

④ 特別試験研究費の額がある場合の総額制度の計算は、その特別試験研究費の額を控除して計算することになります。

⑤ 特別試験研究費がある場合の特別試験研究費に係る支出基準額の割合は、特別試験研究機関等と共同して行う試験研究又は特別試験研究機関等に委託する試験研究に該当しないものは、20%相当額となります。また、税額基準額は、総額制度等とは別枠で10%となります。

## 解答 問題4 中小企業者等の機械等（特別控除）

⑴ 税額控除限度額

7,200,000×７％＝504,000円

⑵ 税額基準額

19,760,000×20%＝3,952,000円

⑶ ⑴＜⑵ ∴ 504,000円

## 解説

当社は特定中小企業者等（中小企業者等のうち、資本金の額が30,000,000円以下の法人）に該当するため、法人税額の特別控除を選択することができます。

## 解答 問題5 中小企業者等の機械等（控除税額の繰越し）

１．減価償却

⑴ 償却限度額

① (6,858,000＋99,000)×0.182＝1,266,174円≧9,000,000×0.05992＝539,280円

∴ 1,266,174円

② 7,600,000×0.182＝1,383,200円≧7,600,000×0.05992＝455,392円

∴ $1,383,200\times\frac{6}{12}$＝691,600円

③ ①＋②＝1,957,774円

⑵ 償却超過額

(1,800,000＋900,000)－1,957,774＝742,226円

（単位：円）

| 項　目 | | 金　額 | 留　保 | 社外流出 |
|---|---|---|---|---|
| 加算 | 減価償却超過額（機械装置Ａ・Ｂ） | 742,226 | 742,226 | |
| 減算 | | | | |

２．特別控除額

⑴　当期分（機械装置Ｂ）

①　税額控除限度額

7,600,000×７％＝532,000円

②　税額基準額

3,056,000×20％＝611,200円

③　①＜②　　∴　532,000円

⑵　前期分（機械装置Ａ）

①　繰越税額控除限度超過額

85,000円

②　税額基準額

611,200－532,000＝79,200円

③　①＞②　　∴　79,200円

⑶　⑴＋⑵＝611,200円

## 解説

①　機械装置Ａ及び機械装置Ｂは、いずれも特別控除を選択しているため、特別償却を選択した場合とは異なり、償却限度額の計算にはグルーピングが必要となります。

②　特別控除額は、当期分の次に前期分（繰越分）を計算することになります。特に前期分（繰越分）の計算における税額基準額（法人税額の20％相当額から当期分における特別控除額を控除した金額）に注意が必要です。

## 解 答　問題6 中小企業者等の特定経営力向上設備等（特別控除）

1．資本金の額が3,000万円以下の中小企業者等である場合

⑴　税額控除限度額

7,200,000×10%＝720,000円

⑵　税額基準額

17,440,000×20%＝3,488,000円

⑶　⑴＜⑵　　∴　720,000円

2．資本金の額が3,000万円超の中小企業者等である場合

⑴　税額控除限度額

7,200,000×７%＝504,000円

⑵　税額基準額

17,440,000×20%＝3,488,000円

⑶　⑴＜⑵　　∴　504,000円

## 解 説

本問の機械装置は、特定経営力向上設備等に該当し、当社は中小企業等経営強化法の経営力向上計画の認定を受けた中小企業者等であるため、中小企業者等の特定経営力向上設備等の特別控除の適用があります。税額控除限度額の割合は、資本金の額が3,000万円以下の中小企業者等である場合は10%となり、資本金の額が3,000万円超の中小企業者等の場合は７%となります。

## 解 答　問題7 給与等の支給額が増加した場合の特別控除・中小企業者等

⑴　判　定

$$\frac{455,400,000-402,500,000}{402,500,000}=13.1\cdots\%\geqq 1.5\%$$

∴　適用あり

⑵　特別控除額

①　税額控除限度額

（455,400,000－402,500,000）×30%※＝15,870,000円

※　13.1…%≧2.5%　　∴　30%

②　税額基準額

70,800,000×20%＝14,160,000円

③　特別控除額

①＞②　　∴　14,160,000円（別表一法人税額の下・控除）

## 解答　問題8　給与等の支給額が増加した場合の特別控除・中小企業者等以外

⑴　判　定

$$\frac{455,400,000-402,500,000}{402,500,000}=13.1\cdots\% \geqq 3\%$$

∴　適用あり

⑵　特別控除額

①　税額控除限度額

（455,400,000－402,500,000）×25%※＝13,225,000円

※　13.1…%≧4%　　∴　25%

②　税額基準額

74,240,000×20%＝14,848,000円

③　特別控除額

①<②　　∴　13,225,000円（別表一法人税額の下・控除）

## 解答　問題9　給与等の支給額が増加した場合の特別控除・教育訓練費(1)

⑴　判　定

$$\frac{460,400,000-402,500,000}{402,500,000}=14.3\cdots\% \geqq 1.5\%$$

∴　適用あり

⑵　特別控除額

①　税額控除限度額

（460,400,000－402,500,000）×40%※1、2＝23,160,000円

※1　14.3…%≧2.5%

※2イ　教育訓練費　1,200,000＋2,400,000＋90,000＝3,690,000円

$$\frac{3,690,000-2,000,000}{2,000,000}=84.5\% \geqq 5\%$$　かつ

$$\frac{3,690,000}{460,400,000}=0.8\cdots\% \geqq 0.05\%$$

∴　40%

②　税額基準額

70,800,000×20%＝14,160,000円

③　特別控除額

①>②　　∴　14,160,000円（別表一法人税額の下・控除）

## 解答 問題10 給与等の支給額が増加した場合の特別控除・教育訓練費(2)

(1) 判　定

$$\frac{455,400,000-402,500,000}{402,500,000}=13.1\cdots\%\geqq 3\%$$

∴　適用あり

(2) 特別控除額

① 税額控除限度額

（455, 400, 000－402, 500, 000）×30%[※1、2]＝15, 870, 000円

※１　13. 1…%≧４%

※２　イ　教育訓練費　1, 200, 000＋2, 400, 000＝3, 600, 000円

ロ　$\frac{3,600,000-1,650,000}{1,650,000}=118.1\cdots\%\geqq 10\%$　かつ

$\frac{3,600,000}{455,400,000}=0.7\cdots\%\geqq 0.05\%$

∴　30%

② 税額基準額

74, 240, 000×20%＝14, 848, 000円

③ 特別控除額

①＞②　∴　14, 848, 000円（別表一法人税額の下・控除）

## 解答 問題11 ミニテスト

１．減価償却

(1) 償却限度額

① 普通償却

8, 400, 000×0. 286＝2, 402, 400円≧8, 400, 000×0. 08680＝729, 120円

∴　$2,402,400\times\frac{5}{12}=1,001,000$円

② 特別償却

8, 400, 000×30%＝2, 520, 000円

③ ①＋②＝3, 521, 000円

(2) 償却超過額

4, 247, 600－3, 521, 000＝726, 600円

（単位：円）

| | 項　目 | 金　額 | 留　保 | 社外流出 |
|---|---|---|---|---|
| 加算 | 減価償却超過額（機械装置） | 726, 600 | 726, 600 | |
| 減算 | | | | |

2．試験研究費の特別控除額

当期の試験研究費の額が平均売上金額の10%以下のため高水準型の適用なし。

中　小（控除割合より、明らかに中小企業者等の特例が有利。）

(1)　当期試験研究費

42,000,000＋15,400,000＋(35,000,000－726,600)＝91,673,400円

(2)　特別控除額

増減試験研究費割合は12%以下であるため、支出基準額の割合は12%

①　支出基準額

(1)×12%＝11,000,808円

②　税額基準額

70,800,000×25%＝17,700,000円

③　①<②　∴　11,000,808円

## 解答　問題12 ミニテスト

1．国庫補助金

(1)　圧縮限度額

1,500,000円<4,000,000円　∴　1,500,000円

(2)　圧縮超過額

2,000,000－1,500,000＝500,000円(償却費)

2．減価償却

(1)　償却限度額

(4,000,000－1,500,000)×0.133＝332,500円≧(4,000,000－1,500,000)×0.04565＝114,125円

∴　$332,500 \times \frac{9}{12}$＝249,375円

(2)　償却超過額

(840,000＋500,000)－249,375＝1,090,625円

（単位：円）

| 項目 | | 金　額 | 留　保 | 社外流出 |
|---|---|---|---|---|
| 加算 | 減価償却超過額（機械装置） | 1,090,625 | 1,090,625 | |
| 減算 | | | | |

3．試験研究費の特別控除

当期の試験研究費の額が平均売上金額の10%以下のため高水準型の適用なし。

(1)　中　小（控除割合より、明らかに中小企業者等の特例が有利。）

①　当期試験研究費

55,900,000＋59,800,000＋66,300,000－1,090,625－1,500,000＝179,409,375円

② 特別控除額

増減試験研究費割合は12%以下であるため、支出基準額の割合は12%

(イ) 支出基準額

（①－6,500,000）×12%＝20,749,125円

(ロ) 税額基準額

170,560,000×25%＝42,640,000円

(ハ) (イ)＜(ロ)　∴ 20,749,125円

(2) 特　別

① 支出基準額

6,500,000×30%＝1,950,000円

② 税額基準額

170,560,000×10%＝17,056,000円

③ ①＜②　∴ 1,950,000円

(3) (1)＋(2)＝22,699,125円

# Chapter 6

# 入会金等

| No | 内　容 | | 標準時間 | 重要度 | 難易度 |
|---|---|---|---|---|---|
| 問題１ | 入会金等(ゴルフクラブ) | 計算 | ７分 | A | 基本 |
| 問題２ | 入会金等(レジャークラブ) | 計算 | ５分 | A | 基本 |
| 問題３ | 入会金等(社交団体等) | 計算 | ５分 | B | 基本 |
| 問題４ | 養老保険に係る保険料 | 計算 | ３分 | A | 基本 |
| 問題５ | ミニテスト | 計算 | ７分 | A | 基本 |

理論 計算

→ 解答・解説 6－5

## 問題1 入会金等(ゴルフクラブ)

重要 基本 7分

**次の資料により、当社の当期における税務上の調整を示しなさい。**

⑴ 当社が当期において、交際費として費用に計上した金額は、次のとおりである。

① 令和7年8月に購入したAゴルフクラブの会員権の購入代金 9,000,000円

② Aゴルフクラブで得意先接待のためのプレー代金 6,800,000円

③ その他租税特別措置法第61条の4第6項に規定する交際費等の額 13,700,000円

（接待飲食費に該当するものはない。）

⑵ 当社が当期において、雑費として費用に計上した金額には、次のものが含まれている。

① Aゴルフクラブの会員権を購入した際に、名義変更に要した費用 150,000円

② B社と取引関係を結ぶための運動費（旅行接待） 300,000円

⑶ 当社の当期末における資本金の額は、10,000,000円（株主はすべて個人である。）である。

理論 計算

→ 解答・解説 6－6

## 問題2 入会金等(レジャークラブ)

重要 基本 5分

**次の資料により、当社の当期における税務調整を示しなさい。**

⑴ 当社は当期において、従業員の福利厚生を目的として、次の入会金を支出し当期の費用に計上している。

| 支出年月日 | 名　　称 | 入会金の額 |
|---|---|---|
| 令7.7.1 | Aレジャークラブ | 1,500,000円 |
| 令7.4.1 | Bレジャークラブ | 3,000,000円 |

（注1）Aレジャークラブの入会金は、有効期間が4年のものであり、脱退に際して入会金相当額の返還を受けることはできないものである。

（注2）Bレジャークラブの入会金は、有効期間が5年のものであり、脱退に際して入会金相当額の全額が返還されるものである。

⑵ 当社の当期末における資本金の額は、100,000,000円である。なお、当社の株主に法人株主はいない。

理論 計算

→ 解答・解説 6－6

## 問題3 入会金等（社交団体等)

基本 5分

**次の資料により、当社の当期における税務調整を示しなさい。**

⑴ 当社が当期において、交際費として費用に計上した金額は、次のとおりである。

① 社交団体に法人会員として入会した際に支出した入会金の額 2,000,000円

② 上記①に係る年会費 360,000円

③ ライオンズクラブに入会した際に支出した入会金の額 300,000円

④ ロータリークラブに入会した際に支出した入会金の額 700,000円

⑤ その他租税特別措置法第61条の4第4項に規定する交際費等の額 5,640,000円

（接待飲食費に該当するものはない。）

⑵ 当社の当期末における資本金の額は、100,000,000円である。

理論 計算

→ 解答・解説 6－7

## 問題4 養老保険に係る保険料

重要 基本 3分

**次の資料により、設問ごとに当社の当期における税務上の調整を示しなさい。**

（設問１）

当社は、当期において全従業員を被保険者とする養老保険に係る当期に対応する保険料4,800,000円を支出し、費用に計上している。なお、保険金受取人は、生存保険金の場合は当社、死亡保険金の場合は被保険者の遺族とされている。

（設問２）

当社は、役員を対象として、その役員を被保険者とする養老保険を契約し、当期に対応する保険料6,000,000円を支払い当期の費用に計上している。なお、保険金受取人は生存保険金及び死亡保険金のいずれも当社とされている。

→ 解答・解説　6－8

## 問題5　ミニテスト

重要　基本　7分

**次の資料に基づき、当社の当期における税務調整すべき金額を計算しなさい。**

⑴　当社(資本金の額は50,000,000円)が当期において交際費勘定に計上した金額は、次のとおりである。

①　得意先に対する中元・歳暮の費用　748,000円

②　得意先との商談に際して供与した昼食代の費用　32,000円

③　Aゴルフクラブ（法人会員制度はないが、数年前に個人名義で入会し、当社の業務の供している。）の個人名義である当社専務取締役から常務取締役に名義を変更した費用　200,000円

④　得意先に代理店となってもらうために支出した運動費用　600,000円

⑤　その他租税特別措置法第61条の4第6項に規定する交際費等に該当する金額　8,400,000円

⑵　当社は、当期にBゴルフクラブに法人会員として入会し、次に掲げる金額を支出し、雑費勘定に計上している。

①　入会金　5,000,000円

②　年会費及び年間ロッカー料　240,000円

③　入会に際し支出した名義書換料　300,000円

④　ゴルフプレー代金　820,000円

※　ゴルフプレー代金のうち150,000円は、当社の役員が個人的に利用した際のものである。

## 解 答　問題１　入会金等(ゴルフクラブ)

１．ゴルフクラブ入会金

9,000,000＋150,000＝9,150,000円

２．交際費等

⑴　支出交際費等

①　接待飲食費

0円

②　①以外

6,800,000＋13,700,000＋300,000＝20,800,000円

③　①＋②＝20,800,000円

⑵　損金算入限度額

①　接待飲食費基準額

0円

②　定額控除限度額

20,800,000円＞8,000,000×$\frac{12}{12}$＝8,000,000円　∴　8,000,000円

③　①＜②　∴　8,000,000円

⑶　損金不算入額

⑴－⑵＝12,800,000円

（単位：円）

| | 項　　　目 | 金　額 | 留　保 | 社外流出 |
|---|---|---|---|---|
| 加算 | ゴルフクラブ入会金計上もれ | 9,150,000 | 9,150,000 | |
| | 交際費等の損金不算入額 | 12,800,000 | | 12,800,000 |
| 減算 | | | | |

## 解 説

①　Aゴルフクラブの会員権を購入した際の購入代金及び名義変更に要した費用の合計額は、資産に計上します。

②　Aゴルフクラブで得意先接待のためのプレー代金は、交際費等に該当します。

③　「B社と取引関係を結ぶための運動費」は、この運動費の内容が金銭の支出や事業用資産の交付であれば交際費等に該当しませんが、そのような内容が書かれていない場合の運動費の原則は交際費等です。その運動費は、飲食や旅行接待と考えればよいです。

## 解答　問題2　入会金等(レジャークラブ)

⑴　償却期間

４年

⑵　償却限度額

$1,500,000 \times \frac{9}{4 \times 12} = 281,250$円

⑶　償却超過額

1,500,000－281,250＝1,218,750円

（単位：円）

| | 項　　　目 | 金　額 | 留　保 | 社外流出 |
|---|---|---|---|---|
| 加算 | 繰延資産償却超過額<br>（Aレジャークラブ入会金） | 1,218,750 | 1,218,750 | |
| | Bレジャークラブ入会金計上もれ | 3,000,000 | 3,000,000 | |
| 減算 | | | | |

### 解説

①　レジャークラブの入会金は、原則としてゴルフクラブの入会金と同様に取り扱います。したがって、Bレジャークラブの入会金は、資産計上することになります。

②　レジャークラブの入会金のうち、有効期間の定めがあり、かつ、脱退に際して入会金の返還を受けることができないものについては、繰延資産に該当し、有効期間に渡って償却することができます。したがって、Aレジャークラブの入会金は繰延資産として、有効期間の４年に渡って償却することになります。

## 解答　問題3　入会金等（社交団体等）

⑴　支出交際費等

①　接待飲食費

0円

②　①以外

2,000,000＋360,000＋300,000＋700,000＋5,640,000＝9,000,000円

③　①＋②＝9,000,000円

⑵　損金算入限度額

①　接待飲食費基準額

0円

②　定額控除限度額

9,000,000円＞$8,000,000 \times \frac{12}{12}$＝8,000,000円　　∴　8,000,000円

③　①＜②　　∴　8,000,000円

(3) **損金不算入額**

(1)−(2)＝1,000,000円

（単位：円）

| | 項　　目 | 金　額 | 留　保 | 社外流出 |
|---|---|---|---|---|
| 加算 | 交際費等の損金不算入額 | 1,000,000 | | 1,000,000 |
| 減算 | | | | |

## 解説

法人会員として入会する場合の社交団体の入会金、ライオンズクラブの入会金及びロータリークラブの入会金は、いずれも交際費等に該当します。

## 解答　問題4　養老保険に係る保険料

**（設問１）**

$4,800,000 \times \frac{1}{2} = 2,400,000$円

（単位：円）

| | 項　　目 | 金　額 | 留　保 | 社外流出 |
|---|---|---|---|---|
| 加算 | 保険積立金計上もれ | 2,400,000 | 2,400,000 | |
| 減算 | | | | |

**（設問２）**

（単位：円）

| | 項　　目 | 金　額 | 留　保 | 社外流出 |
|---|---|---|---|---|
| 加算 | 保険積立金計上もれ | 6,000,000 | 6,000,000 | |
| 減算 | | | | |

## 解説

① **（設問１）**の保険料は、養老保険に係るものであり、全従業員を対象とし、生存保険金の受取人が当社、死亡保険金の受取人が被保険者の遺族となっているため、支払った保険料の２分の１を資産に計上し、残額については損金の額に算入されることになります。

② **（設問２）**の保険料も、養老保険に係るものであり、役員を対象とし、生存保険金及び死亡保険金の受取人がいずれも当社であることから、その保険料の全額を資産に計上することになります。

## 解答 問題5 ミニテスト

交際費等の損金不算入

⑴ 支出交際費等

① 接待飲食費

0円

② ①以外

748,000円＋200,000＋600,000＋8,400,000＋240,000＋(820,000－150,000)

＝10,858,000円

③ 合 計

①＋②＝10,858,000円

⑵ 損金算入限度額

① 接待飲食費基準額

0円

② 定額控除限度額

10,858,000円＞8,000,000×$\frac{12}{12}$＝8,000,000円 ∴ 8,000,000円

③ ①＜② ∴ 8,000,000円

⑶ 損金不算入額

⑴－⑵＝2,858,000円

ゴルフクラブ入会金計上もれ

5,000,000＋300,000＝5,300,000円

(単位：円)

| | 項目 | 金額 | 留保 | 社外流出 |
|---|---|---|---|---|
| 加算 | 役員給与の損金不算入額 | 150,000 | | 150,000 |
| | 交際費等の損金不算入額 | 2,858,000 | | 2,858,000 |
| | ゴルフクラブ入会金計上もれ | 5,300,000 | 5,300,000 | |
| 減算 | | | | |

# Chapter 7

# 使途秘匿金

| No | 内　容 | | 標準時間 | 重要度 | 難易度 |
|---|---|---|---|---|---|
| 問題１ | 使途秘匿金 | 計算 | ５分 | B | 基本 |

理論 計算 → 解答・解説 7－3

## 問題1 使途秘匿金 基本 5分

**次の資料により、当社の当期における税務上の調整を示すとともに、使途秘匿金に係る特別税額を求めなさい。**

⑴ 当期において、交際費として費用に計上した金額の内訳は次のとおりである。

① Ａ社と新たに取引関係を結ぶため、Ａ社の従業員に支出した金銭の額 300,000円

② 得意先の役員の慶弔、禍福に際し支出した金額 480,000円

③ 取引先等に対する中元、歳暮のための費用 520,000円

④ 機密費の名義をもって支出した金銭の額 2,000,000円

（注）この支出は、支払先を明らかにすることができないため、その住所・氏名等を帳簿書類に記載していないものである。

⑤ 上記の他、租税特別措置法第61条の４第６項に規定する交際費等の額 5,200,000円

（接待飲食費に該当するものはない。）

⑵ 当社の当期末における資本金の額は50,000,000円（株主はすべて個人株主である。）である。

## 解答 問題1 使途秘匿金

1．交際費等の損金不算入額

⑴ 支出交際費等

① 接待飲食費

0円

② ①以外

300,000＋480,000＋520,000＋5,200,000＝6,500,000円

⑵ 損金算入限度額

① 接待飲食費基準額

0円

② 定額控除限度額

6,500,000円＜8,000,000×$\frac{12}{12}$＝8,000,000円　∴ 6,500,000円

③ ①＜②　∴ 6,500,000円

⑶ 損金不算入額

⑴－⑵＝0

2．使途秘匿金に係る特別税額

2,000,000×40%＝800,000円（別表一・法人税額計の欄に外書）

（単位：円）

| | 項目 | 金額 | 留保 | 社外流出 |
|---|---|---|---|---|
| 加算 | 費途不明金否認 | 2,000,000 | | 2,000,000 |
| 減算 | | | | |

## 解説

① 「A社と新たに取引関係を結ぶために支出した金銭の額」はA社に対してものであれば交際費等に該当しませんが、A社の従業員に対して支出しているものであるため、交際費等に該当します。

② 機密費の名義をもって支出した金銭の額は、相当の理由がなく、支払先の住所・氏名等を帳簿書類に記載していないため、使途秘匿金の支出に該当します。したがって、別表四で「費途不明金否認」の加算調整を行うとともに、別表一で使途秘匿金に係る特別税額が追加課税されることになります。

········ *Memorandum Sheet* ········

# Chapter 8

# 同族会社等

| No | 内　容 | | 標準時間 | 重要度 | 難易度 |
|---|---|---|---|---|---|
| 問題１ | 特定同族会社の判定 | 計算 | ３分 | A | 基本 |
| 問題２ | 留保金課税 | 計算 | 10分 | A | 基本 |
| 問題３ | 留保金課税（試験研究費の特別控除額との関係） | 計算 | 10分 | A | 基本 |
| 問題４ | ミニテスト | 計算 | 10分 | A | 基本 |

→ 解答・解説 8－8

## 問題１ 特定同族会社の判定

重要 基本 3分

**次の資料により、当社の同族会社の判定及び特定同族会社の判定を示しなさい。**

⑴ 当社の当期末における株主構成は次のとおりである。

| 株　主　名 | 持株割合 | 備　　　考 |
|---|---|---|
| A | 35% | —— |
| B | 8% | Aの友人 |
| C | 13% | Aの長男 |
| D | 9% | Bの弟 |
| E | 7% | Aの友人 |
| F | 3% | Eの妻 |
| G | 7% | Aの妻 |
| その他の株主 | 18% | 持株割合1%未満の少数株主であり、上記株主と特殊の関係はない。 |
| 合　　計 | 100% | —— |

⑵ 当社の当期末における資本金の額は700,000,000円である。

→ 解答・解説 8－8

## 問題2 留保金課税

重要 基本 10分

**次の資料により、当社の当期における課税留保金額に対する税額を計算しなさい。**

(1) 当社の当期に係る株主資本等変動計算書（一部）は、次のとおり記載されている。

| | 利益剰余金 | | |
|---|---|---|---|
| | 利益準備金 | その他利益剰余金 | |
| | | 別途積立金 | 繰越利益剰余金 |
| 当期首残高 | 2,000,000円 | 41,000,000円 | 15,000,000円 |
| 当期変動額 | | | |
| 剰余金の配当 | | | △ 65,000,000円 |
| 剰余金の配当に伴う利益準備金の積立て | 6,000,000円 | | △ 6,000,000円 |
| 別途積立金の積立て | | 119,000,000円 | △119,000,000円 |
| 当期純利益 | | | 210,000,000円 |
| 当期変動額合計 | 6,000,000円 | 119,000,000円 | 20,000,000円 |
| 当期末残高 | 8,000,000円 | 160,000,000円 | 35,000,000円 |

（注） 上記の剰余金の配当65,000,000円は、令和７年３月31日を基準日とするものであり、令和７年５月30日に開催された定時株主総会において決議されている。なお、令和８年３月31日を基準日とする剰余金の配当は45,000,000円であり、令和８年５月15日に開催された定時株主総会において決議されている。

(2) 当社の当期における別表四には、次の項目が記載されている（下記以外の項目については考慮する必要はない。）。

| | | |
|---|---|---|
| ① | 損金経理納税充当金 | 229,000,000円 |
| ② | 損金経理法人税（中間分） | 71,500,000円 |
| ③ | 損金経理地方法人税（中間分） | 7,799,300円 |
| ④ | 損金経理住民税（中間分） | 7,875,000円 |
| ⑤ | 損金経理罰科金等 | 115,000円 |
| ⑥ | 交際費等の損金不算入額 | 6,497,880円 |
| ⑦ | 一括貸倒引当金繰入超過額 | 1,290,000円 |
| ⑧ | 繰延資産償却超過額 | 12,400,000円 |
| ⑨ | 減価償却超過額 | 5,440,000円 |
| ⑩ | 納税充当金支出事業税等 | 24,210,000円 |
| ⑪ | 受取配当等の益金不算入額 | 8,420,000円 |
| ⑫ | 貸倒引当金繰入超過額認容 | 2,000,000円 |
| ⑬ | 法人税額控除所得税額 | 2,280,000円 |

⑶　当社の前期末及び当期末における資本金の額及び資本金等の額は、次のとおりである。なお、当期の法人税申告書別表五㈠Ｉ（利益積立金額の計算に関する明細書）の「期首現在利益積立金額」の差引合計額の欄には、230,000,000円と記載されている。

| | 前期末 | 当期末 |
|---|---|---|
| 資本金の額 | 150,000,000円 | 150,000,000円 |
| 資本金等の額 | 164,000,000円 | 164,000,000円 |

⑷　当社は、製造業を営む同族会社（特定同族会社に該当する。）であり、当期における所得金額は519,520,000円と計算されている。

## 問題3　留保金課税（試験研究費の特別控除額との関係）　重要　基本　10分

**次の資料により、当社の当期における課税留保金額に対する税額を計算しなさい。**

(1)　当社は、当期において租税特別措置法第42条の４《試験研究を行った場合の法人税額の特別控除》に規定する試験研究費の額を支出しており、同条の規定による特別控除額は、5,400,000円と計算されている。

(2)　当社の当期の別表四の社外流出欄に記載されている金額は次のとおりである。なお、所得金額は250,000,000円と計算されている。

①　加算欄　　　7,000,000円

②　減算欄　　　4,500,000円

③　その他の欄　1,531,500円（法人税額控除所得税額）

(3)　当社の前期（令和６年４月１日から令和７年３月31日まで）及び当期に係る剰余金の配当の支払額等は次のとおりである。

| 区　分 | 前　期 | 当　期 |
|---|---|---|
| 剰余金の配当の支払額 | 30,000,000円 | 20,000,000円 |
| 剰余金の配当基準日 | 令和７年３月31日 | 令和８年３月31日 |
| 定時株主総会の決議日 | 令和７年５月29日 | 令和８年５月28日 |

(4)　前期末から繰り越された利益積立金額の当期末における金額は、175,000,000円（当期の所得等の金額に係る部分を除く。）である。

(5)　当社は、青色申告書を提出する当期末における資本金の額が400,000,000円の特定同族会社に該当する法人である。

## 問題4　ミニテスト　重要　基本　10分

**次の資料に基づき、当期における課税留保金額及び特定同族会社の特別税額を計算しなさい。**

⑴　当社は製造業を営む特定同族会社（青色申告法人）であり、当期末の資本金の額は200,000,000円であり、資本金等の額は300,000,000円である。また、当期首における利益積立金額は295,000,000円である。

⑵　当期の確定した決算（株主総会の承認を受けた決算）において計上した当期純利益は323,000,000円である。また、令和8年5月に開催された当期に係る株主総会において、基準日を令和8年3月31日とする配当金（当期末確定配当）として50,000,000円を支払うことが決議された。

なお、当期において支払った前期末確定配当金（基準日令和7年3月31日）は40,000,000円、当期中間配当（基準日令和7年9月30日）は20,000,000円である。

⑶　当社の当期に係る別表四及び別表一は、次のとおりである。

＜別表四＞　（単位：円）

| 区分 | | 金額 |
|---|---|---|
| 会社計上当期純利益 | | 323,000,000 |
| 加算 | 損金経理納税充当金 | 135,000,000 |
| | 損金経理法人税 | 76,440,000 |
| | 損金経理地方法人税 | 8,806,300 |
| | 損金経理住民税 | 8,891,700 |
| | 損金経理附帯税等 | 219,200 |
| | 過大な使用人給与の損金不算入額 | 3,000,000 |
| | 繰延資産償却超過額 | 1,150,555 |
| | 費途不明金否認 | 50,000,000 |
| | 小計 | 283,507,755 |
| 減算 | 納税充当金から支出した事業税等の額 | 36,400,000 |
| | 外国子会社配当等の益金不算入額 | 950,000 |
| | 減価償却超過額認容 | 300,000 |
| | 小計 | 37,650,000 |
| 仮計 | | 568,857,755 |
| 寄附金の損金不算入額 | | 5,000,000 |
| 法人税額から控除される所得税額 | | 76,575 |
| 税額控除の対象となる外国法人税の額等 | | 50,000 |
| 所得金額 | | 573,984,330 |

＜別表一（一）＞ （単位：円）

| 区分 | 税率 | 金額 |
|---|---|---|
| 所得金額 | % | 573,984,000 |
| 法人税額の計算　年800万円以下 | | |
| 法人税額の計算　年800万円超　573,984,000 | 23.2 | 133,164,288 |
| 法人税額 | | 133,164,288 |
| 試験研究費の特別控除額 | | 1,500,000 |
| 差引法人税額 | | 131,664,288 |
| 課税留保金額 | | （各自算出） |
| 同上に対する税額 | | （各自算出） |
| （使途秘匿金課税額） | | (20,000,000) |
| 法人税額計 | | |
| 控除所得税額 | | 76,575 |
| 控除外国税額 | | 50,000 |
| （以下省略） | | |

※　試験研究費の特別控除額は、総額等に係る特別控除額である。

## 解 答　問題1　特定同族会社の判定

|  |  | A | C | G（Aの妻） |  |
|---|---|---|---|---|---|
| ⑴ | Aグループ | 35%＋ | 13%＋ | 7% | ＝55% |
|  |  | B | D |  |  |
| ⑵ | Bグループ | 8%＋ | 9% |  | ＝17% |
|  |  | E | F（Eの妻） |  |  |
| ⑶ | Eグループ | 7%＋ | 3% |  | ＝10% |

⑴＋⑵＋⑶＝82%＞50%　∴　同族会社

7億円＞1億円
⑴＞50%
} ∴　特定同族会社　留保金課税適用あり

## 解 説

特定同族会社の判定は、期末資本金の額が1億円を超えるか否か（期末資本金の額が1億円以下の法人については、大法人による完全支配関係があるものに限って、特定同族会社（留保金課税の適用対象法人）に該当することになります。）及び所有割合が1グループで50%を超えるか否かにより行います。

## 解 答　問題2　留保金課税

⑴　留保金額

①　留保所得金額

(519,520,000＋8,420,000)－65,000,000－(115,000＋6,497,880＋2,280,000)＝454,047,120円

②　法人税額

519,520,000×23.2%＝120,528,640円

120,528,640－2,280,000＝118,248,640円

③　地方法人税額

120,528,640 → 120,528,000円（千円未満切捨）

120,528,000×10.3%＝12,414,384円

④　住民税額

120,528,640×10.4%＝12,534,978円

⑤　留保金額

(①＋65,000,000－45,000,000)－(②＋③＋④)＝330,849,118円

⑵　留保控除額

①　所得基準額

(519,520,000＋8,420,000)×40%＝211,176,000円

② **定額基準額**

$20,000,000\times\frac{12}{12}=20,000,000$円

③ **積立金基準額**

150,000,000×25%－(230,000,000－65,000,000)＝△127,500,000 → 0

④ **①～③のうち最大**　∴ 211,176,000円

(3) **課税留保金額**

(1)－(2)＝119,673,118 → 119,673,000円（千円未満切捨）

(4) **特別税額**

$30,000,000\times\frac{12}{12}\times10\%+(100,000,000\times\frac{12}{12}-30,000,000)\times15\%+(119,673,000-100,000,000)\times20\%=17,434,600$円

## 解説

① 留保所得金額は、所得金額に課税外収入（別表四の※社外流出項目）を加え、別表四の社外流出項目を控除した金額（別表四留保欄の最終値）です。所得金額に受取配当等の益金不算入額を加え、株主資本等変動計算書に計上されている当期の剰余金の配当65,000,000円、損金経理罰科金等、交際費等の損金不算入額及び法人税額控除所得税額を控除して計算します。

② 留保金額は、留保所得金額から法人税、地方法人税及び住民税の額を控除して求めますが、控除する法人税額は、この規定以外の規定をすべて適用して求めた法人税額であり、住民税額は法人税額（所得税額の控除を適用しないで求めた金額）の10.4%相当額となります。

③ 留保控除額は、所得基準額、定額基準額及び積立金基準額のうち最も多い金額となります。

④ 所得基準額は、所得等の金額（所得金額に課税外収入を加えた金額）の40%相当額となります。

⑤ 定額基準額は、年2,000万円となります。

⑥ 積立金基準額は、期末資本金の額の25%相当額から期末利益積立金額を控除した金額です。期末利益積立金額からは、当期の所得等の金額に係る部分の金額が除かれるため、通常は期首利益積立金額を基礎に計算することになります。なお、この利益積立金額からは、既に社外流出している前期末配当（当期に支払った配当）が控除されていないため、その前期末配当の額を控除する必要があります。

⑦ 課税留保金額は、留保金額から留保控除額を控除して求めます。なお、千円未満の端数がある場合には、その千円未満の端数は切捨てます。

⑧ 特別税額は、課税留保金額を年3,000万円以下の金額、年3,000万円超年1億円以下の金額及び年1億円超の3つに区分して、それぞれ10%、15%及び20%の税率を適用して求めます。

## 解答　問題3 留保金課税（試験研究費の特別控除額との関係）

(1) 留保金額

① 留保所得金額

(250,000,000＋4,500,000)－30,000,000－(7,000,000＋1,531,500)＝215,968,500円

② 法人税額

250,000,000×23.2%＝58,000,000円

58,000,000－5,400,000－1,531,500＝51,068,500円

③ 地方法人税額

58,000,000－5,400,000＝52,600,000円（千円未満切捨）

52,600,000×10.3%＝5,417,800円

④ 住民税額

58,000,000×10.4%＝6,032,000円

⑤ 留保金額

(①＋30,000,000－20,000,000)－(②＋③＋④)＝163,450,200円

(2) 留保控除額

① 所得基準額

(250,000,000＋4,500,000)×40%＝101,800,000円

② 定額基準額

$20,000,000\times\frac{12}{12}=20,000,000$円

③ 積立金基準額

400,000,000×25%－175,000,000＝△75,000,000 → 0

④ ①～③のうち最大　∴ 101,800,000円

(3) 課税留保金額

(1)－(2)＝61,650,200 → 61,650,000円（千円未満切捨）

(4) 特別税額

$(30,000,000\times\frac{12}{12}\times10\%)+(61,650,000-30,000,000)\times15\%=7,747,500$円

## 解説

留保金額に計算上、留保所得金額から控除する法人税額は、この規定以外の規定をすべて適用して求めた法人税額ですが、住民税額は法人税額の10.4%相当額となります。住民税額を求める際の法人税額の計算では、試験研究費の特別控除額及び控除所得税額は控除しません。

## 解答　問題4 ミニテスト

(1) 留保金額

① 留保所得金額

(573,984,330＋950,000)－40,000,000－20,000,000－(219,200＋3,000,000＋50,000,000＋5,000,000＋76,575＋50,000)＝456,588,555円

② 法人税額

133,164,288－1,500,000＋20,000,000－76,575－50,000＝151,537,713円

③ 地方法人税額

133,164,288－1,500,000＋20,000,000＝151,664,288円→ 151,664,000円(千円未満切捨)

151,664,000×10.3%＝15,621,392円

④ 住民税額

(133,164,288＋20,000,000－50,000)×10.4%＝15,923,885円

⑤ 留保金額

(①＋40,000,000－50,000,000)－(②＋③＋④)＝263,505,565円

(2) 留保控除額

① 所得基準額

(573,984,330＋950,000)×40%＝229,973,732円

② 定額基準額

$20,000,000 \times \frac{12}{12} = 20,000,000$円

③ 積立金基準額

200,000,000×25%－(295,000,000－40,000,000)＝△205,000,000 → 0

④ ①～③のうち最大　∴ 229,973,732円

(3) 課税留保金額

(1)－(2)＝33,531,833 → 33,531,000円（千円未満切捨）

(4) 特別税額

$30,000,000 \times \frac{12}{12} \times 10\% + (33,531,000 - 30,000,000 \times \frac{12}{12}) \times 15\% = 3,529,650$円

Ch 1 Ch 2 Ch 3 Ch 4 Ch 5 Ch 6 Ch 7 Ch 8 Ch 9 Ch 10 Ch 11 Ch 12 Ch 13 Ch 14 Ch 15 Ch 16 Ch 17 Ch 18 総合問題

# Chapter 9

# 圧縮記帳等

| No | 内　容 | | 標準時間 | 重要度 | 難易度 |
|---|---|---|---|---|---|
| 問題１ | 特別勘定の設定（国庫補助金等） | 計算 | ５分 | A | 基本 |
| 問題２ | 特別勘定設定後の圧縮記帳（国庫補助金等） | 計算 | ３分 | A | 基本 |
| 問題３ | 特別勘定の設定（保険金等） | 計算 | ５分 | A | 基本 |
| 問題４ | 特別勘定設定後の圧縮記帳（保険金等） | 計算 | ７分 | A | 基本 |
| 問題５ | 特別勘定の設定（買換え） | 計算 | ７分 | A | 基本 |
| 問題６ | 特別勘定設定後の圧縮記帳（買換え） | 計算 | 15分 | A | 基本 |
| 問題７ | 収用等の圧縮記帳 | 計算 | ７分 | A | 基本 |
| 問題８ | 収用等の特別勘定 | 計算 | ７分 | B | 基本 |
| 問題９ | 収用等の圧縮記帳（特別勘定設定後の圧縮記帳） | 計算 | 12分 | B | 基本 |
| 問題10 | 収用等の所得の特別控除 | 計算 | ４分 | A | 基本 |
| 問題11 | 特定資産の交換 | 計算 | ８分 | A | 基本 |
| 問題12 | 先行取得の圧縮記帳（買換え） | 計算 | 12分 | B | 応用 |
| 問題13 | 先行取得の圧縮記帳（保険差益） | 計算 | 12分 | B | 応用 |
| 問題14 | 先行取得の圧縮記帳（国庫補助金） | 計算 | ７分 | A | 応用 |
| 問題15 | 圧縮記帳と資本的支出との関係（買換え） | 計算 | ４分 | A | 応用 |
| 問題16 | 圧縮記帳と資本的支出との関係（交換） | 計算 | 12分 | A | 応用 |
| 問題17 | ミニテスト | 計算 | 10分 | A | 基本 |
| 問題18 | ミニテスト | 計算 | ７分 | A | 基本 |
| 問題19 | ミニテスト | 計算 | ５分 | A | 基本 |
| 問題20 | ミニテスト | 計算 | 10分 | A | 基本 |

理論 計算

→ 解答・解説 9－20

## 問題1 特別勘定の設定（国庫補助金等）

基本 5分

**次の資料により、当社の当期における税務上の調整を示しなさい。**

⑴ 令和７年10月24日に機械装置の取得に充てるための国庫補助金28,000,000円の交付を受け、国庫補助金収入として当期の収益に計上している。

⑵ 令和７年11月20日に⑴の国庫補助金に自己資金を加えて、当該国庫補助金の交付の目的に適合した機械装置（法定耐用年数10年）を35,000,000円で取得し、直ちに事業の用に供している。

⑶ 国庫補助金の返還を要すること及び返還を要しないことが当期末までに確定しなかったため、積立金経理により機械装置圧縮特別勘定35,000,000円（株主資本等変動計算書における積立額21,000,000円、繰延税金負債の額14,000,000円）を積み立て、減価償却費として5,000,000円を費用に計上している。

⑷ 当社は、機械装置の償却方法として定率法を選定している。なお、200％定率法の償却率等の資料は次のとおりである。

| 耐用年数 | 定率法償却率 | 改定償却率 | 保証率 |
|---|---|---|---|
| 10年 | 0.200 | 0.250 | 0.06552 |

理論 計算

→ 解答・解説 9－21

## 問題2 特別勘定設定後の圧縮記帳（国庫補助金等）

重要 基本 3分

**次の資料により、当社の当期における税務上の調整を示しなさい。**

⑴ 前期において、東京都から土地の取得に充てるための補助金12,000,000円の交付を受け、前期の収益に計上している。

⑵ 前期において、⑴の補助金の交付目的に適合した土地を15,000,000円で取得したが、当該補助金の返還を要しないことが前期末までに確定しなかったため、損金経理により特別勘定に15,000,000円を繰り入れている。

⑶ 当期において、前期に交付を受けた補助金の返還を要しないことが確定したため、土地の帳簿価額を１円とするため、損金経理により土地圧縮損14,999,999円を計上している。

理論 計算

→ 解答・解説　9－21

## 問題３　特別勘定の設定（保険金等）

重要　基本　5分

**次の資料により、当期における税務上の調整を示しなさい。**

(1)　令和７年10月27日に、当社所有の機械が焼失し、令和８年１月20日に保険会社から保険金の支払いを受けている。焼失した機械の被災直前の帳簿価額及び取得した保険金の額は、次のとおりである。

| 種　　類 | 被災直前の帳簿価額 | 保険金の額 | 備　　　考 |
|---|---|---|---|
| 機械装置 | 8,000,000円 | 15,000,000円 | 前期以前の繰越償却超過額　500,000円 |

(2)　この火災に伴い支出した金額は、機械の除却費用200,000円、消防費300,000円、けが人への見舞金400,000円及び焼跡整理費用500,000円であり、当期の費用に計上している。

(3)　当社は、焼失した機械に代替する機械の取得が翌期となるため、当期においては積立金経理により圧縮特別勘定を7,000,000円積み立てることとし、株主資本等変動計算書に4,200,000円を積み立て、貸借対照表に繰延税金負債として2,800,000円を計上している。

理論 計算

→ 解答・解説　9－22

## 問題４　特別勘定設定後の圧縮記帳（保険金等）

重要　基本　7分

**次の資料により、当期における税務上の調整を示しなさい。**

(1)　前期において当社所有の建物が火災により全焼し、保険会社から保険金の支払いを受けている。この火災により焼失した資産の被災直前の帳簿価額及び保険会社から支払いを受けた保険金の額は次のとおりである。

| 種　　類 | 被災直前の帳簿価額 | 保険金の額 | 備　考 |
|---|---|---|---|
| 建　　物 | 5,640,000円 | 30,000,000円 | 滅失経費の額は2,000,000円である。 |

(2)　当社は、前期中に代替資産の取得をすることができなかったことから、特別勘定を設定することとし前期の決算において積立金経理により建物圧縮特別勘定積立金を22,360,000円（税務上の適正額）積み立てている。

(3)　当社は、令和７年７月15日に前期に焼失した建物に代替する建物（耐用年数50年）を27,000,000円で取得し、直ちに事業の用に供している。

(4)　当社は、取得した建物について損金経理により圧縮損20,000,000円、減価償却費250,000円を計上し、帳簿価額を減額するとともに、建物圧縮特別勘定のうち20,000,000円を取り崩している。なお、当社が選定し届け出た償却方法は定額法であり、耐用年数50年の場合の定額法償却率は0.020である。

理論 計算

## 問題5 特別勘定の設定（買換え）

重要 基本 7分

**次の資料により、当社の当期における税務上の調整を示しなさい。**

⑴　当社は令和７年８月17日に、Ａ市(集中地域に該当する。)に所有していた土地(平成14年５月に取得したものであり、譲渡直前の帳簿価額は97,980,000円である。)を130,000,000円で譲渡している。当社は、譲渡対価の額と譲渡直前の帳簿価額との差額を土地譲渡益に計上するとともに、譲渡した土地の上に存していた工場建物の取壊しに要した費用(取壊し直前の帳簿価額を含む。) 1,600,000円を当期の費用に計上している。

⑵　当社は、令和７年８月25日に、Ｂ市(集中地域以外の地域に該当する。)に工場用建物(耐用年数38年のものであり、取得価額は90,000,000円である。)を取得し、直ちに事業の用に供している。

⑶　当社は上記⑴の土地を譲渡資産とし、上記⑵の工場用建物及び翌期に取得する予定の構築物（取得見込価額は45,000,000円である。)を買換資産として、特定資産の買換えの場合の課税の特例の適用を受けるため、建物について損金経理により圧縮損17,000,000円及び減価償却費1,500,000円を計上し帳簿価額を直接減額するとともに、積立金方式により構築物圧縮特別勘定積立金として10,000,000円を積み立てている。

⑷　当社は、減価償却資産の償却方法について何ら届出をしていない。なお、耐用年数38年の場合の定額法償却率は、0.027である。

理論 計算

→ 解答・解説 9－24

## 問題6 特別勘定設定後の圧縮記帳（買換え）

重要 基本 15分

**次の資料により、前期（令和６年４月１日～令和７年３月31日）及び当期における税務上の調整を示しなさい。**

⑴ 前期の令和７年２月20日に、当社が集中地域に所有していた次の事務所建物及びその敷地を不動産会社に譲渡している。当社は、この譲渡に係る譲渡資産の譲渡直前の帳簿価額と譲渡対価の額との差額を固定資産売却益として前期の収益に計上するとともに、この譲渡に係る仲介手数料1,500,000円を前期の費用に計上している。

| 種　類 | 取　得　日 | 譲渡対価の額 | 譲渡直前の帳簿価額 | 面　積 |
|---|---|---|---|---|
| 事務所用建物 | 平成17年10月３日 | 170,000,000円 | 3,500,000円 | — |
| 土　　地 | 平成17年８月26日 | | 131,000,000円 | 300㎡ |

⑵ 当社は、前期の令和７年３月１日に、⑴の譲渡対価をもって集中地域以外の地域に所在する土地（面積1,800㎡）を180,000,000円で取得している。なお、この土地には令和７年６月中に事務所用の建物を建設する予定である。

⑶ 当社は、⑵の資産について租税特別措置法第65条の７《特定の資産の買換えの場合の課税の特例》又は同法第65条の８《特定の資産の譲渡に伴い特別勘定を設けた場合の課税の特例》の規定を適用するため、土地について30,000,000円を圧縮損として費用に計上し、建物について剰余金の処分により4,000,000円を建物圧縮特別勘定積立金として積み立てている。

⑷ 当期の令和７年６月30日に上記⑵の事務所用建物（耐用年数50年のものであり、取得価額は35,000,000円である。）が完成し、令和７年７月１日から事業の用に供している。当社はこの事務所用建物について、損金経理により圧縮損として3,700,000円を計上するとともに、減価償却費100,000円を計上している。なお、建物圧縮特別勘定積立金の取崩しは行っていない。

（注） 差益割合は一括計算によるものとし、耐用年数50年の場合の定額法償却率は0.020である。

## 問題7　収用等の圧縮記帳　重要　基本　7分

**次の資料により、当社の当期における税務上の調整を示しなさい。**

⑴　当社の数年前より所有していた次の資産が、令和７年６月５日に土地収用法の規定に基づいて収用されている。収用された資産の内容等は、次のとおりである。当社は、取得した対価補償金の額及び経費補償金の額を当期の収益に計上するとともに、譲渡した資産の譲渡直前の帳簿価額及び譲渡経費の額を当期の費用に計上している。

| 区　分 | 譲渡直前の帳簿価額 | 譲渡経費の額 | 対価補償金の額 | 経費補償金の額 |
|---|---|---|---|---|
| 土　地　A | 24,030,000円 | 6,750,000円 | 108,000,000円 | 1,620,000円 |
| 建　物　B | 11,610,000円 | | | |

（注）　経費補償金の額は、譲渡経費に充てるために交付を受けたものである。なお、建物Bについては、前期から繰り越された償却超過額が364,500円あった。

⑵　当社は、令和７年９月15日に収用により取得した補償金をもって、次の資産を取得し直ちに事業の用に供している。

| 区　分 | 取得価額 | 減価償却費 | 期末帳簿価額 | 法定耐用年数 |
|---|---|---|---|---|
| 土 地 C | 88,000,000円 | — | 22,000,000円 | — |
| 建 物 D | 44,000,000円 | 198,000円 | 16,302,000円 | 50年 |

⑶　当社は、取得した資産につき租税特別措置法第64条《収用等に伴い代替資産を取得した場合の課税の特例》の規定の適用を受けるため、土地Cについて66,000,000円及び建物Dについて27,500,000円を損金経理により圧縮損として計上し、帳簿価額を直接減額している。

⑷　当社は、減価償却資産の償却方法について選定の届出を行っていない。なお、耐用年数50年の場合の償却率等は、次のとおりである。

| 耐用年数 | 定額法償却率 | 200%定率法 | | | 旧定額法償却率 | 旧定率法償却率 |
|---|---|---|---|---|---|---|
| | | 償却率 | 改定償却率 | 保証率 | | |
| 50 | 0.020 | 0.040 | 0.042 | 0.01440 | 0.020 | 0.045 |

⑸　差益割合は一括して計算するものとする。

→ 解答・解説 9－27

## 問題8 収用等の特別勘定

基本 7分

**次の資料により、当社の当期における税務上の調整を示しなさい。**

⑴ 令和７年５月２日に、Ａ市の公共事業用地として当社が所有する土地について買取りの申出があったため、当社は同年７月16日に当該土地（倉庫用建物の敷地）及びその上に存する倉庫用建物をＡ市に譲渡している。

なお、当該買取りは、その買取りに応じない場合には、土地収用法の規定に基づいて収用されることが確実と見込まれるものである。

⑵ ⑴の買取りにより譲渡した土地等の資料は次のとおりである。当社は、取得した対価の額の合計額を当期の収益に計上するとともに、譲渡直前の帳簿価額及び譲渡経費の額との合計額を当期の損失に計上している。

| 区　分 | 譲渡直前の帳簿価額 | 譲渡経費の額 | 譲渡対価の額 | 経費補償金の額 |
|---|---|---|---|---|
| 土　　地 | 114,360,000円 | 10,440,000円 | 540,000,000円 | 2,400,000円 |
| 倉庫用建物 | 7,920,000円 | | 21,600,000円 | 1,200,000円 |

（注）　倉庫用建物には、繰越償却超過額が321,960円ある。

⑶ 当社は、令和７年12月24日に上記⑵で譲渡した資産に代替する資産として、土地を取得しているが、その取得価額は440,000,000円である。また、当期末現在、取得した土地の上に倉庫用建物を建設中であり、その完成引渡は令和８年４月以降になる見込みである。

⑷ 当社は、当期の株主資本等変動計算書において、土地について圧縮積立金231,000,000円を積み立て、倉庫用建物について圧縮特別勘定積立金33,000,000円を積み立てている。なお、当社は財務諸表の作成にあたり、税効果会計を採用しているため、当期の株主資本等変動計算書に計上した積立金のほか、繰延税金負債として圧縮積立金について154,000,000円、圧縮特別勘定積立金について22,000,000円を計上している。

⑸ 差益割合の計算は一括で行うものとする。

# 問題9 収用等の圧縮記帳（特別勘定設定後の圧縮記帳） 基本 12分

**次の資料により、当社の当期における税務上の調整を示しなさい。**

⑴ 当社は前期において、土地収用法の規定により当社が所有していた土地A及び建物Bを国に収用されている。前期においては土地A及び建物Bに代替する資産の取得ができなかったため、前期の株主資本等変動計算書において90,000,000円の圧縮特別勘定積立金（税務上の適正額である。）を積み立てている。

⑵ 前期における収用に係る譲渡資産の譲渡直前の帳簿価額等の資料は、次のとおりである。

| 種 類 | 譲渡直前の帳簿価額 | 対価補償金の額 | 経費補償金の額 | 譲渡経費の額 |
|---|---|---|---|---|
| 土 地 A | 9,450,000円 | 81,000,000円 | 2,250,000円 | 6,300,000円 |
| 建 物 B | 12,150,000円 | 40,500,000円 | | |
| 合 計 | 21,600,000円 | 121,500,000円 | 2,250,000円 | 6,300,000円 |

（注１） 経費補償金は、譲渡経費に充てるために交付を受けたものである。

（注２） 建物Bには、前々期からの繰越償却超過額が1,890,000円あった。

⑶ 当社は令和８年１月12日に土地C及び建物Dを土地A及び建物Bに代替する資産として取得し、直ちに事業の用に供している。なお、取得資産の取得価額等の資料は、次のとおりである。

| 種 類 | 取得価額 | 減価償却費 | 期末帳簿価額 | 耐用年数 |
|---|---|---|---|---|
| 土 地 C | 74,250,000円 | — | 74,250,000円 | — |
| 建 物 D | 43,200,000円 | 360,000円 | 42,840,000円 | 38年 |
| 合 計 | 117,450,000円 | 360,000円 | 117,090,000円 | — |

⑷ 当社は当期の株主資本等変動計算書において、取得資産である土地Cについて60,750,000円、建物Dについて35,100,000円の圧縮積立金を積み立てている。なお、前期に積み立てた圧縮特別勘定積立金の取崩しは行っていない。

⑸ 当社は、減価償却資産の償却方法の選定の届出を行っていない。なお、耐用年数が38年の場合における償却率等の資料は、次のとおりである。

| 耐用年数 | 定額法償却率 | 200%定率法 | | | 旧定額法償却率 | 旧定率法償却率 |
|---|---|---|---|---|---|---|
| | | 償却率 | 改定償却率 | 保証率 | | |
| 38 | 0.027 | 0.053 | 0.056 | 0.01882 | 0.027 | 0.059 |

⑹ 差益割合は一括して計算するものとする。

理論 計算

→ 解答・解説 9－29

## 問題10 収用等の所得の特別控除

重要 基本 4分

**次の資料により、当社の当期における税務上の調整を示しなさい。**

⑴ 当社は、当社が所有するＡ土地について、令和７年４月５日に公共事業用地とするためＢ県から買取りの申し出を受けている。なお、この買取りはこれに応じない場合には、土地収用法の規定に基づき収用されることが確実であると認められるものである。

⑵ 当社は、⑴の申し出に応じることとし、令和７年９月10日にＡ土地をＢ県に対して譲渡している。当該譲渡に係る譲渡対価の額等の資料は、次のとおりである。なお、当社は譲渡対価の額及び経費補償金の額の合計額から譲渡直前の帳簿価額及び譲渡経費の額を控除した金額を、土地売却益として当期の収益に計上している。

| 種　類 | 譲渡対価の額 | 経費補償金の額 | 譲渡直前の帳簿価額 | 譲渡経費の額 |
|---|---|---|---|---|
| Ａ　土　地 | 52,000,000円 | 2,600,000円 | 7,800,000円 | 2,860,000円 |

⑶ 当社は、令和７年１月23日に土地収用法の規定に基づいてＢ土地が収用されたため、その譲渡益について、租税特別措置法第65条の２《収用換地等の場合の所得の特別控除》の規定の適用を受け、30,000,000円を前期の損金の額に算入している。

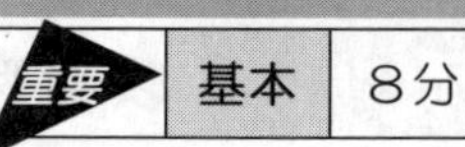


## 問題11　特定資産の交換

重要　基本　8分

**次の資料により、当社の当期における税務上の調整を示しなさい。**

⑴　当社は、令和７年９月７日にＡ社との間で、次の土地及び建物の交換を行っている。当該交換により取得した資産は、同日より事業の用に供している。

なお、交換により譲渡した資産及び交換により取得した資産に関する資料は、次のとおりである。

| 交換譲渡資産 | 譲渡直前の帳簿価額 | 交換時の時価 | 交換取得資産 | 交換時の時価 |
|---|---|---|---|---|
| 交換譲渡土地 | 24,500,000円 | 35,000,000円 | 交換取得土地 | 26,600,000円 |
| 交換譲渡建物 | 8,400,000円 | 10,500,000円 | 交換取得建物 | 13,300,000円 |
| — | — | — | 交換差金（現金） | 5,600,000円 |
| 合計 | 32,900,000円 | 45,500,000円 | 合計 | 45,500,000円 |

（注１）　交換譲渡土地（面積は500㎡である。）及び交換譲渡建物（工場用）は、いずれも集中地域に所在し、平成17年２月26日に取得したものである。また、交換譲渡建物には前期からの繰越償却超過額が70,000円ある。

（注２）　交換取得土地（面積は2,300㎡である。）及び交換取得建物は、いずれも交換の相手先であるＡ社が平成15年６月３日に取得したものであり、集中地域以外の地域に所在する。

⑵　当社は、交換取得資産について交換時の時価を取得価額として付すとともに、交換譲渡資産の交換時の時価と譲渡直前の帳簿価額との差額を当期の収益に計上している。また、この交換に際して支出した譲渡経費の額2,520,000円については、当期の費用に計上している。

⑶　当社は、交換取得土地について、当期の株主資本等変動計算書において、圧縮積立金として8,000,000円を積み立てている。なお、交換取得建物については、損金経理により圧縮損4,000,000円を計上し、その帳簿価額から直接減額している。

⑷　交換取得建物について減価償却費として当期の費用に計上した金額は160,000円であり、その法定耐用年数は50年である。なお、交換取得建物は中古のものであるが、法定耐用年数に基づいて償却限度額の計算を行うものとする。

⑸　当社は、減価償却資産の償却方法として定額法を選定し届け出ており、耐用年数50年の場合の定額法償却率は0.020である。なお、差益割合の計算が必要な場合には、一括計算の方法によるものとする。

→ 解答・解説 9－31

## 問題12 先行取得の圧縮記帳（買換え） 応用 12分

**次の資料により、当社の当期における税務上の調整を示しなさい。**

⑴ 当社は、令和７年５月23日に集中地域に所在する次の土地（平成17年１月３日取得したものであり、面積は350㎡である。）を54,000,000円で譲渡している。当該譲渡に係る譲渡対価の額及び譲渡直前の帳簿価額は次のとおりであり、当社は譲渡対価の額と譲渡直前の帳簿価額との差額を当期の収益に計上している。

| 種　類 | 譲渡対価の額 | 譲渡直前の帳簿価額 |
|---|---|---|
| 土　　地 | 54,000,000円 | 39,540,000円 |

（注） 上記の譲渡契約の一環として、当社は譲渡した土地の上に存していた倉庫用建物を取壊している。当該倉庫用建物の取壊直前の帳簿価額は2,280,000円（繰越償却超過額が180,000円ある。）であり、取壊しに要した費用480,000円を支出し、いずれも当期の費用に計上されている。なお、この他、譲渡経費として720,000円を支出しているが、当期の費用に計上されている。

⑵ 当社は、令和７年１月15日に集中地域外の地域に所在する次の資産を取得して直ちに事業の用に供しているが、これらの資産については、上記⑴の買換資産として適用を受ける旨の届出を行っている。

| 種　　類 | 取 得 価 額 | 期首帳簿価額 | 備　　考 |
|---|---|---|---|
| 土　　　地 | 35,000,000円 | 35,000,000円 | 面積は2,500㎡である。 |
| 倉 庫 用 建 物 | 28,000,000円 | 27,706,000円 | 法定耐用年数は24年である。 |
| 構　築　物 | 12,600,000円 | 11,970,000円 | 法定耐用年数は５年である。 |

⑶ 当社は、上記⑵の買換資産につき、土地については圧縮積立金7,000,000円（うち繰延税金負債2,800,000円）を積み立て、倉庫用建物及び構築物についてはそれぞれ5,600,000円及び2,800,000円を損金経理により圧縮損として計上し、それぞれの帳簿価額を直接減額している。また、減価償却費として倉庫用建物について1,050,000円、構築物について3,500,000円をそれぞれ当期の費用に計上している。

⑷ 当社は、減価償却資産の償却方法を選定していない。なお、償却率等の資料は、次のとおりである。

| 耐用年数 | 定額法償却率 | 250%定率法 | | |
|---|---|---|---|---|
| | | 償却率 | 改定償却率 | 保証率 |
| 5 | 0.200 | 0.500 | 1.000 | 0.06249 |
| 24 | 0.042 | 0.104 | 0.112 | 0.02157 |

| 耐用年数 | 200%定率法 | | |
|---|---|---|---|
| | 償却率 | 改定償却率 | 保証率 |
| 5 | 0.400 | 0.500 | 0.10800 |
| 24 | 0.083 | 0.084 | 0.02969 |

⑸ 当社は、青色申告書を提出する資本金の額が300,000,000円の内国法人である。

## 問題13　先行取得の圧縮記帳（保険差益）　応用　12分

**次の資料により、当社の当期における税務上の調整を示しなさい。**

⑴　当社が所有する工場用建物及びその工場内の機械装置については、令和６年10月９日にあった失火により全焼しているが、その焼失した資産の明細は次のとおりである。なお、いずれの資産についても保険契約が締結されていたが、前期においては保険金額が確定しなかった。

| 種　類 | 焼失直前の帳簿価額 |
|---|---|
| 工場用建物 | 10,800,000円 |
| 機械装置 | 3,780,000円 |

（注）　当社は、焼失した資産の焼失直前の帳簿価額及び滅失経費の額（焼跡の整理費用448,000円、消防費368,000円及び建物の取壊し費用464,000円を支出している。）の合計額15,860,000円を前期の費用に計上（前期において適正に申告調整が行われている。）している。

⑵　当社は、令和６年12月27日に、⑴により焼失した資産に代替する次の資産を取得し、いずれも直ちに事業の用に供している。

| 種　類 | 取得価額 | 減価償却費 | 耐用年数 |
|---|---|---|---|
| 工場用建物 | 33,000,000円 | 346,500円 | 24年 |
| 機械装置 | 8,250,000円 | 429,000円 | 12年 |

（注）　減価償却費の額は、いずれも税務上の償却限度額の範囲内の金額である。

⑶　令和７年７月13日に、保険金額が次のとおり確定し、保険会社から保険金の支払いを受けている。なお、当社は支払いを受けた保険金の額を、当期の収益に計上している。

| 種　類 | 保険金の額 |
|---|---|
| 工場用建物 | 20,800,000円 |
| 機械装置 | 6,400,000円 |

⑷　当社は、当期において⑶により取得した工場用建物及び機械装置を代替資産として法人税法第47条《保険金等で取得した固定資産等の圧縮額の損金算入》の規定の適用を受けることとし、工場用建物について13,200,000円、機械装置について3,300,000円の圧縮損を計上し、それぞれの帳簿価額から直接減額している。また、当期に係る減価償却費として工場用建物について880,000円、機械装置について935,000円を費用に計上している。

⑸　当社が選定し届け出た償却方法は、建物については定額法、その他の資産については定率法である。なお、償却率等は次のとおりである。

| 耐用年数 | 定額法償却率 | 200％定率法 | | |
|---|---|---|---|---|
| | | 償却率 | 改定償却率 | 保証率 |
| 12 | 0.084 | 0.167 | 0.200 | 0.05566 |
| 24 | 0.042 | 0.083 | 0.084 | 0.02969 |

⑹　当社は、製造業を営む資本金の額が400,000,000円の内国法人である。

理論 計算

→ 解答・解説 9－34

## 問題14 先行取得の圧縮記帳（国庫補助金）

重要 応用 7分

**次の資料により、当社の当期における税務上の調整を示しなさい。**

⑴ 当社は前期において、機械装置の取得に充てるための国庫補助金13,000,000円の交付を受けているが、前期中には返還の要否が確定しなかったため、前期においてはその交付を受けた国庫補助金の全額を仮受金として経理し、これを特別勘定として確定申告を行っている。

⑵ 当社は、前期において交付を受けた国庫補助金及び自己資金により、その国庫補助金の交付目的に適合した機械装置を取得し、その取得日から事業の用に供している。なお、取得をした機械装置の取得価額等の資料は、次のとおりである。

| 種　類 | 取得価額 | 当期首帳簿価額 | 当期償却額 | 取得年月日 | 耐用年数 |
|---|---|---|---|---|---|
| 機械装置 | 65,000,000円 | 62,400,000円 | 19,500,000円 | 令和７年３月３日 | ７年 |

（注）　前期において、繰越償却超過額が1,050,834円生じている。

⑶ 令和８年３月15日に、⑴の国庫補助金のうち2,600,000円については返還をすべきことが確定し、残額の10,400,000円については返還を要しないことが確定したため、当期において⑴で計上した仮受金勘定の金額を取り崩して収益に計上するとともに、返還を要する2,600,000円については損金経理により未払金に計上している。なお、当社は⑵の機械装置について当期において損金経理により圧縮損10,400,000円を計上し、その帳簿価額を直接減額する処理を行っている。

⑷ 当社は、減価償却資産の償却方法として、定率法を選定し所定の届出を行っている。なお、200％定率法の償却率等の資料は、次のとおりである。

| 償　却　率 | 0.286 |
|---|---|
| 改定償却率 | 0.334 |
| 保　証　率 | 0.08680 |

⑸ 当社は、製造業を営む資本金の額が500,000,000円の内国法人である。

→ 解答・解説 9－35

## 問題15 圧縮記帳と資本的支出との関係（買換え）

重要 応用 4分

**次の資料により、当社の当期における圧縮限度額を計算しなさい。**

⑴ 当社は、令和７年12月23日に集中地域に所有していた土地（平成17年７月17日に取得したものであり、譲渡直前の帳簿価額は36,000,000円、面積は450㎡のものである。）を不動産会社を通じて第三者に対し60,000,000円で譲渡している。当社は、その譲渡対価の額と譲渡直前の帳簿価額との差額を当期の収益に計上している。

⑵ 当社は、上記⑴の譲渡に係る契約の一環として、譲渡した土地の上に存していた事務所建物を取り壊している。当社は、次の支出等の合計額を当期の費用に計上している。

① 事務所建物の取壊直前の帳簿価額 2,400,000円
② 事務所建物の取壊費用の額 600,000円
③ 仲介手数料の額 1,200,000円

⑶ 当社は、上記⑴の譲渡対価及び自己資金をもって令和７年12月15日に集中地域以外の地域に所在する土地（面積は3,000㎡のものである。）及び工場用建物を取得している。取得した土地及び工場用建物の購入代価の額等の資料は次のとおりであるが、当社は取得した工場用建物について改良を加えたうえで令和８年１月15日より事業の用に供している。なお、購入金額及び改良に要した費用の額は次のとおりである。

| 種　類 | 購入代価の額 | 改良に要した費用 |
|---|---|---|
| 土　　地 | 39,000,000円 | ― |
| 工場用建物 | 19,500,000円 | 15,600,000円 |

理論 計算

→ 解答・解説 9－36

## 問題16 圧縮記帳と資本的支出との関係（交換）

重要 応用 12分

**次の資料により、当社の当期における税務上の調整を示しなさい。**

(1) 当社は、令和７年12月28日に当社が所有する土地及び事務所建物とＡ社が所有する土地及び店舗建物とを交換し、交換取得資産である店舗建物は、取得後直ちに事務所用として使用するための改良を加え、令和８年１月18日から事務所として事業の用に供している。

なお、当該交換により譲渡した資産の譲渡直前の帳簿価額等の資料は、次のとおりである。

| 区　分 | 交換譲渡資産 | | 交換取得資産 |
|---|---|---|---|
| | 譲渡直前の帳簿価額 | 譲渡時の時価 | 取得時の時価 |
| 土　地 | 14,784,000円 | 39,600,000円 | 38,500,000円 |
| 建　物 | 6,600,000円 | 9,900,000円 | 11,000,000円 |
| 合　計 | 21,384,000円 | 49,500,000円 | 49,500,000円 |

（注１） 交換譲渡資産である建物には、過年度の繰越償却超過額が440,000円ある。

（注２） 交換譲渡資産は、当社が取得してから12年を経過しているものであり、交換のために取得したものではない。

（注３） 交換取得資産は、Ａ社が取得してから８年を経過しているものであり、交換のために取得したものではない。なお、交換取得資産である建物（法定耐用年数は50年である。）に係る再取得価額は22,000,000円である。

(2) 当社は、(1)の交換に際して譲渡経費として1,320,000円を支出し、当期の費用に計上している。なお、譲渡経費の額は、譲渡資産の時価の比により各資産に配賦するものとする。

(3) 当社は、交換取得資産の取得価額として、交換譲渡資産の譲渡直前の帳簿価額を引き継ぐ経理を行っている。また、交換取得資産である建物について、減価償却費として110,000円を当期の費用に計上している。なお、建物を事務所用として使用するために要した改良費7,150,000円については、修繕費として当期の費用に計上されている。

(4) 当社は、減価償却資産の償却方法について選定の届出を行っていない。なお、償却率等の資料は、次のとおりである。

| 耐用年数 | 定額法償却率 | 200%定率法 | | |
|---|---|---|---|---|
| | | 償却率 | 改定償却率 | 保証率 |
| 42 | 0.024 | 0.048 | 0.050 | 0.01694 |
| 43 | 0.024 | 0.047 | 0.048 | 0.01664 |
| 44 | 0.023 | 0.045 | 0.046 | 0.01664 |
| 45 | 0.023 | 0.044 | 0.046 | 0.01634 |
| 46 | 0.022 | 0.043 | 0.044 | 0.01601 |
| 47 | 0.022 | 0.043 | 0.044 | 0.01532 |
| 48 | 0.021 | 0.042 | 0.044 | 0.01499 |
| 49 | 0.021 | 0.041 | 0.042 | 0.01475 |
| 50 | 0.020 | 0.040 | 0.042 | 0.01440 |

→ 解答・解説 9－37

## 問題17 ミニテスト

重要 基本 10分

**次の資料に基づき、当社（中小企業者等であり、適用除外事業者に該当しない。）の当期における税務調整すべき金額を計算しなさい。**

⑴ 当期の10月30日に火災により当社所有の機械A及び棚卸資産が全焼したことに伴い、当社は保険会社に保険金の請求を行い、当期の2月10日に機械Aに係る保険金45,000,000円及び棚卸資産に係る保険金5,000,000円を取得した。

なお、当社は収受した保険金から機械Aの焼失直前の帳簿価額14,000,000円（繰越償却超過額267,000円がある。）及び棚卸資産の焼失直前の帳簿価額5,260,000円を控除した残額を保険差益金として、当期の収益に計上している。

⑵ 当社は上記⑴の火災に伴い、以下に掲げる金額を支出し、損金経理している。

① 機械Aの撤去費用 200,000円
② 機械Aの工員に対する見舞金 300,000円
③ 焼跡の整理費用 100,000円
④ 消防費用 50,000円
⑤ 工場建物の修復費用 500,000円

⑶ 当社は当期の3月10日に、上記⑴の保険金をもって代替資産として以下に掲げる新品の機械Bを取得し、直ちに事業の用に供するとともに、期末に減価償却費及び圧縮損を損金経理している。

| 種　類 | 取得価額 | 減価償却費 | 圧縮損 | 耐用年数（償却率） |
|---|---|---|---|---|
| 機械B | 30,000,000円 | 1,000,000円 | 25,000,000円 | 10年（0.100） |

※ 当社は減価償却資産の償却方法として、定額法を選定し届け出ている。

⑷ 当社は上記⑴の保険金の残額により、機械Cを翌期に取得する予定であるため、剰余金処分により圧縮特別勘定を20,000,000円積み立てている。

→ 解答・解説 9－38

## 問題18 ミニテスト

基本 7分

**次の資料に基づき、当社の当期における税務調整すべき金額を計算しなさい。**

(1) 当社は、その所有する土地A及び工場用建物Bについて、当期の5月14日に国から土地収用法に基づく買取りの申出を受け、当期の9月3日にその申出に応じて当該資産を国に譲渡した。当社は、その際に収受した補償金の額から、土地A及び工場用建物Bの譲渡直前帳簿価額を控除した残額を当期の収益に計上し、譲渡経費を当期の費用に計上している。

| 譲渡資産 | 対価補償金 | 譲渡に要する経費に充てる補償金 | 譲渡経費 | 譲渡直前帳簿価額 |
|---|---|---|---|---|
| 土　地　A | 80,000,000円 | 3,000,000円 | 2,400,000円 | 45,000,000円 |
| 工場用建物B | 40,000,000円 | | | 28,000,000円 |

（注）　工場用建物Bについては、前期以前に生じた繰越償却超過額が200,000円ある。

(2) 当社は、上記(1)の補償金に自己資金を加えて、当期の2月3日に代替資産として土地Cを90,000,000円で取得し、当該土地Cの上に工場用建物Dの建設を開始した。工場用建物Dは、翌期の6月に完成する予定であり、当該工場用建物Dについては、完成後直ちに事業の用に供する予定である。なお、土地Cの取得に伴い生じた土地の造成費用2,000,000円を当期の費用に計上している。

(3) 当社は代替資産として取得した土地Cについて租税特別措置法第64条《収用等に伴い代替資産を取得した場合の課税の特例》第1項の規定の適用を受けることとし、当期の確定した決算において剰余金処分により土地C圧縮積立金40,000,000円を積み立てている。

また、建設中の工場用建物Dについて租税特別措置法第64条の2《収用等に伴い特別勘定を設けた場合の課税の特例》第1項の規定の適用を受けるため、剰余金処分により圧縮特別勘定として15,000,000円積み立てている。なお、差益割合は一括して計算すること。

理論 計算

→ 解答・解説 9－39

## 問題19 ミニテスト

重要 基本 5分

**次の資料に基づき、当社の当期における税務調整すべき金額を計算しなさい。**

⑴ 当社は令和7年5月21日にA社との間で次に掲げる資産を交換した。

なお、交換譲渡資産であるB土地及び交換取得資産であるC土地はいずれも当社及びA社において1年以上所有されていたものであり、いずれの資産も交換のために取得されたものではない。当社は交換により取得したC土地の取得価額として120,000,000円を付すとともに、譲渡資産であるB土地の時価とその交換直前の帳簿価額との差額を譲渡益に計上している。

| 区分 | | 取得年月日 | 交換直前帳簿価額 | 交換時の時価 |
|---|---|---|---|---|
| 譲渡資産 | B土地 | 平成2年3月22日 | 58,000,000円 | 100,000,000円 |
| | 現金 | — | — | 20,000,000円 |
| | 合計 | — | — | 120,000,000円 |
| 取得資産 | C土地 | 平成3年7月12日 | 98,000,000円 | 120,000,000円 |

(注) 甲社は、交換に際しての譲渡経費1,800,000円を支出し、損金経理している。なお、B土地を譲渡し、その譲渡対価をもって、C土地を取得した場合は、租税特別措置法第65条の7の買換えの圧縮記帳の適用を受けることができるものである（課税繰延割合80%）。

⑵ 当社は、剰余金処分により圧縮積立金25,200,000円を積み立て、当該圧縮積立金に係る繰延税金負債として16,800,000円計上している。

理論 計算

→ 解答・解説 9－41

## 問題20 ミニテスト

重要 基本 10分

**次の資料に基づき、当社の当期における税務調整すべき金額を計算しなさい。**

⑴ 当社は当期の８月１日にＡ社との間で次に掲げる資産の交換を行っている。

なお、交換譲渡資産及び交換取得資産（３年間事業の用に供されていたもの）は１年以上所有していたものであり、いずれの資産も交換のために取得したと認められるものではない。

| 区　　分 | 交　換　譲　渡　資　産 | | 交換取得資産 |
|---|---|---|---|
| | 譲渡直前の簿価 | 譲渡時の価額 | 取得時の価額 |
| 土　　地 | 41,287,500円 | 90,000,000円 | 85,000,000円 |
| 建　　物 | 21,560,000円 | 38,000,000円 | 40,000,000円 |
| 合　計 | 62,847,500円 | 128,000,000円 | 125,000,000円 |

① 譲渡に際し、仲介手数料4,000,000円を支出し、費用計上している。

また、交換差金としてＡ社から現金3,000,000円を収受し、収益計上している。

② 交換譲渡資産である建物には、繰越償却超過額900,000円がある。

③ 交換取得資産である建物は、交換譲渡資産の譲渡直前の用途と同一の用途に供している。なお、事業の用に供するに当たり、改良費を1,300,000円支出し、費用に計上している。

④ 交換取得建物の法定耐用年数は38年である。

⑵ 甲社は交換取得資産の取得価額について、交換譲渡資産の交換直前の帳簿価額を付している。なお、償却率は次のとおりである。

| 区　分 | 35年 | 36年 | 37年 | 38年 |
|---|---|---|---|---|
| 定額法 | 0.029 | 0.028 | 0.028 | 0.027 |

## 解答　問題1　特別勘定の設定（国庫補助金等）

1．特別勘定

⑴　繰入限度額

28,000,000円

⑵　繰入超過額

35,000,000－28,000,000＝7,000,000円

2．減価償却

⑴　償却限度額

35,000,000×0.200＝7,000,000円≧35,000,000×0.06552＝2,293,200円

∴　$7,000,000 \times \frac{5}{12} = 2,916,666$円

⑵　償却超過額

5,000,000－2,916,666＝2,083,334円

（単位：円）

| | 項目 | 金額 | 留保 | 社外流出 |
|---|---|---|---|---|
| 加算 | 特別勘定繰入超過額 | 7,000,000 | 7,000,000 | |
| | 減価償却超過額（機械装置） | 2,083,334 | 2,083,334 | |
| 減算 | 特別勘定積立金認定損（機械装置） | 35,000,000 | 35,000,000 | |

## 解説

①　国庫補助金の圧縮記帳は、交付を受けた国庫補助金の返還不要が確定している場合には適用がありますが、返還不要が確定していない場合には適用がありません。

②　国庫補助金の返還不要が確定していない場合には、特別勘定を設定することになります。

③　税効果会計を適用している場合の特別勘定積立金の積立額は、圧縮積立金と同様に、特別勘定として積み立てた金額とその特別勘定に係る繰延税金負債の合計額となります。

## 解答 問題2 特別勘定設定後の圧縮記帳（国庫補助金等）

1．圧縮記帳

⑴ 圧縮限度額

12,000,000円＜15,000,000円　∴ 12,000,000円

⑵ 圧縮超過額

14,999,999－12,000,000＝2,999,999円

2．特別勘定

⑴ 要取崩額　12,000,000円

⑵ 取崩もれ　12,000,000－0＝12,000,000円

（単位：円）

| | 項目 | 金額 | 留保 | 社外流出 |
|---|---|---|---|---|
| 加算 | 圧縮超過額（土地） | 2,999,999 | 2,999,999 | |
| | 特別勘定取崩もれ | 12,000,000 | 12,000,000 | |
| 減算 | | | | |

## 解説

特別勘定の設定後において、国庫補助金の返還不要が確定した場合には、圧縮記帳の適用を受けることができます。なお、国庫補助金の返還不要が確定した場合には、返還を要すること又は要さないことが確定した国庫補助金の額に相当する特別勘定の金額を、取り崩さなければなりません。

## 解答 問題3 特別勘定の設定（保険金等）

特別勘定

⑴ 滅失経費の額

200,000＋300,000＋500,000＝1,000,000円

⑵ 差引保険金等の額

15,000,000－1,000,000＝14,000,000円

⑶ 保険差益金の額

14,000,000－(8,000,000＋500,000)＝5,500,000円

⑷ 繰入限度額

$5,500,000 \times \frac{14,000,000}{14,000,000}$＝5,500,000円

⑸ 繰入超過額

7,000,000－5,500,000＝1,500,000円

（単位：円）

| | 項　　　目 | 金　　額 | 留　　保 | 社 外 流 出 |
|---|---|---|---|---|
| 加算 | 特別勘定繰入超過額 | 1,500,000 | 1,500,000 | |
| 減算 | 特別勘定積立金認定損 | 7,000,000 | 7,000,000 | |
| | 減価償却超過額認容（機械装置） | 500,000 | 500,000 | |

## 解説

① 保険金等の支払いを受けたが、代替資産の取得が翌期以降（取得指定期間内に限ります。）となる場合には、特別勘定を設定することになります。

② 特別勘定の繰入限度額は、代替資産の取得に充てようとする保険金等の額を使用して計算しますが、本問では、代替資産の取得見込額が資料にないため、差引保険金等の額の全額を代替資産の取得に充てるものとして計算することになります。

## 解答　問題４ 特別勘定設定後の圧縮記帳（保険金等）

１．圧縮記帳

⑴ 滅失経費の額

2,000,000円

⑵ 差引保険金等の額

30,000,000－2,000,000＝28,000,000円

⑶ 保険差益金の額

28,000,000－5,640,000＝22,360,000円

⑷ 圧縮限度額

① 特別勘定の金額　22,360,000円

② $22,360,000 \times \frac{※27,000,000}{28,000,000} = 21,561,428$円

※ 27,000,000円＜28,000,000円　∴ 27,000,000円

③ ①＞②　∴ 21,561,428円

⑸ 圧縮超過額

20,000,000－21,561,428＝△1,561,428　→０

２．減価償却

⑴ 償却限度額

$(27,000,000-20,000,000) \times 0.020 \times \frac{9}{12} = 105,000$円

⑵ 償却超過額

250,000－105,000＝145,000円

3．特別勘定

(1) 要取崩額

21,561,428円

(2) 取崩もれ

21,561,428－20,000,000＝1,561,428円

(単位：円)

| | 項　　目 | 金　　額 | 留　　保 | 社 外 流 出 |
|---|---|---|---|---|
| 加算 | 特別勘定取崩額 | 20,000,000 | 20,000,000 | |
| | 特別勘定取崩もれ | 1,561,428 | 1,561,428 | |
| | 減価償却超過額<br>（建　　物） | 145,000 | 145,000 | |
| 減算 | | | | |

解説

特別勘定の設定後において、代替資産を取得した場合には、圧縮記帳の適用を受けることができます。なお、この場合には、圧縮限度額相当額の特別勘定の金額を取り崩す必要があります。

## 解答　問題5　特別勘定の設定（買換え）

1．圧縮記帳

(1) 差益割合

$$\frac{130,000,000-(97,980,000+1,600,000)}{130,000,000}=0.234$$

(2) 圧縮限度額

90,000,000円＜130,000,000円　∴　90,000,000円

90,000,000×0.234×80%＝16,848,000円

(3) 圧縮超過額

17,000,000－16,848,000＝152,000円(償却費)

2．特別勘定

(1) 繰入限度額

130,000,000－90,000,000＝40,000,000円＜45,000,000円　∴　40,000,000円

40,000,000×0.234×80%＝7,488,000円

(2) 繰入超過額

10,000,000－7,488,000＝2,512,000円

3．減価償却

(1) 償却限度額

$(90,000,000-16,848,000)\times 0.027\times\frac{8}{12}=1,316,736$円

(2) 償却超過額

$(1,500,000+152,000)-1,316,736=335,264$円

（単位：円）

| | 項　　目 | 金　額 | 留　保 | 社外流出 |
|---|---|---|---|---|
| 加算 | 減価償却超過額（工場用建物） | 335,264 | 335,264 | |
| | 特別勘定繰入超過額 | 2,512,000 | 2,512,000 | |
| 減算 | 特別勘定積立金認定損 | 10,000,000 | 10,000,000 | |

解説

① 当期に取得した買換資産については、圧縮記帳をすることになります。また、譲渡対価の額に残額があり、翌期（取得指定期間内）に買換資産を取得する見込みがあるため、特別勘定を設定することができます。

② 特別勘定の繰入限度額は、取得見込額が与えられているため、その取得見込額に基づいて計算します。

## 解答　問題6 特別勘定設定後の圧縮記帳（買換え）

〈前　期〉

1．圧縮記帳

(1) 差益割合

$\frac{170,000,000-(3,500,000+131,000,000+1,500,000)}{170,000,000}=0.2$

(2) 圧縮限度額

$170,000,000$円$>180,000,000\times\frac{300m^2\times 5}{1,800m^2}=150,000,000$円　∴　150,000,000円

$150,000,000\times 0.2\times 80\%=24,000,000$円

(3) 圧縮超過額

$30,000,000-24,000,000=6,000,000$円

2．特別勘定

(1) 繰入限度額

$(170,000,000-150,000,000)\times 0.2\times 80\%=3,200,000$円

(2) 繰入超過額

$4,000,000-3,200,000=800,000$円

(単位：円)

| | 項　　目 | 金　　額 | 留　　保 | 社外流出 |
|---|---|---|---|---|
| 加算 | 土地圧縮超過額 | 6,000,000 | 6,000,000 | |
| | 特別勘定積立超過額 | 800,000 | 800,000 | |
| 減算 | 特別勘定積立金認定損 | 4,000,000 | 4,000,000 | |

〈当　期〉

1．圧縮記帳

(1) 圧縮限度額

① 特別勘定の金額　3,200,000円

② 170,000,000－150,000,000＝20,000,000円＜35,000,000円　∴ 20,000,000円

20,000,000×0.2×80%＝3,200,000円

③ ①＝②　∴ 3,200,000円

(2) 圧縮超過額

3,700,000－3,200,000＝500,000円(償却費)

2．減価償却

(1) 償却限度額

$(35,000,000-3,200,000)\times 0.020\times \frac{9}{12}=477,000$円

(2) 償却超過額

(100,000＋500,000)－477,000＝123,000円

(単位：円)

| | 項　　目 | 金　　額 | 留　　保 | 社外流出 |
|---|---|---|---|---|
| 加算 | 減価償却超過額(事務所用建物) | 123,000 | 123,000 | |
| | 特別勘定取崩もれ | 3,200,000 | 3,200,000 | |
| 減算 | | | | |

## 解説

① 特別勘定設定後の圧縮記帳は、特別勘定の金額を限度として適用することになります。

② 買換資産を取得した場合には、圧縮限度額相当額の特別勘定の金額を取り崩さなければなりません。

## 解答　問題7　収用等の圧縮記帳

1．圧縮記帳

(1)　差引対価補償金

108,000,000－(6,750,000－1,620,000)＝102,870,000円

(2)　差益割合

$$\frac{102,870,000-(24,030,000+11,610,000+364,500)}{102,870,000}=0.65$$

(3)　圧縮限度額

①　土地C

102,870,000円＞88,000,000円　∴　88,000,000円

88,000,000×0.65＝57,200,000円

②　建物D

102,870,000－88,000,000＝14,870,000円＜44,000,000円　∴　14,870,000円

14,870,000×0.65＝9,665,500円

(4)　圧縮超過額

①　土地C

66,000,000－57,200,000＝8,800,000円

②　建物D

27,500,000－9,665,500＝17,834,500円(償却費)

2．減価償却

(1)　償却限度額

$$(44,000,000-9,665,500)\times 0.020\times\frac{7}{12}=400,569円$$

(2)　償却超過額

(198,000＋17,834,500)－400,569＝17,631,931円

(単位：円)

| 項目 | | 金額 | 留保 | 社外流出 |
|---|---|---|---|---|
| 加算 | 土地C圧縮超過額 | 8,800,000 | 8,800,000 | |
| | 減価償却超過額(建物D) | 17,631,931 | 17,631,931 | |
| 減算 | 減価償却超過額認容(建物B) | 364,500 | 364,500 | |

## 解説

①　譲渡経費の額は、経費補償金の交付を受けている場合には、その経費補償金の額を控除した残額によることになります。

②　譲渡資産に繰越償却超過額がある場合には、直ちに別表四で減算調整するとともに、譲渡直前の帳簿価額に加えて圧縮限度額を計算します。

## 解答 問題8 収用等の特別勘定

1．圧縮記帳

⑴ 差引対価補償金

(540,000,000＋21,600,000)－※6,840,000＝554,760,000円

※ 10,440,000－(2,400,000＋1,200,000)＝6,840,000円

⑵ 差益割合

$$\frac{554,760,000-(114,360,000+7,920,000+321,960)}{554,760,000}=0.779$$

⑶ 圧縮限度額

440,000,000円＜554,760,000円 ∴ 440,000,000円

440,000,000×0.779＝342,760,000円

⑷ 圧縮超過額

※385,000,000－342,760,000＝42,240,000円

※ 231,000,000＋154,000,000＝385,000,000円

2．特別勘定

⑴ 繰入限度額

554,760,000－440,000,000＝114,760,000円

114,760,000×0.779＝89,398,040円

⑵ 繰入超過額

※55,000,000－89,398,040＝△34,398,040 → 0

※ 33,000,000＋22,000,000＝55,000,000円

（単位：円）

| 項目 | | 金額 | 留保 | 社外流出 |
|---|---|---|---|---|
| 加算 | 圧縮積立金積立超過額（土地） | 42,240,000 | 42,240,000 | |
| 減算 | 圧縮積立金認定損（土地） | 385,000,000 | 385,000,000 | |
| | 特別勘定積立金認定損 | 55,000,000 | 55,000,000 | |
| | 減価償却超過額認容（倉庫用建物） | 321,960 | 321,960 | |

## 解説

① 本問は、任意買取りですが、その買取りに応じない場合には、土地収用法の規定に基づいて収用されることが確実と見込まれるものであるため、収用等の圧縮記帳等の適用対象となります。

② 当期に取得した土地については、圧縮記帳を行うこととなりますが、翌期に完成予定の倉庫用建物については、圧縮記帳を適用することはできません。差引対価補償金の残額は、倉庫用建物の取得に充てるものと考えて、特別勘定を設定することになります。

③　税効果会計を適用している場合の税務上の圧縮積立金の積立額は、株主資本等変動計算書に計上された圧縮積立金とその圧縮積立金に係る繰延税金負債との合計額となります。なお、圧縮特別勘定積立金についても同様に取り扱います。

## 解 答　問題9　収用等の圧縮記帳（特別勘定設定後の圧縮記帳）

1．圧縮記帳

⑴　差引対価補償金

121,500,000－(6,300,000－2,250,000)＝117,450,000円

⑵　差益割合

$$\frac{117,450,000-(21,600,000+1,890,000)}{117,450,000}=0.8$$

⑶　圧縮限度額

①　土地C

(イ)　特別勘定残高　　90,000,000円

(ロ)　117,450,000円＞74,250,000円　　∴　74,250,000円

74,250,000×0.8＝59,400,000円

(ハ)　(イ)＞(ロ)　　∴　59,400,000円

②　建物D

(イ)　特別勘定残高　　90,000,000－59,400,000＝30,600,000円

(ロ)　117,450,000－74,250,000＝43,200,000円＝43,200,000円　　∴　43,200,000円

43,200,000×0.8＝34,560,000円

(ハ)　(イ)＜(ロ)　　∴　30,600,000円

⑷　圧縮超過額

①　土地C

60,750,000－59,400,000＝1,350,000円

②　建物D

35,100,000－30,600,000＝4,500,000円

2．減価償却

⑴　償却限度額

$$(43,200,000-30,600,000)\times 0.027\times\frac{3}{12}=85,050円$$

⑵　償却超過額

360,000－85,050＝274,950円

3．特別勘定取崩もれ

59,400,000＋30,600,000＝90,000,000円

(単位：円)

| 項　　目 | | 金　額 | 留　保 | 社外流出 |
|---|---|---|---|---|
| 加算 | 圧縮積立金積立超過額 | | | |
| | (土　地　C) | 1,350,000 | 1,350,000 | |
| | (建　物　D) | 4,500,000 | 4,500,000 | |
| | 減価償却超過額 | | | |
| | (建　物　D) | 274,950 | 274,950 | |
| | 特別勘定取崩もれ | 90,000,000 | 90,000,000 | |
| 減算 | 圧縮積立金認定損 | | | |
| | (土　地　C) | 60,750,000 | 60,750,000 | |
| | (建　物　D) | 35,100,000 | 35,100,000 | |

**解説**

前期に特別勘定を設定し、当期に代替資産を取得しているため、当期においては圧縮記帳を行うことができます。なお、特別勘定設定後の圧縮記帳における圧縮限度額は、特別勘定残高が限度となります。

なお、建物Bの繰越償却超過額1,890,000円は前期に譲渡のため、前期に認容（減算）されています。

## 解答　問題10 収用等の所得の特別控除

(1) **譲渡益**

52,000,000－{7,800,000＋(2,860,000－2,600,000)}＝43,940,000円

(2) **控除限度額**

50,000,000－30,000,000＝20,000,000円

(3) **特別控除額**

(1)＞(2)　∴　20,000,000円

(単位：円)

| 項　　目 | | 金　額 | 留　保 | 社外流出 |
|---|---|---|---|---|
| 加算 | | | | |
| 減算 | 収用等の所得の特別控除額 | 20,000,000 | | ※20,000,000 |

**解説**

① 本問では、令和７年４月５日に買取りの申し出を受け、その申し出から６月以内の令和７年９月10日にその申し出に応じて譲渡していることから、収用等の所得の特別控除の適用を受けることができます。

② 収用等の所得の特別控除額は、一暦年で５千万円が限度となります。本問では、資料(3)より、前期の令和７年中の譲渡について、既に３千万円の適用を受けていることから、５千万円に対する残額の２千万円を限度に、収用等の所得の特別控除を適用することになります。

## 解 答　問題11 特定資産の交換

1．圧縮記帳

⑴ 判　定

① 土　地

35,000,000－26,600,000＝8,400,000円＞35,000,000×20%＝7,000,000円

∴　法50適用なし → 特定資産の交換

② 建　物

13,300,000－10,500,000＝2,800,000円＞13,300,000×20%＝2,660,000円

∴　法50適用なし → 特定資産の交換

⑵ 差益割合

$$\frac{45,500,000-(32,900,000+70,000+2,520,000)}{45,500,000}=0.22$$

⑶ 圧縮限度額

① 土　地

26,600,000円＜45,500,000円　∴　26,600,000円

26,600,000×0.22×80%＝4,681,600円

② 建　物

13,300,000円＜45,500,000－26,600,000＝18,900,000円　∴　13,300,000円

13,300,000×0.22×80%＝2,340,800円

⑷ 圧縮超過額

① 土　地

8,000,000－4,681,600＝3,318,400円

② 建　物

4,000,000－2,340,800＝1,659,200円(償却費)

2．減価償却

⑴ 償却限度額

$$(13,300,000-2,340,800)\times 0.020\times\frac{7}{12}=127,857円$$

⑵ 償却超過額

(160,000＋1,659,200)－127,857＝1,691,343円

（単位：円）

| 項目 | | 総額 | 留保 | 社外流出 |
|---|---|---|---|---|
| 加算 | 圧縮積立金積立超過額（土地） | 3,318,400 | 3,318,400 | |
| | 減価償却超過額（建物） | 1,691,343 | 1,691,343 | |
| 減算 | 圧縮積立金認定損（土地） | 8,000,000 | 8,000,000 | |
| | 減価償却超過額認容（建物） | 70,000 | 70,000 | |

## 解説

① 土地及び建物と土地及び建物とを交換（同種の資産を交換）しているため、法50の交換の圧縮記帳の適用有無の判定をします。本問では、法50の適用がないため、特定資産の交換の圧縮記帳の適用を検討します。

② 所有期間が10年を超える集中地域に所在する土地（事務所等の敷地）及び建物（事務所等）と集中地域以外の地域に所在する土地及び建物の交換であるため、特定資産の交換の圧縮記帳を適用することになります。なお、交換譲渡資産の時価を譲渡対価の額とみなし、交換取得資産の時価を買換資産の取得価額とみなして、買換えの圧縮記帳の規定を適用することになります。

## 解答 問題12 先行取得の圧縮記帳（買換え）

1．圧縮記帳

(1) 差益割合

$$\frac{54,000,000-(39,540,000+2,280,000+180,000+480,000+720,000)}{54,000,000}=0.2$$

(2) 圧縮限度額

① 土　地

$35,000,000\times\frac{350㎡\times5}{2,500㎡}=24,500,000$円$<54,000,000$円　∴　24,500,000円

$24,500,000\times0.2\times80\%=3,920,000$円

② 倉庫用建物

$28,000,000$円$<54,000,000-24,500,000=29,500,000$円　∴　28,000,000円

$28,000,000\times0.2\times80\%\times\frac{27,706,000}{28,000,000}=4,432,960$円

③ 構築物

$12,600,000$円$>29,500,000-28,000,000=1,500,000$円　∴　1,500,000円

$1,500,000\times0.2\times80\%\times\frac{11,970,000}{12,600,000}=228,000$円

⑶　圧縮超過額

①　土　地

7,000,000－3,920,000＝3,080,000円

②　倉庫用建物

5,600,000－4,432,960＝1,167,040円（償却費）

③　構築物

2,800,000－228,000＝2,572,000円（償却費）

2．減価償却

⑴　倉庫用建物

①　償却限度額

$$28,000,000-4,432,960\times\frac{28,000,000}{27,706,000}=23,520,000円$$

23,520,000×0.042＝987,840円

②　償却超過額

（1,050,000＋1,167,040）－987,840＝1,229,200円

⑵　構築物

①　償却限度額

$$\left(12,600,000-228,000\times\frac{12,600,000}{11,970,000}\right)\times0.200=2,472,000円$$

②　償却超過額

（3,500,000＋2,572,000）－2,472,000＝3,600,000円

（単位：円）

| 項　目 | | 金　額 | 留　保 | 社外流出 |
|---|---|---|---|---|
| 加算 | 圧縮積立金積立超過額 | | | |
| | （土　地） | 3,080,000 | 3,080,000 | |
| | 減価償却超過額 | | | |
| | （倉庫用建物） | 1,229,200 | 1,229,200 | |
| | （構　築　物） | 3,600,000 | 3,600,000 | |
| 減算 | 減価償却超過額認容 | | | |
| | （倉庫用建物） | 180,000 | 180,000 | |
| | 圧縮積立金認定損 | | | |
| | （土　地） | 7,000,000 | 7,000,000 | |

## 解説

①　前期に取得した土地等を買換資産として、買換えの圧縮記帳の適用を受けることになりますが、先行取得のケースに該当するため、圧縮基礎取得価額を求める際に、減価償却資産については帳簿価額ベースへの改訂が必要になります。

②　先行取得の場合には、圧縮限度額を帳簿価額ベースで計算しているため、買換資産の取得価額の計算上、本来の取得価額から控除する損金算入圧縮額は、取得価額ベースに引き直してから控除することになります。

# 解答　問題13 先行取得の圧縮記帳（保険差益）

1．圧縮記帳

⑴　滅失経費

①　建　物

$$(448,000+368,000)\times\frac{20,800,000}{20,800,000+6,400,000}+464,000=1,088,000\text{円}$$

②　機　械

$$(448,000+368,000)\times\frac{6,400,000}{20,800,000+6,400,000}=192,000\text{円}$$

⑵　差引保険金

①　建　物

20,800,000－1,088,000＝19,712,000円

②　機　械

6,400,000－192,000＝6,208,000円

⑶　保険差益金

①　建　物

19,712,000－10,800,000＝8,912,000円

②　機　械

6,208,000－3,780,000＝2,428,000円

⑷　圧縮限度額

①　建　物

$$8,912,000\times\frac{^{※}19,712,000}{19,712,000}=8,912,000\text{円}$$

※　19,712,000円＜33,000,000円　∴　19,712,000円

$$8,912,000\times\frac{33,000,000-346,500}{33,000,000}=8,818,424\text{円}$$

②　機　械

$$2,428,000\times\frac{^{※}6,208,000}{6,208,000}=2,428,000\text{円}$$

※　6,208,000円＜8,250,000円　∴　6,208,000円

$$2,428,000\times\frac{8,250,000-429,000}{8,250,000}=2,301,744\text{円}$$

⑸　圧縮超過額

①　建　物

13,200,000－8,818,424＝4,381,576円（償却費）

②　機　械

3,300,000－2,301,744＝998,256円（償却費）

2．減価償却

⑴　建　物

①　償却限度額

$(33,000,000-{}^{※}8,912,000)\times0.042=1,011,696$円

$$※\quad 8,818,424\times\frac{33,000,000}{33,000,000-346,500}=8,912,000\text{円}$$

② 償却超過額

(880,000＋4,381,576)－1,011,696＝4,249,880円

⑵ 機 械

① 償却限度額

(8,250,000－429,000－2,301,744)×0.167＝921,715円≧(8,250,000－2,301,744

$\times\frac{8,250,000}{8,250,000-429,000}$)×0.05566＝324,052円　∴ 921,715円

② 償却超過額

(935,000＋998,256)－921,715＝1,011,541円

（単位：円）

| 項目 | | 金額 | 留保 | 社外流出 |
|---|---|---|---|---|
| 加算 | 減価償却超過額 | | | |
| | (工場用建物) | 4,249,880 | 4,249,880 | |
| | (機械装置) | 1,011,541 | 1,011,541 | |
| 減算 | 火災損失認容 | 15,860,000 | 15,860,000 | |

## 解説

① 前期の費用に計上した「焼失した資産の焼失直前の帳簿価額及び滅失経費の額の合計額15,860,000円」については、前期の別表四で火災損失否認（加算留保）の調整が行われています。当期において保険金額が確定しているため、当期の別表四で火災損失認容（減算留保）の調整を行って損金の額に算入することになります。

② 当期に保険金額が確定したことから、当期において圧縮記帳の適用を受けることになりますが、代替資産を取得したのは前期であり、先行取得のケースに該当しています。

## 解答 問題14 先行取得の圧縮記帳（国庫補助金）

1．圧縮記帳

⑴ 圧縮限度額

① 特別勘定残高

13,000,000円

② ※63,450,834×$\frac{10,400,000}{65,000,000}$＝10,152,133円

※ 62,400,000＋1,050,834＝63,450,834円

③ ①>② ∴ 10,152,133円

⑵ 圧縮超過額

10,400,000－10,152,133＝247,867円（償却費）

2．減価償却

(1) 償却限度額

$(63,450,834-10,152,133)\times 0.286=15,243,428$円 $\geqq \{65,000,000-(10,152,133+{}^{※}1,549,166\times\frac{10,400,000}{65,000,000})\}\times 0.08680=4,739,280$円

※ 65,000,000－63,450,834＝1,549,166円　　∴ 15,243,428円

(2) 償却超過額

(19,500,000＋247,867)－15,243,428＝4,504,439円

（単位：円）

| 項目 | | 総額 | 留保 | 社外流出 |
|---|---|---|---|---|
| 加算 | 減価償却超過額（機械装置） | 4,504,439 | 4,504,439 | |
| 減算 | | | | |

## 解説

国庫補助金の圧縮記帳の場合には、先行取得のケースは、特別勘定設定後の圧縮記帳となります。したがって、本来の圧縮限度額を帳簿価額ベースに改訂することとあわせて、特別勘定残高との比較が必要になります。

## 解答　問題15 圧縮記帳と資本的支出との関係（買換え）

(1) 差益割合

$$\frac{60,000,000-(36,000,000+2,400,000+600,000+1,200,000)}{60,000,000}=0.33$$

(2) 圧縮限度額

① 土地

$39,000,000\times\frac{450m^2\times 5}{3,000m^2}=29,250,000$円 $<60,000,000$円　　∴ 29,250,000円

29,250,000×0.33×80%＝7,722,000円

② 建物

19,500,000＋15,600,000＝35,100,000円＞60,000,000－29,250,000＝30,750,000円

∴ 30,750,000円

30,750,000×0.33×80%＝8,118,000円

## 解説

買換資産である事務所用建物について、改良を加えたうえで事業の用に供していますが、この改良に要した費用は、事業の用に供するまでに支出されたものであり、事務所用建物の取得価額を構成します。買換えの圧縮記帳の対象額は、買換資産の取得価額となるため、購入代価の額に改良に要した費用の額を加えた取得価額を基礎として圧縮限度額を計算します。

## 解答　問題16 圧縮記帳と資本的支出との関係（交換）

1．圧縮記帳

⑴　判　定

①　土　地

39, 600, 000－38, 500, 000＝1, 100, 000円≦39, 600, 000×20%＝7, 920, 000円　∴　適用あり

②　建　物

11, 000, 000－9, 900, 000＝1, 100, 000円≦11, 000, 000×20%＝2, 200, 000円　∴　適用あり

⑵　譲渡経費

①　土　地

$1,320,000\times\frac{39,600,000}{49,500,000}=1,056,000$円

②　建　物

$1,320,000\times\frac{9,900,000}{49,500,000}=264,000$円

⑶　圧縮限度額

①　土　地

$38,500,000-(14,784,000+1,056,000)\times\frac{38,500,000}{38,500,000+1,100,000}=23,100,000$円

②　建　物

11, 000, 000－(6, 600, 000＋440, 000＋264, 000＋1, 100, 000)＝2, 596, 000円

⑷　圧縮超過額

①　土　地

(38, 500, 000－14, 784, 000)－23, 100, 000＝616, 000円

②　建　物

(11, 000, 000－6, 600, 000)－2, 596, 000＝1, 804, 000円（償却費）

2．減価償却

⑴　耐用年数

①　判　定

11, 000, 000×50%＝5, 500, 000円＜7, 150, 000円≦22, 000, 000×50%＝11, 000, 000円

②　耐用年数

$(11,000,000+7,150,000)\div(\frac{11,000,000}{※43}+\frac{7,150,000}{50})=45.5\cdots\rightarrow 45$年

※　(50－８)＋８×20%＝43.6 → 43年

⑵　償却限度額

$(11,000,000+7,150,000-2,596,000)\times0.023\times\frac{3}{12}=89,435$円

⑶　償却超過額

(110, 000＋7, 150, 000＋1, 804, 000)－89, 435＝8, 974, 565円

(単位：円)

| 項目 | | 金額 | 留保 | 社外流出 |
|---|---|---|---|---|
| 加算 | 土地圧縮超過額 | 616,000 | 616,000 | |
| | 減価償却超過額（事務所建物） | 8,974,565 | 8,974,565 | |
| 減算 | 減価償却超過額認容（事務所建物） | 440,000 | 440,000 | |

## 解説

① 建物について、事務所用として使用するための改良費を支出していますが、この改良費は、事業の用に供するまでに支出した費用であり、建物の取得価額を構成します。ただし、交換の圧縮記帳は、交換により取得した資産を対象に適用されるものであり、交換により取得したものではない改良費部分を圧縮記帳の対象とすることはできません。

② 交換により取得した建物は、中古のものであるため、耐用年数の見積りを行うことになります。なお、改良費の額が建物本体の取得価額の50%相当額を超え、再取得価額の50%以下であるため、折衷法により耐用年数を計算することになります。

## 解答 問題17 ミニテスト

1．圧縮記帳

(1) 滅失経費の額

$$200,000+(100,000+50,000)\times\frac{45,000,000}{45,000,000+5,000,000}=335,000円$$

(2) 差引保険金等の額

45,000,000－335,000＝44,665,000円

(3) 保険差益金の額

44,665,000－(14,000,000＋267,000)＝30,398,000円

(4) 圧縮限度額

$$30,398,000\times\frac{^{※}30,000,000}{44,665,000}=20,417,329円$$

※ 30,000,000円＜44,665,000円　∴ 30,000,000円

(5) 圧縮超過額

25,000,000－20,417,329＝4,582,671円（償却費）

2．特別勘定

(1) 滅失経費の額

335,000円

(2) 差引保険金等の額

44,665,000円

(3) 保険差益金の額

30,398,000円

⑷　繰入限度額

$$30,398,000\times\frac{44,665,000-30,000,000}{44,665,000}=9,980,670円$$

⑸　繰入超過額

20,000,000−9,980,670＝10,019,330円

3．機械Ｂ減価償却

⑴　償却限度額

①　普通

$$(30,000,000-20,417,329)\times0.100\times\frac{1}{12}=79,855円$$

②　特別

(30,000,000−20,417,329)×30%＝2,874,801円

③　①＋②＝2,954,656円

⑵　償却超過額

(1,000,000＋4,582,671)−2,954,656＝2,628,015円

| | 項　　目 | 金　額 | 留　保 | 社外流出 |
|---|---|---|---|---|
| 加算 | 特別勘定繰入超過額 | 10,019,330 | 10,019,330 | |
| | 減価償却超過額<br>（機械Ｂ） | 2,628,015 | 2,628,015 | |
| 減算 | 減価償却超過額認容<br>（機械Ａ） | 267,000 | 267,000 | |
| | 特別勘定積立金認定損 | 20,000,000 | 20,000,000 | |

## 解答　問題18 ミニテスト

1．圧縮記帳

⑴　差引対価補償金

(80,000,000＋40,000,000)　−※０＝120,000,000円

※　2,400,000−3,000,000＜０　　∴　０

⑵　差益割合

$$\frac{120,000,000-(45,000,000+28,000,000+200,000)}{120,000,000}=0.39$$

⑶　圧縮限度額

120,000,000円＞90,000,000＋2,000,000＝92,000,000円　　∴　92,000,000円

92,000,000×0.39＝35,880,000円

⑷ 圧縮超過額

40,000,000－35,880,000＝4,120,000 円

2．特別勘定

⑴ 繰入限度額

120,000,000－92,000,000＝28,000,000円　　∴28,000,000円

28,000,000×0.39＝10,920,000円

⑵ 繰入超過額

15,000,000－10,920,000＝4,080,000円

| | 項　　目 | 金　額 | 留　保 | 社外流出 |
|---|---|---|---|---|
| 加算 | 土地C計上もれ | 2,000,000 | 2,000,000 | |
| | 圧縮積立金積立超過額（土地C） | 4,120,000 | 4,120,000 | |
| | 特別勘定繰入超過額 | 4,080,000 | 4,080,000 | |
| 減算 | 減価償却超過額認容（工場用建物B） | 200,000 | 200,000 | |
| | 圧縮積立金認定損（土地C） | 40,000,000 | 40,000,000 | |
| | 特別勘定積立金認定損 | 15,000,000 | 15,000,000 | |

## 解答 問題19 ミニテスト

1．圧縮記帳

⑴ 判　定

積立金経理　∴法50条の適用なし → 特定資産の交換

⑵ 差益割合

$$\frac{100,000,000-(58,000,000+1,800,000)}{100,000,000}=0.402$$

⑶ 圧縮限度額

100,000,000円＜120,000,000円　　∴100,000,000円

100,000,000×0.402×80%＝32,160,000円

⑷ 圧縮超過額

※42,000,000－32,160,000＝9,840,000円

※　25,200,000＋16,800,000＝42,000,000円

| | 項　　　　目 | 金　額 | 留　保 | 社外流出 |
|---|---|---|---|---|
| 加算 | 圧縮積立金積立超過額<br>（土　地　C） | 9,840,000 | 9,840,000 | |
| 減算 | 圧縮積立金認定損<br>（C　土　地） | 42,000,000 | 42,000,000 | |

# 解答　問題20 ミニテスト

1．圧縮記帳

(1) 判　定

① 土　地

90,000,000－85,000,000＝5,000,000円≦90,000,000×20%＝18,000,000円　∴適用あり

② 建　物

40,000,000－38,000,000＝2,000,000円≦40,000,000×20%＝8,000,000円　∴適用あり

(2) 譲渡経費

① 土　地

$$4,000,000\times\frac{90,000,000}{128,000,000}=2,812,500\text{円}$$

② 建　物

$$4,000,000\times\frac{38,000,000}{128,000,000}=1,187,500\text{円}$$

(3) 圧縮限度額

① 土　地

$$85,000,000-(41,287,500+2,812,500)\times\frac{85,000,000}{85,000,000+5,000,000}=43,350,000\text{円}$$

② 建　物

40,000,000－（21,560,000＋900,000＋1,187,500＋2,000,000）＝14,352,500円

(4) 圧縮超過額

① 土　地

（85,000,000－41,287,500）－43,350,000＝362,500円

② 建　物

（40,000,000－21,560,000）－14,352,500＝4,087,500円（償却費）

2．減価償却

(1) 判定

40,000,000×50%＝20,000,000円≧1,300,000円　∴　簡便法

(2) 耐用年数

（38年－３年）＋３年×20%＝35.6年 → 35年（１年未満切捨）

(3) 償却限度額

$$(40,000,000-14,352,500+1,300,000)\times 0.029\times\frac{8}{12}=520,985\text{円}$$

(4) 償却超過額

（1,300,000＋4,087,500）－520,985＝4,866,515円

| 項目 | | 金額 | 留保 | 社外流出 |
|---|---|---|---|---|
| 加算 | 土地圧縮超過額 | 362,500 | 362,500 | |
| | 減価償却超過額<br>（取得建物） | 4,866,515 | 4,866,515 | |
| 減算 | 減価償却超過額認容<br>（譲渡建物） | 900,000 | 900,000 | |

# Chapter 10

# 借地権等

| No | 内　容 | | 標準時間 | 重要度 | 難易度 |
|---|---|---|---|---|---|
| 問題１ | リース取引（所有権移転リース取引） | 計算 | ４分 | A | 基本 |
| 問題２ | リース取引（所有権移転外リース取引） | 計算 | ３分 | A | 基本 |
| 問題３ | リース取引（特別償却との関係） | 計算 | ５分 | A | 応用 |
| 問題４ | リース取引（特別控除との関係） | 計算 | ８分 | A | 応用 |
| 問題５ | 借地権（権利金を取得していない場合） | 計算 | ４分 | B | 基本 |
| 問題６ | 借地権（権利金を取得している場合） | 計算 | ４分 | B | 基本 |
| 問題７ | 借地権（簿価の一部損金算入） | 計算 | ５分 | A | 基本 |
| 問題８ | 借地権（買換えとの関係） | 計算 | 10分 | B | 応用 |
| 問題９ | 借地権（更新料） | 計算 | ３分 | A | 基本 |
| 問題10 | ミニテスト | 計算 | ５分 | A | 基本 |
| 問題11 | ミニテスト | 計算 | ５分 | A | 基本 |
| 問題12 | ミニテスト | 計算 | 10分 | A | 基本 |
| 問題13 | ミニテスト | 計算 | ６分 | A | 基本 |

## 問題1　リース取引（所有権移転リース取引）

基本　4分

**次の資料により、当社の当期における税務上の調整を示しなさい。**

⑴　当社は、当期においてＡリース会社から新品の機械装置（法定耐用年数７年）を賃借し、令和７年９月１日より事業の用に供している。このリース契約は、税務上のリース取引に該当するものであるが、その契約の内容は次のとおりである。

①　リース期間　　　３年（36ヶ月）

②　月額リース料　　1,000,000円

③　リース料の総額　36,000,000円

（注）　当該機械装置は、当社の製造工程に合わせて特別な仕様によって設計されたものであり、使用可能期間中は、当社によってのみ使用されると見込まれるものである。

⑵　当社は、当該機械装置の取付費用として1,200,000円を支出し、当期の費用に計上するとともに、当期において支払ったリース料7,000,000円を当期の費用に計上している。

⑶　当社は、減価償却資産の償却方法として定率法を選定し、所定の届出を行っている。
なお、耐用年数が７年の場合における200％定率法の償却率等の資料は、次のとおりである。

| 償却率 | 改定償却率 | 保証率 |
|---|---|---|
| 0.286 | 0.334 | 0.08680 |

⑷　当社は、製造業を営む資本金の額が400,000,000円の内国法人である。

理論 計算

→ 解答・解説 10−15

## 問題2 リース取引（所有権移転外リース取引）

重要 基本 3分

**次の資料により、当社の当期における税務上の調整を示しなさい。**

⑴ 当社は、当期においてリース会社との間で、次の内容のリース契約を締結している。

① リース資産　　機械及び装置（法定耐用年数８年）

② リース期間　　６年（令和７年５月１日～令和13年４月30日）

③ リース期間の月額リース料　　600,000円

（注）このリース契約は、税務上のリース取引に該当するものである。また、上記のリース資産である機械及び装置は、リース期間満了後はリース会社に返還されるものである。

⑵ 当社は、リース資産である機械及び装置の据付に要した費用850,000円を当期の費用に計上するとともに、当期に係るリース料6,600,000円を支払い当期の費用に計上している。

⑶ 当社は、減価償却資産について償却方法の選定を行っていない。

なお、耐用年数が８年の場合における償却率等の資料は、次のとおりである。

| 耐用年数 | 定額法償却率 | 200%定率法 | | |
|---|---|---|---|---|
| | | 償却率 | 改定償却率 | 保証率 |
| 8 | 0.125 | 0.250 | 0.334 | 0.07909 |

⑷ 当社は、製造業を営む資本金300,000,000円の内国法人である。

理論 計算

→ 解答・解説 10−16

## 問題3 リース取引（特別償却との関係）

重要 応用 5分

**次の資料により、当社の当期における税務上の調整を示しなさい。**

⑴ 当社は、令和７年12月１日にリース会社から新品の機械装置（法定耐用年数12年）を賃借し、同日より事業の用に供している。

この契約は、税務上のリース取引に該当するものであるが、その内容は次のとおりである。

① リース期間 ５年（60ヶ月）

② 月額リース料 300,000円

（注）この機械装置は、リース期間終了後にリース会社から無償で譲り受けることとされている。

⑵ 当社は、当期において支出した機械装置の取付費用2,400,000円及び機械装置に係る支払リース料1,200,000円について費用に計上している。

⑶ 当社は、減価償却資産に係る償却方法として、定率法を選定し届け出ている。耐用年数が12年の場合の200％定率法の償却率等の資料は次のとおりである。

| 償却率 | 0.167 |
|---|---|
| 改定償却率 | 0.200 |
| 保証率 | 0.05566 |

⑷ 当社は、製造業を営む資本金の額が50,000,000円の青色申告書を提出する法人（中小企業者等に該当する。）である。

理論 計算

→ 解答・解説 10－16

## 問題4 リース取引（特別控除との関係）

重要 応用 8分

**次の資料により、当社の当期における税務上の調整を示しなさい。**

⑴ 当社は、当期においてリース会社との間で新品の機械装置Aに係るリース契約を締結し、令和7年11月1日から事業の用に供している。当該リース契約（法人税法第64条の2に規定するリース取引に該当する。）の内容は、次のとおりである。

① リース資産　　　　機械装置A（法定耐用年数6年）

② リース契約期間　　6年

③ リース料の総額　　21,600,000円（月額300,000円）

（注） 当社が当期において支払ったリース料1,500,000円について賃借料として当期の費用に計上されている。なお、機械装置Aは、リース契約期間終了後にリース会社に返還されるものである。

⑵ 当社の当期における減価償却資産の償却状況等は次のとおりである。

| 種類等 | 取得価額 | 当期償却費 | 期末帳簿価額 | 法定耐用年数 |
|---|---|---|---|---|
| 機械装置B | 19,500,000円 | 3,900,000円 | 15,600,000円 | 10年 |

（注） 機械装置Bは令和7年9月20日に新品のものを取得し、直ちに事業の用に供したものであり、租税特別措置法第42条の6《中小企業者等が機械等を取得した場合の特別償却又は法人税額の特別控除》に規定する特定機械装置等に該当するものである。

なお、当社は、機械装置Bについて特別控除の適用を選択することとしている。

⑶ 当社は、減価償却資産の償却方法として定率法を選定し届け出ており、耐用年数に応ずる200%定率法の償却率等の資料は、次のとおりである。

| 耐用年数 | 償却率 | 改定償却率 | 保証率 |
|---|---|---|---|
| 6年 | 0.333 | 0.334 | 0.09911 |
| 10年 | 0.200 | 0.250 | 0.06552 |

⑷ 当社は、製造業を営む当期末における資本金の額が20,000,000円（株主は全員個人である。）の青色申告書を提出する法人である。なお、当社の当期における別表一②に記載すべき法人税額は8,160,000円である。

→ 解答・解説 10−17

## 問題5 借地権（権利金を取得していない場合） 基本 4分

**次の資料により、認定を受ける権利金の額を計算しなさい。**

⑴ 当社は、令和７年８月14日に当社の所有するＡ土地をＢ社の本社ビル建設用地として30年間賃貸する契約を締結している。

⑵ Ｂ社に対して賃貸したＡ土地に係る借地権設定直前の更地価額等の資料は、次のとおりである。

① 借地権設定直前の更地価額　　300,000,000円

② 借地権設定直前の帳簿価額　　60,000,000円

③ Ａ土地の相続税評価額

(イ) 令和５年　　188,400,000円

(ロ) 令和６年　　193,200,000円

(ハ) 令和７年　　194,400,000円

⑶ 当社は、Ａ土地の地代として月額720,000円を収受している。なお、通常収受すべき権利金の額は、120,000,000円であるが、権利金の収受は行われていない。

→ 解答・解説 10−18

## 問題6　借地権（権利金を取得している場合）　基本　4分

**次の資料により、認定を受ける権利金の額を計算しなさい。**

⑴　当社は、令和７年５月12日に当社の所有するＣ土地をＤ社の本社ビル建設用地として30年間賃貸する契約を締結している。

⑵　Ｄ社に対して賃貸したＣ土地の借地権設定直前の更地価額等の資料は次のとおりである。

①　借地権設定直前の更地価額　　260,000,000円

②　借地権設定直前の帳簿価額　　65,000,000円

③　Ｃ土地の相続税評価額

㈠　令和４年　　97,500,000円

㈡　令和５年　　115,700,000円

㈢　令和６年　　144,300,000円

㈣　令和７年　　169,000,000円

⑶　当社は、Ｄ社から権利金として19,500,000円及びＣ土地の地代として月額429,000円を収受している。なお、通常収受すべき権利金の額は130,000,000円である。

→ 解答・解説　10−19

## 問題７　借地権（簿価の一部損金算入）

基本　5分

**次の資料により、当社の当期における税務上の調整を示しなさい。ただし、寄附金の損金不算入額については触れなくてよい。**

⑴　当社は、当期の令和７年６月27日に当社が所有しているＡ土地をＢ社の建物建設用の敷地として30年間賃貸する契約を締結し、同日Ｂ社に対しＡ土地を明け渡している。

⑵　当社が賃貸したＡ土地は、当社が平成８年に取得したものであるが、賃貸借契約直前における帳簿価額等の資料は次のとおりである。

| | | |
|---|---|---|
| ① | 賃貸借契約直前における帳簿価額 | 56,250,000円 |
| ② | 賃貸借契約直前における価額 | 100,000,000円 |
| ③ | 賃貸借契約直後における価額 | 20,000,000円 |
| ④ | 直近３年間の相続税評価額の平均額 | 60,000,000円 |

⑶　当社は、Ｂ社に対するＡ土地の賃貸に係る対価として、月額150,000円の地代のほか、一時金として37,500,000円を収受している。なお、Ａ土地について通常収受すべき権利金の額は80,000,000円であった。

⑷　当社は、収受した一時金についてその全額を当期の収益に計上するとともに、当期に対応する地代収入についても当期の収益に計上している。

→ 解答・解説 10−19

## 問題8 借地権（買換えとの関係） 応用 10分

**次の資料により、当社の当期における税務上の調整を示しなさい。**

⑴ 当社は当期の令和７年８月10日に、当社が所有するＡ土地（平成19年５月取得、面積700㎡、集中地域に所在）をＢ社の本社建物の建設用地として賃貸する契約を締結している。この契約に基づいて当社はＢ社からＡ土地に係る借地権の設定の対価として権利金50,400,000円（税務上適正額）を収受し、当期の収益に計上している。

なお、Ａ土地の借地権設定直前の帳簿価額等の資料は次のとおりである。

① 借地権設定直前の帳簿価額 51,200,000円

② 借地権設定直前の土地の価額 72,000,000円

③ 借地権設定直後の土地の価額 21,600,000円

⑵ 当社は、⑴の契約により収受した権利金の額及び自己資金をもって、令和７年９月14日に集中地域以外の地域に所在する次の資産を取得し、取得後直ちに事業の用に供している。

| 取得資産 | 取得価額 |
|---|---|
| Ｃ土地（面積1,000㎡） | 32,000,000円 |
| Ｄ建物（法定耐用年数24年） | 40,000,000円 |

（注） 当社は、⑴の契約に基づいてＡ土地の上に存していた建物を取り壊したため、その取壊直前の帳簿価額5,032,000円及び取壊し費用400,000円並びにその他の譲渡経費として560,000円を当期の費用に計上している。また、Ｄ建物（営業所）について減価償却費として1,200,000円を当期の費用に計上している。

⑶ 当社は、⑵の取得資産を買換資産として圧縮記帳の適用を受けるため、損金経理により圧縮損としてＣ土地について8,000,000円及びＤ建物について9,600,000円を計上し、それぞれの帳簿価額から直接減額している。

⑷ 当社は、減価償却資産の償却方法について何ら選定の届出をしていない。なお、耐用年数24年の場合の償却率等の資料は、次のとおりである。

| 耐用年数 | 定額法償却率 | 200%定率法 | | |
|---|---|---|---|---|
| | | 償却率 | 改定償却率 | 保証率 |
| 24 | 0.042 | 0.083 | 0.084 | 0.02969 |

理論 計算

## 問題9 借地権（更新料）

重要 基本 3分

**次の資料により、当社の当期における税務上の調整を示しなさい。**

⑴ 当社は、当社の有する借地権について、存続期間が満了したことから、その契約を更新し、当期において更新料として11,200,000円を支出している。当社は、更新料として支出した金額を、借地権として資産に計上する経理を行っている。

⑵ 借地権の更新時の価額は22,400,000円であり、更新直前の借地権の帳簿価額は7,000,000円であったが、当社は、今回の更新に当たりその帳簿価額の全額を費用に振り替える経理をしている。

理論 計算

→ 解答・解説 10−21

## 問題10 ミニテスト

重要 基本 5分

**次の資料により、当社の当期における税務上の調整を示しなさい。**

(1) 令和７年10月１日にリース会社と次のリース契約（法人税法に規定するリース取引に該当する。）を締結している。

① リース契約日　令和７年10月１日

② リース物件　新品のＡ製造設備（耐用年数10年）

③ リース期間　令和７年10月１日～令和12年９月30日（５年間）

④ リース料の総額　15,000,000円

⑤ リース料の総額のうち利息相当額　6,000,000円

⑥ そ　の　他　当該設備は、当社の製造工程に合わせて特別な仕様により製作されており、リース期間満了後において、他の者が使用することはできないと認められるものであり、その使用可能期間中当社によってのみ使用されると見込まれるものである。

(2) このリース取引に関し、当社は、当該機械の取得価額をリース料の総額から利息相当額を控除した金額9,000,000円とし、製造ラインに取り付けるために要した費用1,200,000円については当期の費用に計上している。なお、令和７年10月10日より事業の用に供しており、減価償却費として2,500,000円を計上している。

(3) 当社は期末資本金８千万円の情報処理業を営む青色申告法人である。なお当社の株主に資本金１億円超の大規模法人はいない。

(4) 当社の選定償却方法は定率法耐用年数 10 年の場合の償却率 0.200、改定償却率 0.250、保証率 0.06552 である。

理論 計算

→ 解答・解説 10－22

## 問題11 ミニテスト

重要 基本 5分

当社は当社所有の土地について、甲社に対し次に掲げる内容により借地権を設定（建物所有を目的とするもの）した。これに基づき、相当の地代及び認定すべき権利金の額並びに土地の帳簿価額の損金算入額を計算しなさい。

| | | |
|---|---|---|
| ⑴ | 借地権設定直前の土地の更地価額 | 600,000,000円 |
| ⑵ | 借地権設定直前の更地としての相続税評価額 | 320,000,000円 |
| ⑶ | 過去３年間の更地としての相続税評価額の平均額 | 348,000,000円 |
| ⑷ | 通常収受すべき権利金の額 | 360,000,000円 |
| ⑸ | 甲社から収受した権利金の額 | 0円 |
| ⑹ | 甲社から収受している地代の年額 | 12,000,000円 |
| ⑺ | 借地権設定直後の土地の更地価額 | 312,000,000円 |

→ 解答・解説 10－22

## 問題12 ミニテスト

重要 基本 10分

**次の資料に基づき、当社の当期における税務調整すべき金額を計算しなさい。**

(1) 当社は令和７年９月 10 日に集中地域に所在する当社所有の事務所用建物の敷地で合った土地（面積 300 ㎡、平成３年５月取得、設定直前帳簿価額 30,000,000 円、設定直前時価 80,000,000 円、設定直後時価 32,000,000 円）をＡ社に対し建物を所有する目的で賃貸することとし、その設定の対価として権利金 48,000,000 円（税務上適正額）を収受し、収益に計上している。

(2) 当社は令和７年 12 月 11 日において、上記権利金をもって集中地域以外の地域に所在する土地（面積 600 ㎡）40,000,000 円を取得し、当期末現在建物を建築中である。

(3) 当社は当該資産の買換えにつき、次に掲げる費用を損金経理している。

| | | |
|---|---|---|
| ① | 土地の賃貸に伴い支出した費用 | 9,000,000 円 |
| ② | 土地の取得に伴い支出した費用 | 800,000 円 |
| ③ | 土地圧縮損 | 20,000,000 円 |
| ④ | 圧縮特別勘定繰入額 | 6,000,000 円 |

理論 計算

→ 解答・解説　10－23

## 問題13　ミニテスト

基本　6分

**次の資料に基づき、当社の当期における税務調整すべき金額を計算しなさい。**

**設問１**

⑴　当社は、令和７年10月１日に数年前から賃借していた土地の契約期間が満了したため、地主と契約の更新を行い、更新料56,000,000円を支払い、同額を借地権勘定に計上する経理を行っている。

なお、更新時の借地権の価額は280,000,000円、この土地の更地としての価額は400,000,000円である。

⑵　更新前に資産に計上していた借地権勘定の金額は40,000,000円であったが、更新により全額を損失として処理した。

**設問２**

⑴　当社は、令和８年２月１日に借地権の更新を行い、更新料20,000,000円を支払い費用に計上する経理を行っている

⑵　更新直前における借地権の帳簿価額は 32,000,000 円であり、更新時の借地権の価額は 64,000,000 円である。

## 解答　問題1　リース取引（所有権移転リース取引）

⑴ 判　定

使用可能期間中賃借人によってのみ使用されると見込まれる　∴　所有権移転リース取引

⑵ 償却限度額

(1,000,000×36＋1,200,000)×0.286＝10,639,200円≧(1,000,000×36＋1,200,000)×0.08680

＝3,228,960円　∴　$10,639,200\times\frac{7}{12}$＝6,206,200円

⑶ 償却超過額

(7,000,000＋1,200,000)－6,206,200＝1,993,800円

（単位：円）

| 項目 | | 金額 | 留保 | 社外流出 |
|---|---|---|---|---|
| 加算 | 減価償却超過額（機械装置） | 1,993,800 | 1,993,800 | |
| 減算 | | | | |

## 解説

① 本問のリース契約が、税務上のリース取引に該当することから、売買があったものとして取り扱います。リース資産である機械装置が「使用可能期間中賃借人によってのみ使用されると見込まれる」ことから所有権移転外リース取引には該当せず、定率法により償却限度額を計算することになります。

② 売買があったものとされるため、機械装置の取付費用は、通常の購入した場合と同様に考え、取得価額を構成させる必要があります。

## 解答　問題2　リース取引（所有権移転外リース取引）

⑴ 判　定

リース期間満了後はリース会社に返還される　∴　所有権移転外リース取引

⑵ 償却限度額

(600,000×12×6＋850,000)×$\frac{11}{12\times 6}$＝6,729,861円

⑶ 償却超過額

(6,600,000＋850,000)－6,729,861＝720,139円

（単位：円）

| 項目 | | 金額 | 留保 | 社外流出 |
|---|---|---|---|---|
| 加算 | 減価償却超過額（機械及び装置） | 720,139 | 720,139 | |
| 減算 | | | | |

## 解説

本問のリース取引は、リース期間満了後にリース資産が返還されることから、所有権移転外リース取引に該当します。したがって、償却限度額は、リース期間定額法により計算することになります。

## 解答　問題3　リース取引（特別償却との関係）

⑴　判　定

リース期間終了後、無償で譲り受ける　∴　所有権移転リース取引

⑵　償却限度額

①　普通償却

※20, 400, 000×0. 167＝3, 406, 800≧20, 400, 000×0. 05566＝1, 135, 464円

∴　$3,406,800\times\frac{4}{12}$＝1, 135, 600円

※　300, 000×60＋2, 400, 000＝20, 400, 000円

②　特別償却

20, 400, 000×30%＝6, 120, 000円

③　①＋②＝7, 255, 600円

⑶　償却超過額

(1, 200, 000＋2, 400, 000)－7, 255, 600＝△3, 655, 600

3, 655, 600円＜6, 120, 000円　∴　3, 655, 600円（1年間繰越）

## 解説

①　本問のリース取引は、リース期間終了後、無償で譲り受けることとされていることから、所有権移転外リース取引には該当しません。

②　当社は、中小企業者等に該当するため、特別償却を適用することができます。なお、当期においては償却不足額が生ずるため、その償却不足額と特別償却限度額のいずれか少ない金額が、特別償却不足額として、1年間繰越されることになります。

## 解答　問題4　リース取引（特別控除との関係）

1．減価償却

⑴　機械装置A

①　判　定

リース期間終了後にリース会社に返還される　∴　所有権移転外リース取引

②　償却限度額

21, 600, 000×$\frac{5}{6\times12}$＝1, 500, 000円

③　償却超過額

1, 500, 000－1, 500, 000＝0（調整なし）

⑵　機械装置Ｂ

①　償却限度額

19,500,000×0.200＝3,900,000円≧19,500,000×0.06552＝1,277,640円

∴　3,900,000×$\frac{7}{12}$＝2,275,000円

②　償却超過額

3,900,000−2,275,000＝1,625,000円

（単位：円）

| 項目 | | 金額 | 留保 | 社外流出 |
|---|---|---|---|---|
| 加算 | 減価償却超過額（機械装置Ｂ） | 1,625,000 | 1,625,000 | |
| 減算 | | | | |

２．中小企業者等の機械等の特別控除

⑴　税額控除限度額

(19,500,000＋21,600,000)×７％＝2,877,000円

⑵　税額基準額

8,160,000×20％＝1,632,000円

⑶　⑴＞⑵　∴　1,632,000円控除で1,245,000円（2,877,000−1,632,000）１年間繰越

## 解説

①　当社は、中小企業者等のうち資本金の額が3,000万円以下の特定中小企業者等に該当します。したがって、特別償却又は特別控除の適用を検討することになりますが、機械装置Ａに係るリース取引は、所有権移転外リース取引に該当するため、特別償却の適用はなく、特別控除をすることになります。

②　機械装置Ｂについては、普通償却を行うとともに、特別控除を選択しているため、特別控除を行うことになります。

## 解答　問題5　借地権（権利金を取得していない場合）

⑴　相当の地代の判定

(188,400,000＋193,200,000＋194,400,000)×$\frac{1}{3}$＝192,000,000円＜194,400,000円

∴　192,000,000円

192,000,000×６％＝11,520,000円＞720,000×12＝8,640,000円　　∴　権利金認定あり

⑵　権利金認定

①　300,000,000×(１−$\frac{8,640,000}{11,520,000}$)＝75,000,000円

②　120,000,000円

③　①＜②　　∴　75,000,000円

## 解説

① 相当の地代の判定を行う際の更地価額は、借地権を設定した令和７年の相続税評価額と、その設定した令和７年以前３年間の平均額のいずれか少ない金額によることができます。なお、このようにして求めた更地価額に６％を乗じて相当の地代を計算します。

② 本問では、相当の地代に満たない地代の収受しかされていないため、権利金の認定課税がありますが、その認定される権利金の額は、更地価額（通常の取引価額）を基礎に計算します。なお、認定される権利金の額は、通常収受すべき権利金の額が限度となります。

## 解答 問題6 借地権（権利金を取得している場合）

(1) 相当の地代の判定

$(115,700,000+144,300,000+169,000,000)\times\frac{1}{3}=143,000,000円<169,000,000円$

∴ 143,000,000円

$(143,000,000-19,500,000\times\frac{143,000,000}{260,000,000})\times 6\%=7,936,500円$

$7,936,500円>429,000\times 12=5,148,000円$ ∴ 権利金認定あり

(2) 権利金認定

① $260,000,000\times(1-\frac{5,148,000}{143,000,000\times 6\%})=104,000,000円$

② 130,000,000円

③ ①<② ∴ $104,000,000-19,500,000=84,500,000円$

## 解説

① 権利金の収受がある場合の相当の地代の額は、更地価額からその権利金の額を控除した金額に６％を乗じて計算することになりますが、その際、更地価額として相続税評価額等を使用するときは、控除する権利金の額も相続税評価額等のベースに引き直した計算することになります。

② 権利金の認定額の計算は、更地価額を基礎としますが、更地としての相当地代年額（143,000,000×６％の部分）は、相続税評価額等を基礎に計算することができます。

③ 権利金認定額は、税務上の借地権の価額から実際に収受した権利金の額を控除した金額となります。

## 解 答　問題7 借地権（簿価の一部損金算入）

⑴ 相当の地代の判定

$$(60,000,000-37,500,000\times\frac{60,000,000}{100,000,000})\times 6\%=2,250,000円$$

2,250,000円＞150,000×12＝1,800,000円　　∴ 権利金認定あり

⑵ 権利金認定

① $100,000,000\times(1-\frac{1,800,000}{60,000,000\times 6\%})=50,000,000円$

② 80,000,000円

③ ①＜②　∴ 50,000,000－37,500,000＝12,500,000円（寄附金）

⑶ 土地帳簿価額の一部損金算入

① 判　定

$\frac{100,000,000-20,000,000}{100,000,000}=0.8\geqq\frac{5}{10}$　∴ 適用あり

② 損金算入額

$56,250,000\times\frac{37,500,000+12,500,000}{100,000,000}=28,125,000円$

（単位：円）

| 項目 | | 金額 | 留保 | 社外流出 |
|---|---|---|---|---|
| 加算 | | | | |
| 減算 | A土地帳簿価額認定損 | 28,125,000 | 28,125,000 | |

## 解 説

借地権の設定に伴って、土地の低下割合が10分の５以上となったときには、もはや土地の部分的な譲渡と考え、土地の帳簿価額のうち借地権の価額に対応する部分の金額を原価として損金の額に算入します。

## 解 答　問題8 借地権（買換えとの関係）

1．土地帳簿価額の一部損金算入

⑴ 判　定

$\frac{72,000,000-21,600,000}{72,000,000}=0.7\geqq\frac{5}{10}$　∴ 適用あり

⑵ 損金算入

$51,200,000\times\frac{50,400,000}{72,000,000}=35,840,000円$

2．買換え

⑴　差益割合

$$\frac{50,400,000-(35,840,000+5,032,000+400,000+560,000)}{50,400,000}=0.17$$

⑵　圧縮限度額

①　C土地

32,000,000円<50,400,000円　∴　32,000,000円

32,000,000×0.17×80%＝4,352,000円

②　D建物

40,000,000円>50,400,000－32,000,000＝18,400,000円　∴　18,400,000円

18,400,000×0.17×80%＝2,502,400円

⑶　圧縮超過額

①　C土地

8,000,000－4,352,000＝3,648,000円

②　D建物

9,600,000－2,502,400＝7,097,600円（償却費）

3．減価償却

⑴　償却限度額

$(40,000,000-2,502,400)\times 0.042\times\frac{7}{12}=918,691$円

⑵　償却超過額

(1,200,000＋7,097,600)－918,691＝7,378,909円

（単位：円）

| | 項　　目 | 金　額 | 留　保 | 社外流出 |
|---|---|---|---|---|
| 加算 | C土地圧縮超過額 | 3,648,000 | 3,648,000 | |
| | 減価償却超過額（D建物） | 7,378,909 | 7,378,909 | |
| 減算 | A土地帳簿価額認定損 | 35,840,000 | 35,840,000 | |

## 解説

①　土地の帳簿価額の一部損金算入の適用がある場合には、もはや土地の部分的な譲渡と考えるため、土地の譲渡に対して適用される圧縮記帳等の規定を適用することができます。

②　本問の場合、権利金収入を譲渡対価の額及び土地の帳簿価額の一部損金算入額を譲渡原価の額として、買換えの圧縮記帳の適用をすることになります。

## 解答 問題9 借地権（更新料）

⑴ 会社計上の簿価

11,200,000円

⑵ 税務上の簿価

7,000,000＋11,200,000－※3,500,000＝14,700,000円

※ $7,000,000 \times \frac{11,200,000}{22,400,000} = 3,500,000$円

⑶ 計上もれ

⑵－⑴＝3,500,000円

（単位：円）

| 項目 | | 金額 | 留保 | 社外流出 |
|---|---|---|---|---|
| 加算 | 借地権計上もれ | 3,500,000 | 3,500,000 | |
| 減算 | | | | |

## 解説

借地権に係る更新料を支出した場合には、その更新料に対応する借地権の帳簿価額を損金の額に算入することになります。なお、支出した更新料の額は、借地権の帳簿価額に加算します。

## 解答 問題10 ミニテスト

⑴ リース取引の判定

使用可能期間中、当社によってのみ使用されると見込まれるものである

∴ 所有権移転リース取引

⑵ 償却限度額

① 普通償却

(9,000,000＋1,200,000)×0.200＝2,040,000円≧(9,000,000＋1,200,000)×0.06552

＝668,304円

∴ $2,040,000 \times \frac{6}{12} = 1,020,000$円

② 特別償却

(9,000,000＋1,200,000)×30%＝3,060,000円

③ ①＋②＝4,080,000円

⑶ 償却超過額

(2,500,000＋1,200,000)－4,080,000＝△380,000

380,000円＜3,060,000円 ∴ 特別償却不足額 380,000円（1年間繰越）

## 解答　問題11　ミニテスト

(1)　判　定

(320,000,000－０)×６％＝19,200,000円

19,200,000円＞12,000,000円　　∴　権利金認定あり

(2)　権利金認定額

①　$600,000,000 \times \left(1 - \dfrac{12,000,000}{320,000,000 \times 6\%}\right) = 225,000,000$円

②　360,000,000円

③　①＜②　　∴　225,000,000円

225,000,000－０＝225,000,000円

(3)　土地帳簿価額の一部損金算入

$\dfrac{600,000,000 - 312,000,000}{600,000,000} = 0.48 < \dfrac{5}{10}$　　∴　適用なし

## 解答　問題12　ミニテスト

１．土地帳簿価額の一部損金算入

(1)　判　定

$\dfrac{80,000,000 - 32,000,000}{80,000,000} = 0.6 \geqq \dfrac{5}{10}$　　∴　適用あり

(2)　損金算入額

$30,000,000 \times \dfrac{48,000,000}{80,000,000} = 18,000,000$円

２．買換え

(1)　差益割合

$\dfrac{48,000,000 - (18,000,000 + 9,000,000)}{48,000,000} = 0.4375$

(2)　圧縮限度額

40,000,000＋800,000＝40,800,000円＜48,000,000円　　∴　40,800,000円

40,800,000×0.4375×80％＝14,280,000円

(3)　圧縮超過額

20,000,000－14,280,000＝5,720,000円

３．特別勘定

(1)　差益割合

0.4375

(2)　繰入限度額

48,000,000－40,800,000＝7,200,000円

7,200,000×0.4375×80％＝2,520,000円

(3)　繰入超過額

6,000,000－2,520,000＝3,480,000円

（単位：円）

| 項目 | | 金額 | 留保 | 社外流出 |
|---|---|---|---|---|
| 加算 | 土地計上もれ | 800,000 | 800,000 | |
| | 土地圧縮超過額 | 5,720,000 | 5,720,000 | |
| | 圧縮特別勘定繰入超過額 | 3,480,000 | 3,480,000 | |
| 減算 | 土地帳簿価額認定損 | 18,000,000 | 18,000,000 | |

## 解答　問題13　ミニテスト

（設問１）

⑴　会社計上の簿価

56,000,000円

⑵　税務上の簿価

40,000,000＋56,000,000－※8,000,000＝88,000,000円

※　$40,000,000\times\frac{56,000,000}{280,000,000}=8,000,000$円

⑶　計上もれ

⑵－⑴＝32,000,000円

| 項目 | | 金額 | 留保 | 社外流出 |
|---|---|---|---|---|
| 加算 | 借地権計上もれ | 32,000,000 | 32,000,000 | |
| 減算 | | | | |

（設問２）

⑴　会社計上の簿価

32,000,000円

⑵　税務上の簿価

32,000,000＋20,000,000－※10,000,000＝42,000,000円

※　$32,000,000\times\frac{20,000,000}{64,000,000}=10,000,000$円

⑶　計上もれ

⑵－⑴＝10,000,000円

| 項目 | | 金額 | 留保 | 社外流出 |
|---|---|---|---|---|
| 加算 | 借地権計上もれ | 10,000,000 | 10,000,000 | |
| 減算 | | | | |

# Chapter 11

# 帰属事業年度

| No | 内　容 | | 標準時間 | 重要度 | 難易度 |
|---|---|---|---|---|---|
| 問題１ | リース譲渡・延払基準（販売手数料） | 計算 | ３分 | B | 基本 |
| 問題２ | 工事の請負（工事進行基準） | 計算 | ５分 | A | 基本 |
| 問題３ | 工事の請負（長期大規模工事） | 計算 | ７分 | A | 基本 |
| 問題４ | ミニテスト | 計算 | ７分 | A | 基本 |

理論 計算

→ 解答・解説 11－6

## 問題１ リース譲渡・延払基準（販売手数料） 基本 3分

**次の資料により、当社の当期における延払基準による収益の額及び費用の額を求めなさい。**

⑴ 当社は、令和７年９月１日にＡ機械装置を15,000,000円でリース（法人税法上のリース取引）により賃貸している。

| 種　　類 | 譲渡直前の帳簿価額 | 手数料の額 |
|---|---|---|
| Ａ機械装置 | 11,000,000円 | 1,000,000円 |

（注）手数料の額は、Ａ機械装置の賃貸に際して当社が支出したものである。

⑵ 上記⑴のＡ機械装置のリース料は、リース期間（４年間）にわたって、令和７年９月30日を第１回として毎月月末に312,500円となっている。なお、当期中におけるリース料の収受は、全て契約どおりに行われている。

➜ 解答・解説 11－6

## 問題2 工事の請負（工事進行基準）

重要 基本 5分

**次の資料により、当社が工事進行基準を適用する場合の着工事業年度から引渡事業年度までの各事業年度における税務上の仕訳を示しなさい。**

⑴ 当社は、前期においてＡ社との間で次の工事契約を締結している。

① 工事請負対価の額　450,000,000円

② 見積総工事原価の額　270,000,000円

③ 工事着工日　令和６年９月１日

④ 完成引渡予定日　令和７年８月31日

⑵ 着工事業年度（前期）から引渡事業年度（当期）までの各事業年度における工事原価の支出状況は、次のとおりである。

| 事業年度 | 期中に支出した工事原価の額 |
|---|---|
| 着工事業年度 | 54,000,000円 |
| 引渡事業年度 | 246,000,000円 |

→ 解答・解説　11－7

## 問題3　工事の請負（長期大規模工事）

基本　7分

**次の資料により、当社の当期における税務上の調整を示しなさい。**

⑴　当社は、令和６年４月12日にＡ社の本社ビルの建設工事請負契約を締結している。この工事の着工日は令和６年５月１日であり、完成引渡期日は令和８年９月30日、請負金額は5,200,000,000円である。なお、工事代金は完成引渡期日までに全額が支払われることとなっている。

⑵　この工事に係る着工時から当期末までの、この工事の進捗状況等は次のとおりである。

| 区　分 | 各期末の現況による総工事原価見積額 | 期中に支出した工事原価の額 | 着工時から期末までの工事の進捗割合 |
|---|---|---|---|
| 前　期 | 4,056,000,000円 | 1,014,000,000円 | 25% |
| 当　期 | 4,264,000,000円 | 2,311,920,000円 | 80% |

（注）　表中の工事の進捗割合は、作業工程を基礎として技術的に見積もったものである。なお、合理的であると認められないものである。

⑶　当社は、この工事に係る収益の額及び費用の額について、工事進行基準の方法により経理しており、前期においては1,300,000,000円（税務上の適正額）を完成工事高として収益に計上するとともに、前期中に支出した工事原価1,014,000,000円（税務上の適正額）を完成工事原価として費用に計上している。

⑷　当期においては、工事の進捗割合により完成工事高及び完成工事原価の計上を行い、次の仕訳を行っている。

（完成工事未収入金）　2,860,000,000円　（完　成　工　事　高）　2,860,000,000円

（完 成 工 事 原 価 ）　2,397,200,000円　（未成工事支出金）　2,397,200,000円

理論　計算

➜ 解答・解説　11－8

## 問題4　ミニテスト

重要　基本　7分

**次の資料に基づき、当社の当期における税務調整すべき金額を計算しなさい。**

⑴　当社は令和７年７月１日に、Ａ社から次に掲げる内容の工事を請け負った。

| | | |
|---|---|---|
| ① | 工事着工日 | 令和７年７月２日 |
| ② | 引渡期日 | 令和９年３月31日 |
| ③ | 工事請負高 | 1,000,000,000円 |
| ④ | 当期末における見積工事原価 | 720,000,000円 |
| ⑤ | 当期支出工事原価 | 216,000,000円 |
| ⑥ | 対価の支払方法 | |

令和７年７月１日に頭金として 300,000,000 円を収受し、残額は令和７年８月以後毎月月末に35,000,000円ずつ分割して支払いを受けることとしており、当期において期日通りに支払いを受けている。

⑵　当社はこの取引につき、当期の収益としてその支払いを受けた金額580,000,000円を計上し、当期の費用として216,000,000円を計上している。

## 解 答　問題1 リース譲渡・延払基準（販売手数料）

⑴　収益の額

$$15,000,000 \times \frac{※2,187,500}{15,000,000} = 2,187,500円$$

※　312,500×７＝2,187,500円

⑵　費用の額

$$(11,000,000 + 1,000,000) \times \frac{※2,187,500}{15,000,000} = 1,750,000円$$

## 解 説

収益の額及び費用の額は、賦払金に応ずる額を計算することになりますが、その費用の額の計算対象には、手数料の額が含まれます。

## 解 答　問題2 工事の請負（工事進行基準）

１．着工事業年度

⑴　収益の額

$$450,000,000 \times \frac{54,000,000}{270,000,000} = 90,000,000円$$

⑵　費用の額

$$270,000,000 \times \frac{54,000,000}{270,000,000} = 54,000,000円$$

⑶　税務上の仕訳

| | | | |
|---|---|---|---|
| （完成工事未収入金） | 90,000,000円 | （完成工事高） | 90,000,000円 |
| （完成工事原価） | 54,000,000円 | （未成工事支出金） | 54,000,000円 |

２．引渡事業年度

⑴　収益の額

450,000,000－90,000,000＝360,000,000円

⑵　費用の額

246,000,000円

⑶　税務上の仕訳

| | | | |
|---|---|---|---|
| （完成工事未収入金） | 360,000,000円 | （完 成 工 事 高） | 360,000,000円 |
| （完 成 工 事 原 価） | 246,000,000円 | （未成工事支出金） | 246,000,000円 |

## 解 説

収益の額及び費用の額は、当期末における工事進行割合に応ずる額を計算することになります。

## 解答 問題3 工事の請負（長期大規模工事）

(1) 収益の額

① 会社計上額

2, 860, 000, 000円

② 税務上の金額

$$5,200,000,000 \times \frac{1,014,000,000+2,311,920,000}{4,264,000,000} - 1,300,000,000 = 2,756,000,000円$$

③ 過大計上

2, 860, 000, 000－2, 756, 000, 000＝104, 000, 000円

(2) 費用の額

① 会社計上額

2, 397, 200, 000円

② 税務上の金額

$$4,264,000,000 \times \frac{1,014,000,000+2,311,920,000}{4,264,000,000} - 1,014,000,000 = 2,311,920,000円$$

③ 過大計上

2, 397, 200, 000－2, 311, 920, 000＝85, 280, 000円

（単位：円）

| 項目 | | 金額 | 留保 | 社外流出 |
|---|---|---|---|---|
| 加算 | 工事原価過大計上 | 85, 280, 000 | 85, 280, 000 | |
| 減算 | 工事収益過大計上 | 104, 000, 000 | 104, 000, 000 | |

## 解説

① 着工日から完成引渡期日までの期間が１年以上、請負対価の額が1, 000, 000, 000円以上及び工事代金は完成引渡期日までに全額が支払われることから、長期大規模工事に該当し、工事進行基準が強制的に適用されることになります。

② 各事業年度で認識する工事収益及び工事原価の額は、工事進行割合により計算することになります。なお、工事進行割合は、各事業年度終了時に見積もられる見積総工事原価を基礎として計算します。

## 解 答　問題４ ミニテスト

⑴　判定

①　工事着手日からその契約において定められている目的物の引渡しの期日までの期間が１年以上であること。

（令和７年７月２日～令和９年３月 31 日≧１年）

②　請負対価の額が 10 億円以上であること。

(1,000,000,000≧1,000,000,000)

③　工事に係る契約において、その請負対価の額の２分の１以上が、その工事の目的物の引渡し期日から１年を経過する日後に支払われることが定められていないこと。

（少なくとも当期だけで対価の２分の１超の収受予定である（収受している。）。）

∴　長期大規模工事に該当し、工事進行基準の強制適用

⑵　収益の額

①　会社計上額

580,000,000 円

②　税務上の金額

$$1,000,000,000 \times \frac{216,000,000}{720,000,000} = 300,000,000\text{円}$$

③　過大計上

580,000,000－300,000,000＝280,000,000 円

⑶　費用の額

①　会社計上額

216,000,000 円

②　税務上の金額

$$720,000,000 \times \frac{216,000,000}{720,000,000} = 216,000,000\text{円}$$

③　過大計上

216,000,000－216,000,000＝０

| | 項　　　目 | 金　　額 | 留　　保 | 社外流出 |
|---|---|---|---|---|
| 加算 | | | | |
| 減算 | 工事収益過大計上 | 280,000,000 | 280,000,000 | |

# Chapter 12

# 欠損金

| No | 内　容 | | 標準時間 | 重要度 | 難易度 |
|---|---|---|---|---|---|
| 問題１ | 欠損金⑴ | 計算 | ５分 | A | 基本 |
| 問題２ | 欠損金⑵ | 計算 | ５分 | A | 基本 |
| 問題３ | 災害損失欠損金額 | 計算 | ５分 | B | 基本 |
| 問題４ | 債務免除益等 | 計算 | 15分 | B | 応用 |
| 問題５ | ミニテスト | 計算 | ５分 | A | 基本 |

理論 計算

→ 解答・解説 12－7

## 問題1 欠損金(1)

重要 基本 5分

**次の資料により、当社の当期における欠損金等の当期控除額を求めなさい。**

(1) 当社は、設立以来連続して青色申告書を提出する内国法人であるが、考慮すべき直近の過去7年間における所得金額又は欠損金額の状況は、次のとおりである。なお、所得金額は欠損金の繰越控除を適用する前の金額（別表四「差引計」の金額）である。

| 事 業 年 度 | 所得金額又は欠損金額 |
|---|---|
| 平成31年3月期 | △ 29,000,000円 |
| 令和2年3月期 | 6,750,000円 |
| 令和3年3月期 | △ 14,000,000円 |
| 令和4年3月期 | 9,000,000円 |
| 令和5年3月期 | △ 23,000,000円 |
| 令和6年3月期 | 32,500,000円 |
| 令和7年3月期 | △ 29,400,000円 |

（注） 当社は、設立以来、法人税法第80条《欠損金の繰戻しによる還付》の規定の適用を受けていない。

(2) 当社の当期における別表四「差引計」の金額は74,900,000円と計算されている。

(3) 当社の期末資本金の額は、100,000,000円（株主に法人はいない。）である。

理論 計算

→ 解答・解説 12－7

## 問題２ 欠損金(2)

重要 基本 ５分

**次の資料により、当社の当期における欠損金等の当期控除額を求めなさい。**

(1) 当社の最近の事業年度における所得金額又は欠損金額の状況は次のとおりである。なお、当社は、設立以来連続して青色申告書により確定申告書を提出している。

| 事　業　年　度 | 所得金額又は欠損金額 |
| --- | --- |
| 令和２年４月１日～令和３年３月31日（第20期） | △ 1,520,000円 |
| 令和３年４月１日～令和４年３月31日（第21期） | 355,000円 |
| 令和４年４月１日～令和５年３月31日（第22期） | 1,160,000円 |
| 令和５年４月１日～令和６年３月31日（第23期） | △ 2,390,000円 |
| 令和６年４月１日～令和７年３月31日（第24期） | 704,000円 |
| 令和７年４月１日～令和８年３月31日（当　期） | 2,800,000円 |

(2) 当社が過去の事業年度において、欠損金の繰戻しによる還付の規定の適用を受けた事実はない。なお、所得金額は、繰越欠損金控除前の金額（別表四「差引計」の金額）である。

(3) 当社の期末資本金の額は50,000,000円であり、株主は全て個人である。

→ 解答・解説 12－8

## 問題3 災害損失欠損金額 基本 5分

**次の資料により、当社の当期における欠損金等の当期控除額を求めなさい。**

⑴ 当社は、当期より青色の申告書により確定申告書を提出するため、青色申告の承認申請書を令和6年5月31日に納税地の所轄税務署長に対して提出している。なお、当期末において、当該税務署長からの承認又は却下の通知は行われていない。

⑵ 当社の最近の各事業年度における所得金額又は欠損金額の状況は、次のとおりである。

| 事　業　年　度 | 所得金額又は欠損金額 | 備　考 |
|---|---|---|
| 令和5年4月1日～令和6年3月31日 | △ 17,749,000円 | 下記⑶の災害損失に係るものである。 |
| 令和6年4月1日～令和7年3月31日 | △ 1,240,000円 | 災害損失に係るものではない。 |
| 令和7年4月1日～令和8年3月31日 | 8,190,000円 | 欠損金等控除前の金額である。 |

⑶ 当社は、令和5年8月19日に発生した災害により建物が損壊する等の損失を生じており、その災害による損失の内訳は次のとおりである。

① 建物の損壊部分の帳簿価額　7,143,000円

② 建物の修繕費用　10,125,000円（資本的支出に該当するものはない。）

③ 商品の評価損　3,829,000円（被災した商品に係るものである。）

⑷ 当社の期末資本金の額は30,000,000円であり、期末に資本金5億円の乙社による完全支配関係がある。

理論 計算

→ 解答・解説 12－8

## 問題4 債務免除益等

応用 15分

**次の資料により、各設問に答えなさい。**

⑴ 当社は、設立以来連続して青色の申告書により確定申告書を提出している。

⑵ 当社は、当期において民事再生法の規定による再生計画認可の決定を受けているが、これに伴って債権者等から次の債務の免除等を受け、債務免除益等として当期の収益に計上している。

① 債権者から債務の免除を受けたもの 1,249,000,000円

② 株主から金銭の贈与を受けたもの 480,000,000円

③ 役員から私財の提供を受けたもの 325,000,000円

⑶ 当社の当期における別表四「差引計」の金額は1,896,000,000円と記載されている。

⑷ 当社の当期の別表五㈠Ｉ「期首現在利益積立金額」の差引合計額は△1,986,000,000円である。なお、この金額には法人税法第57条《欠損金の繰越し》の適用対象となる欠損金額が996,000,000円含まれている。

⑸ 当社の期末資本金の額は90,000,000円であり、法人株主は存在しない。

**【設問１】**

上記の場合における欠損金等の当期控除額を求めなさい。

**【設問２】**

上記の場合において、当社が資産の評価換えを行い、評価益69,000,000円及び評価損280,000,000円を計上した場合における、欠損金等の当期控除額を求めなさい。

→ 解答・解説 12－10

## 問題5 ミニテスト

重要 基本 5分

**次の資料により、当社（中小法人）の当期において損金の額に算入される欠損金額を求めなさい。**

⑴ 当社は令和４年12月15日に地震により多大な損失を被った。被災事業年度から当期までの所得金額（欠損金控除前）及び欠損金額は次のとおりである。

| 事業年度 | 所得（欠損）金額 |
| --- | --- |
| 令和４年４月１日～令和５年３月31日 | △15,000,000円 |
| 令和５年４月１日～令和６年３月31日 | △ 5,320,000円 |
| 令和６年４月１日～令和７年３月31日 | △ 3,800,000円 |
| 令和７年４月１日～令和８年３月31日 | 29,000,000円 |

⑵ 被災事業年度の欠損金の内訳は次のとおりである。

① 経常利益 22,000,000円

② 地震による損失 37,000,000円

| | |
| --- | --- |
| 建物復旧費 | 10,000,000円 |
| 損壊商品評価損 | 26,000,000円 |
| 損壊商品処分損 | 800,000円 |
| 現金の紛失損 | 200,000円 |

③ 欠損金額 15,000,000円

⑶ 当社は、令和５年４月１日に開始する事業年度から連続して青色申告書を提出している。

## 解答　問題1　欠損金(1)

1. 欠損金

平成31年3月期分

　　　　　　　　　令和2年3月期
29,000,000円＞6,750,000円　∴　6,750,000円

　　　　　　　　　　　　　　　　令和4年3月期
29,000,000－6,750,000＝22,250,000円＞9,000,000円　∴　9,000,000円

　　　　　　　　　　　　　　　　令和6年3月期
22,250,000－9,000,000＝13,250,000円＜32,500,000円　∴　13,250,000円

令和3年3月期分

　　　　　　　　　令和6年3月期
14,000,000円＜32,500,000－13,250,000＝19,250,000円　∴　14,000,000円

令和5年3月期分

　　　　　　　　　令和6年3月期
23,000,000円＞19,250,000－14,000,000＝5,250,000円　∴　5,250,000円

2. 欠損金等の当期控除額

令和5年3月期分　23,000,000－5,250,000＝17,750,000円＜74,900,000円　∴　17,750,000円

令和7年3月期分　29,400,000円＜74,900,000－17,750,000＝57,150,000円　∴　29,400,000円

17,750,000＋29,400,000＝47,150,000円

### 解説

当社は中小法人に該当するため、損金算入額は当期の所得金額（差引計）を限度とします。

最初に、当期に繰り越されてきている欠損金額を集計する必要があります。平成31年3月期に生じた欠損金額から順に繰越控除の状況を把握し、いつの年度の欠損金額がいくら当期に繰り越されてきているのかを計算します。結果として、令和5年3月期に生じた欠損金額のうち17,750,000円及び令和7年3月期に生じた欠損金額が当期に繰り越されてきていることになります。いずれも、前9年以内に生じた欠損金額であるため、当期の所得金額の計算上、損金の額に算入します。

## 解答　問題2　欠損金(2)

1. 第21期（第20期分）

1,520,000円＞355,000円　∴　355,000円

2. 第22期（第20期分）

1,520,000－355,000＝1,165,000円＞1,160,000円　∴　1,160,000円

3. 第24期

（第20期分）1,165,000－1,160,000＝5,000円＜704,000円　∴　5,000円

（第23期分）2,390,000円＞704,000－5,000＝699,000円　∴　699,000円

4. 欠損金等の当期控除額（第23期分）

2,390,000－699,000＝1,691,000円＜2,800,000円　∴　1,691,000円

### 解説

当社は中小法人に該当するため、損金算入額は当期の所得金額（差引計）を限度とします。

## 解 答　問題3　災害損失欠損金額

1．災害損失欠損金額

7,143,000＋10,125,000＋3,829,000＝21,097,000円

21,097,000円＞17,749,000円　　∴　17,749,000円

2．欠損金等の当期控除額

17,749,000円＞8,190,000×50%＝4,095,000円　　∴　4,095,000円

## 解 説

当社は、青色申告の承認を受けていないこと（青色申告の承認申請を令和6年5月31日に提出していますので、その申請が認められるとすると令和7年4月1日開始事業年度に生じた欠損金から青色欠損金となります。）から、繰越控除の対象となる欠損金額は、災害による損失により生じた欠損金額（災害損失欠損金額）に限られます。したがって、令和6年3月期に生じた欠損金額については、災害損失に係る部分が繰越控除の対象となりますが、令和7年3月期に生じた欠損金額は、災害損失に係るものではないため、繰越控除の対象とはなりません。

なお、当社は中小法人以外の法人に該当するため、損金算入額は当期の所得金額（差引計）の50%相当額を限度とします。

## 解 答　問題4　債務免除益等

【設問1】

1．欠損金額等

⑴　欠損金額

996,000,000円

⑵　1,896,000,000円

⑶　⑴＜⑵　　∴　996,000,000円

2．債務免除等

⑴　債務免除益等

1,249,000,000＋480,000,000＋325,000,000＝2,054,000,000円

⑵　控除対象欠損金額

1,986,000,000－996,000,000＝990,000,000円

⑶　当期の所得金額

1,896,000,000－996,000,000＝900,000,000円

⑷　⑴、⑵、⑶のうち最少　　∴　900,000,000円

3．欠損金等の当期控除額

1．＋2．＝1,896,000,000円

【設問２】

１．債務免除等

⑴　債務免除益等

1, 249, 000, 000＋480, 000, 000＋325, 000, 000＋（69, 000, 000－280, 000, 000）＝1, 843, 000, 000円

⑵　控除対象欠損金額

1, 986, 000, 000円

⑶　当期の所得金額

1, 896, 000, 000円

⑷　⑴、⑵、⑶のうち最少　　∴　1, 843, 000, 000円

２．欠損金額等

⑴　欠損金額

996, 000, 000－{1, 843, 000, 000－（1, 986, 000, 000－996, 000, 000）}＝143, 000, 000円

⑵　1, 896, 000, 000－1, 843, 000, 000＝53, 000, 000円

⑶　⑴＞⑵　　∴　53, 000, 000円

３．欠損金等の当期控除額

１．＋２．＝1, 896, 000, 000円

## 解説

①　同じ企業再生の形態（民事再生）であっても、資産の評価換えを行っているか否かにより、欠損金額の損金算入の順序が異なります。

②　【設問１】の場合には、評価換えを行っていないため、欠損金の繰越控除が優先して適用されます。

③　【設問２】の場合には、評価換えを行っているため、債務免除等があった場合の欠損金の損金算入が優先的に適用され、次に欠損金の繰越控除が適用されることになります。

## 解答　問題5　ミニテスト

⑴　災害損失欠損金額

10,000,000＋26,000,000＝36,000,000円＞15,000,000円　∴　15,000,000円

⑵　欠損金等の当期控除額

令和５年３月期分（災害損失欠損金額）　15,000,000円＜29,000,000円　∴　15,000,000円

令和６年３月期分（欠損金額）　5,320,000円＜29,000,000－15,000,000＝14,000,000円

∴　5,320,000円

令和７年３月期分（欠損金額）　3,800,000円＜14,000,000－5,320,000＝8,680,000円

∴　3,800,000円

15,000,000＋5,320,000＋3,800,000＝24,120,000円

（単位：円）

| | 項目 | 総額 | 留保 | 社外流出 |
|---|---|---|---|---|
| 加算 | | | | |
| 減算 | | | | |
| 仮計 | | | | |
| 欠損金等の当期控除額 | | △24,120,000 | | ※　△24,120,000 |

# Chapter 13

# 租税公課

| No | 内　容 | | 標準時間 | 重要度 | 難易度 |
|---|---|---|---|---|---|
| 問題１ | 繰戻し還付（基本算式） | 計算 | ３分 | A | 基本 |
| 問題２ | 繰戻し還付（別表一） | 計算 | ３分 | A | 基本 |
| 問題３ | 還付金等 | 計算 | ５分 | A | 基本 |
| 問題４ | ミニテスト | 計算 | ３分 | A | 基本 |
| 問題５ | ミニテスト | 計算 | ５分 | A | 基本 |

理論 計算

→ 解答・解説 13－7

## 問題1 繰戻し還付（基本算式）

基本 3分

**次の資料により、当社の当期における欠損金の繰戻しによる法人税の還付請求額を求めなさい。**

⑴ 当社の前期における法人税申告書別表一の明細は次のとおりである。なお、所得金額の端数切捨前の金額は84,812,629円である。

| | | |
|---|---|---|
| ① | 所得金額 | 84,812,000円 |
| ② | 法人税額 | 19,020,384円 |
| ③ | 法人税額の特別控除額 | 600,000円 |
| ④ | 差引法人税額 | 18,420,384円 |
| ⑤ | 法人税額計 | 18,420,384円 |
| ⑥ | 控除所得税額 | 325,000円 |
| ⑦ | 控除外国税額 | 150,000円 |
| ⑧ | 差引所得に対する法人税額 | 17,945,300円 |
| ⑨ | 中間申告分の法人税額 | 11,000,000円 |
| ⑩ | 差引確定法人税額 | 6,945,300円 |

⑵ 当社は、資本金の額が50,000,000円（株主はすべて個人である。）の内国法人であり、設立以来連続して青色申告書により確定申告書を提出している。なお、当社の当期における欠損金額は20,884,500円である。

➜ 解答・解説　13－7

## 問題2　繰戻し還付（別表一）

重要　基本　3分

**次の資料により、当社の当期における欠損金の繰戻しによる法人税の還付請求額を求めなさい。**

⑴　当社の前事業年度における確定申告に係る別表一の明細は、次のとおりである。なお、所得金額の端数切捨前の金額は127,189,710円である。

（単位：円）

| 内　容 | 金　額 |
|---|---|
| 所得金額 | 127,189,000 |
| 法人税額 | 28,851,848 |
| 試験研究費の特別控除額 | 1,550,000 |
| 中小企業者等の機械等の特別控除額 | 1,800,000 |
| 差引法人税額 | 25,501,848 |
| 使途秘匿金に係る特別税額 | 950,000 |
| 法人税額計 | 25,501,848 |
| 控除所得税額 | 650,000 |
| 控除外国税額 | 720,000 |
| 差引所得に対する法人税額 | 25,081,800 |
| 中間申告分法人税額 | 16,000,000 |
| 差引確定法人税額 | 9,081,800 |

⑵　当社の資本金の額は100,000,000円（株主に法人株主はいない。）であり、設立以来連続して青色の申告書により確定申告書を提出している。なお、当社の当期における欠損金額は42,881,400円である。

→ 解答・解説 13－7

## 問題3 還付金等

重要 基本 5分

**次の資料により、当社の当期における税務上の調整を示しなさい。**

⑴ 当社は、当期の確定申告により納付することとなる法人税、地方法人税、住民税及び事業税の見込額の合計額15,000,000円について、納税充当金として当期の費用に計上している。

⑵ 当社が当期において租税公課として費用に計上した金額には、次のものが含まれている。

| | | |
|---|---|---|
| ① | 当期中間申告分の法人税（本税） | 4,050,000円 |
| ② | 当期中間申告分の地方法人税（本税） | 398,000円 |
| ③ | 当期中間申告分の住民税（本税） | 402,000円 |
| ④ | 当期中間申告分の事業税（本税） | 1,150,000円 |
| ⑤ | 強制徴収された所得税（株主に対する配当に係るものである。） | 360,000円 |
| ⑥ | ⑤に係る不納付加算税及び延滞税 | 44,800円 |

⑶ 当社が当期において雑収入として収益に計上した金額には、次のものが含まれている。

| | | |
|---|---|---|
| ① | 前期中間申告分の法人税（本税）の還付税額 | 2,970,000円 |
| ② | ①に係る延滞税の還付税額 | 35,800円 |
| ③ | 前期中間申告分の住民税（本税）の還付税額 | 590,000円 |
| ④ | 前期中間申告分の事業税（本税）の還付税額 | 840,000円 |
| ⑤ | 上記に係る還付加算金 | 280,000円 |

理論 計算

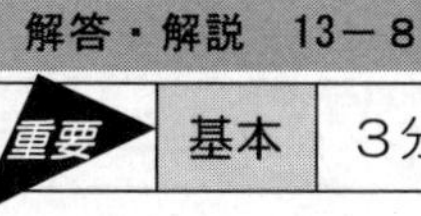


## 問題4 ミニテスト

基本 3分

**次の資料により、当社（設立以来事業年度は継続して１年間である。）の当期における欠損金の繰戻し還付の規定により請求できる金額を計算しなさい。**なお、当社は設立以来連続して青色申告書を提出しており、当期も同様の申告を行うものとする。

⑴ 前期の別表一において記載された金額は次のとおりである。

| | | | |
|---|---|---|---|
| ① | 所得金額 | 95,000,000円 | （端数切捨前の所得金額95,000,650円） |
| ② | 法人税額 | 21,384,000円 | |
| ③ | 試験研究費の特別控除額 | 1,500,000円 | |
| ④ | 差引法人税額 | 19,884,000円 | |
| ⑤ | 使途秘匿金課税額 | 500,000円 | |
| ⑥ | 法人税額計 | 19,884,000円 | |
| ⑦ | 控除所得税額 | 365,000円 | |
| ⑧ | 控除外国税額 | 274,000円 | |
| ⑨ | 差引所得に対する法人税額 | 19,745,000円 | |
| ⑩ | 中間申告分の法人税額 | 10,000,000円 | |
| ⑪ | 差引確定法人税額 | 9,745,000円 | |

⑵ 当社の当期の欠損金額は27,567,200円である。

⑶ 当社の当期末における資本金の額は１億円である。

→ 解答・解説　13－8

## 問題5　ミニテスト

重要　基本　5分

**次の資料に基づき、当社の当期における税務調整すべき金額と計算しなさい。**

⑴　当期において次の金額の還付を受け、雑収入勘定に計上している。

| | | |
|---|---|---|
| ① | 法人税及び地方法人税の前期中間納付還付金額 | 9,315,000円 |
| ② | 住民税の前期中間納付還付金額 | 1,755,000円 |
| ③ | 事業税の前期中間納付還付金額 | 3,240,000円 |
| ④ | 上記①～③に係る延滞税及び延滞金の還付金額 | 94,400円 |
| ⑤ | 前期に納付した源泉所得税の還付金額 | 313,200円 |
| ⑥ | 還付加算金額 | 18,800円 |

⑵　当期において損金経理により租税公課勘定に計上した金額は、以下のとおりである。

| | | |
|---|---|---|
| ① | 米国政府から課された罰金 | 194,000円 |
| ② | 住民税均等割額 | 120,000円 |
| ③ | 不動産取得税 | 389,000円 |
| ④ | 役員に支給した給与について強制徴収された源泉所得税<br>（当社はその役員に対して求償しないこととしている。） | 810,000円 |
| ⑤ | 上記④に係る不納付加算税 | 81,000円 |
| ⑥ | 上記④に係る延滞税 | 43,800円 |
| ⑦ | 事業所税 | 540,000円 |
| ⑧ | ⑦に係る延滞金 | 22,800円 |
| ⑨ | 役員の交通違反に係る交通反則金<br>（上記の金額には、業務中以外に係るものが34,000円含まれている。） | 76,000円 |

## 解答 問題1 繰戻し還付（基本算式）

⑴ 還付所得事業年度の法人税額

17,945,300＋(325,000＋150,000)＝18,420,300円

⑵ 還付請求額

$$18,420,300\times\frac{20,884,500}{84,812,629}=4,535,866円$$

### 解説

① 還付所得事業年度の法人税額は、差引所得に対する法人税額に控除所得税額及び控除外国税額を加えた金額となります。

② 還付請求額の計算に使用する還付所得事業年度の所得の金額は、千円未満端数切捨前の所得金額となります。

## 解答 問題2 繰戻し還付（別表一）

⑴ 還付所得事業年度の法人税額

25,081,800＋(650,000＋720,000)－950,000＝25,501,800円

⑵ 還付請求額

$$25,501,800\times\frac{42,881,400}{127,189,710}=8,597,809円$$

### 解説

還付所得事業年度の法人税額は、差引所得に対する法人税額に控除所得税額及び控除外国税額を加えた金額ですが、使途秘匿金に係る特別税額がある場合には、その特別税額を控除した金額となります。

## 解答 問題3 還付金等

<法人税等還付金等の益金不算入額>

2,970,000＋590,000＝3,560,000円

（単位：円）

| | 項目 | 金額 | 留保 | 社外流出 |
|---|---|---|---|---|
| 加算 | 損金経理法人税 | 4,050,000 | 4,050,000 | |
| | 損金経理地方法人税 | 398,000 | 398,000 | |
| | 損金経理住民税 | 402,000 | 402,000 | |
| | 損金経理納税充当金 | 15,000,000 | 15,000,000 | |
| | 認定配当否認 | 360,000 | | 360,000 |
| | 損金経理附帯税等 | 44,800 | | 44,800 |
| 減算 | 法人税等還付金等の益金不算入額 | 3,560,000 | 3,560,000 | |
| | 所得税額等還付金等の益金不算入額 | 35,800 | | ※ 35,800 |

## 解説

① 納付時に損金不算入とされる法人税、延滞税及び住民税の還付金の額は、益金不算入とされます。なお、事業税の還付金及び還付加算金は、益金の額に算入されます。

② 益金不算入とされる還付金のうち、前期中間申告分の法人税及び住民税の還付金については「法人税等還付金等の益金不算入額」として留保の処分となり、延滞税の還付金については「所得税額等還付金等の益金不算入額」として※社外流出の処分となります。処分が異なる調整のため、まとめて記載することはできません。

## 解答 問題4 ミニテスト

⑴ 還付所得事業年度の所得に対する法人税

19,745,0000＋(365,000＋274,000)－500,000＝19,884,000円

⑵ 還付請求

$19,884,000\times\frac{27,567,200}{95,000,650}$＝5,769,920円

## 解答 問題5 ミニテスト

1．法人税等還付金等の益金不算入

9,315,000＋1,755,000＝11,070,000 円

2．所得税額等の還付金額

94,400＋313,200＝407,600 円

3．損金経理罰科金等

194,000＋（76,000－34,000）＝236,000 円

4．役員給与損金不算入

810,000＋34,000＝844,000 円

5．損金経理附帯税等

81,000＋43,800＋22,800＝147,600 円

（単位：円）

| | 項目 | 金額 | 留保 | 社外流出 |
|---|---|---|---|---|
| 加算 | 損金経理罰科金等 | 236,000 | | 236,000 |
| | 損金経理住民税 | 120,000 | 120,000 | |
| | 役員給与の損金不算入額 | 844,000 | | 844,000 |
| | 損金経理附帯税等 | 147,600 | | 147,600 |
| 減算 | 法人税等還付金等の益金不算入額 | 11,070,000 | 11,070,000 | |
| | 所得税額等還付金等の益金不算入額 | 407,600 | | ※ 407,600 |

# Chapter 14

# 受取配当等

| No | 内　容 | | 標準時間 | 重要度 | 難易度 |
|---|---|---|---|---|---|
| 問題１ | みなし配当（自己株式の取得） | 計算 | ７分 | A | 基本 |
| 問題２ | みなし配当（資本の払戻し） | 計算 | ７分 | A | 基本 |
| 問題３ | みなし配当（解散） | 計算 | ７分 | A | 基本 |
| 問題４ | ミニテスト | 計算 | ３分 | A | 基本 |
| 問題５ | ミニテスト | 計算 | ７分 | A | 基本 |
| 問題６ | ミニテスト | 計算 | ７分 | A | 基本 |

理論 計算

→ 解答・解説　14－8

## 問題１　みなし配当（自己株式の取得）

基本　７分

**次の資料により、当社の当期における税務上の調整を示しなさい。**

⑴　当社が所有するＡ社株式（関連法人株式等に該当する。）の発行法人であるＡ株式会社（内国法人であり、以下「Ａ社」という。）が、当期において公開買付により自己の株式を取得することとしたため、当社もその公開買付に応じＡ社株式の一部を譲渡し、金銭の交付を受けている。当社は、その譲渡により交付を受けた金銭の額を、当期の収益に計上している。

⑵　当社におけるＡ社株式の譲渡直前の所有株式数等の資料は、次のとおりである。なお、当期においてＡ社株式についての異動はこの譲渡以外にはなかった。

| 譲渡直前の所有株式数 | 譲渡直前の１株当たりの帳簿価額 | 譲渡株式数 | 譲渡株式１株当たりの交付金銭の額 | Ａ社の１株当たりの資本金等の額 |
|---|---|---|---|---|
| 13,000株 | 1,500円 | 2,800株 | 2,400円 | 1,900円 |

⑶　当社が当期において支払った負債利子の額は8,200,000円である。

→ 解答・解説 14－9

## 問題2 みなし配当（資本の払戻し）

重要 基本 7分

**次の資料により、当社の当期における税務上の調整（法人税額から控除される所得税の額に係るものを除く。）を示しなさい。**

⑴ 当社は、A社株式（非支配目的株式等に該当する。）の発行法人である内国法人A社の資本の払戻しに伴って剰余金の配当4,200,000円（全額が資本剰余金の減少に伴うものである。）を受け、源泉徴収税額を控除した金額を、当期の収益に計上している。当該資本の払戻しに関する資料は、次のとおりである。

① 払戻直前の帳簿価額　　10,000,000円（税務上の適正額である。）

② 払戻し直前所有株式数　　13,500株

⑵ A社の発行済株式総数及び払戻し直前の資本構成等の資料は次のとおりである。

① 発行済株式総数　　450,000株

② 払戻金総額　　140,000,000円（資本剰余金の額の減少に伴う剰余金の配当額である。）

| A社の払戻し直前の資本構成 | | 前期末の資産の帳簿価額 | 前期末の負債の帳簿価額 |
|---|---|---|---|
| 資本金等の額 | その他 | | |
| 200,000,000円 | 403,000,000円 | 3,000,000,000円 | 2,397,000,000円 |

理論 計算

→ 解答・解説　14－10

## 問題３　みなし配当（解散）

基本　７分

**次の資料により、当社の当期における税務上の調整を示しなさい。**

⑴　当社は、内国法人Ａ社が発行するＡ社株式20,000株（関連法人株式等に該当する。なお、Ａ社が解散する直前の当社における帳簿価額は9,900,000円である。）を所有していたが、Ａ社が解散したことに伴い、一括として、当期において残余財産の全部の分配金として5,600,000円の交付を受け、当期の収益に計上している。

⑵　残余財産分配金の交付の基因となった財源として、Ａ社株式１株当たりの資本金等の額が200円、その他の部分が80円である。

⑶　当社が当期において支払った負債利子の額は12,900,000円である。

→ 解答・解説 14−11

## 問題4 ミニテスト

重要 基本 3分

**次の資料により、当社の当期における税務上の調整（法人税額から控除される所得税の額に係るものを除く。）を示しなさい。**

A社株式は数年前から所有（所有割合１％未満）していたものであるが、A社株式の発行会社であるA社が令和７年６月１日に相対取引により自己株式の取得を行った。当社はこれについて5,000株の売却に応じ、A社より売却代金4,928,530円（みなし配当に係る源泉徴収税額71,470円控除後の金額）の交付を受けている。なお、売却直前のA社株式１株当たりの資本金の額は500円、資本金等の額は800円である。

理論 計算

→ 解答・解説 14−11

## 問題5 ミニテスト

重要 基本 7分

次の資料に基づき、当社の当期における税務調整すべき金額を計算しなさい。

当社は、数年前からＡ社（発行済株式総数 500,000 株）の発行するＡ株式 50,000 株（帳簿価額 11,000,000 円）を所有している。Ａ社は当期においてその他資本剰余金を原資とする剰余金の配当を行った。当社は配当金として 2,800,000 円を収受し、当該金額から源泉徴収税額 163,360 円を控除した残額 2,636,640 円を雑収入に計上しただけである。

なお、Ａ社の配当直前の資本金の額などの資料は、次のとおりである。

| | | |
|---|---|---|
| ⑴ | 資本金の額 | 40,000,000 円 |
| ⑵ | 資本金等の額 | 100,000,000 円 |
| ⑶ | 配当金の総額（資本剰余金の減少額） | 28,000,000 円 |
| ⑷ | Ａ社の前期末の資産の帳簿価額 | 600,000,000 円 |
| ⑸ | Ａ社の前期末の負債の帳簿価額 | 460,000,000 円 |

理論 計算

## 問題6　ミニテスト

重要　基本　7分

**次の資料に基づき、当社の当期における税務調整すべき金額を計算しなさい。**

⑴　当社は、以前よりＢ株式 40,000 株（帳簿価額 6,000,000 円）を所有していたが、Ｂ株式の発行法人であるＢ社は前期において解散した。Ｂ社は当期に残余財産が確定したため、当社はＢ社から全部の残余財産分配金として 7,200,000 円の交付を受けている。

⑵　当社は、残余財産分配金の額を雑収入に計上しただけである。

⑶　残余財産分配金の交付の基因となったＢ株式１株当たりの資本金の額などは、次のとおりである。

①　資本金の額から成る部分の金額　　50 円

②　資本金等の額から成る部分の金額　　80 円

⑶　受取配当等の益金不算入額の計算における控除負債利子の額は 50,000 円とする。

なお、Ｂ株式は関連法人株式等に該当する。

## 解答　問題１　みなし配当（自己株式の取得）

１．有価証券の譲渡損益

⑴　みなし配当

（2,400－1,900）×2,800＝1,400,000円

⑵　有価証券

①　会社計上の簿価

1,500×13,000＝19,500,000円

②　税務上の簿価

19,500,000－1,500×2,800＝15,300,000円

③　過大計上

19,500,000－15,300,000＝4,200,000円

２．受取配当等の益金不算入

⑴　みなし配当

1,400,000円

⑵　配当等の額（関連法人株式等）

1,400,000円

⑶　控除負債利子の額

①　当期支払負債利子

8,200,000円

②　控除負債利子の額

イ　配当等の額基準額

1,400,000×４％＝56,000円

ロ　支払負債利子基準額

①×10％＝820,000円

ハ　イ＜ロ　　∴　56,000円

⑷　益金不算入額

1,400,000－56,000＝1,344,000円

（単位：円）

| 項目 | | 金額 | 留保 | 社外流出 |
|---|---|---|---|---|
| 加算 | | | | |
| 減算 | Ａ社株式過大計上 | 4,200,000 | 4,200,000 | |
| | 受取配当等の益金不算入額 | 1,344,000 | | ※ 1,344,000 |

## 解説

①　Ａ社は、公開買付により自己株式を取得しており、そのＡ社株式を譲渡した当社においてはみなし配当が生じることになります。当社にとっては、単にＡ社株式を譲渡（売却）しているに過ぎないため、譲渡原価の額の計算は、通常の有価証券の譲渡と同様に行われます。

② 自己株式の場合のみなし配当の額の計算は、１株当たりの譲渡代金から１株当たりの資本金等の額を控除して譲渡株式数を乗じて算出するのが基本です。

## 解答 問題２ みなし配当（資本の払戻し）

１．有価証券の譲渡損益

⑴ みなし配当

$4,200,000-46,600,000^{※}\times\frac{13,500}{450,000}=2,802,000$円

※① $\frac{140,000,000}{3,000,000,000-2,397,000,000}=0.2321\cdots \rightarrow 0.233$

② 200,000,000×0.233＝46,600,000円＜140,000,000円　∴ 46,600,000円

⑵ 有価証券

① 会社計上の簿価

10,000,000円

② 税務上の簿価

10,000,000－10,000,000×0.233＝7,670,000円

③ 過大計上

10,000,000－7,670,000＝2,330,000円

２．受取配当等の益金不算入

⑴ みなし配当

2,802,000円

⑵ 配当等の額（非支配目的株式等）

2,802,000円

⑶ 益金不算入額

2,802,000×20％＝560,400円

（単位：円）

| 項目 | | 金額 | 留保 | 社外流出 |
|---|---|---|---|---|
| 加算 | | | | |
| 減算 | Ａ社株式過大計上 | 2,330,000 | 2,330,000 | |
| | 受取配当等の益金不算入額 | 560,400 | | ※ 560,400 |

## 解説

① 資本の払戻しのみなし配当の計算は、資本の払戻しによる配当金の額から払戻法人の資本金等の額に払戻割合（小数点以下３位未満切上の端数処理後の割合）を乗じ、持株割合を乗じた金額を控除した金額となります。

② 資本の払戻しが行われた際に計上する譲渡原価の額は、資本の払戻直前の帳簿価額にみなし配当を計算するときに用いる払戻割合を乗じて計算します。

## 解答　問題3　みなし配当（解散）

1．有価証券の譲渡損益

⑴　みなし配当

5, 600, 000－200×20, 000＝1, 600, 000円

⑵　有価証券

①　会社計上の簿価

9, 900, 000円

②　税務上の簿価

9, 900, 000－9, 900, 000×1. 000＝0

③　過大計上

①－②＝9, 900, 000円

2．受取配当等の益金不算入

⑴　みなし配当

1, 600, 000円

⑵　配当等の額（関連法人株式等）

1, 600, 000円

⑶　控除負債利子の額

①　当期支払負債利子

12, 900, 000円

②　控除負債利子の額

イ　配当等の額基準額

1, 600, 000×４％＝64, 000円

ロ　支払負債利子基準額

①×10%＝1, 290, 000円

ハ　イ<ロ　∴　64, 000円

⑷　益金不算入額

1, 600, 000－64, 000＝1, 536, 000円

（単位：円）

| | 項　目 | 金　額 | 留　保 | 社外流出 |
|---|---|---|---|---|
| 加算 | | | | |
| 減算 | A社株式過大計上 | 9, 900, 000 | 9, 900, 000 | |
| | 受取配当等の益金不算入額 | 1, 536, 000 | | ※ 1, 536, 000 |

## 解説

解散により残余財産の全部の分配を受けた際に計上する譲渡原価の額は、譲渡直前の帳簿価額の全額となります。

## 解答 問題4 ミニテスト

⑴ みなし配当

(4,928,530＋71,470)－800×5,000＝1,000,000円

⑵ 配当等の額（非支配目的株式等）

1,000,000円

⑶ 益金不算入額

1,000,000×20%＝200,000 円

| 項目 | | 金額 | 留保 | 社外流出 |
|---|---|---|---|---|
| 加算 | | | | |
| 減算 | 受取配当等の益金不算入額 | 200,000 | | ※ 200,000 |

## 解答 問題5 ミニテスト

1．有価証券の譲渡損益

⑴ みなし配当

$2,800,000-20,000,000^{※}\times\frac{50,000}{500,000}=800,000$円

※① $\frac{28,000,000}{600,000,000-460,000,000}=0.200$ → 0.200（小数点以下３位未満切上）

② 100,000,000×0.200＝20,000,000円＜28,000,000円　∴　20,000,000円

⑵ 有価証券

① 会社計上の簿価

11,000,000円

② 税務上の簿価

11,000,000－11,000,000×0.200＝8,800,000円

③ 過大計上

11,000,000－8,800,000＝2,200,000円

2．受取配当等の益金不算入

⑴ みなし配当

800,000円

⑵ 配当等の額（その他株式等）

800,000円

⑶ 益金不算入額

800,000×50%＝400,000円

| 項目 | | 金額 | 留保 | 社外流出 |
| --- | --- | --- | --- | --- |
| 加算 | | | | |
| 減算 | A株式過大計上 | 2,200,000 | 2,200,000 | |
| | 受取配当等の益金不算入額 | 400,000 | | ※ 400,000 |
| 仮計 | | ××× | ××× | ××× |
| 法人税額控除所得税額 | | 163,360 | | 163,360 |

## 解答 問題6 ミニテスト

1．有価証券の譲渡損益

(1) みなし配当

7,200,000－80×40,000＝4,000,000円

(2) 有価証券

① 会社計上の簿価

6,000,000円

② 税務上の簿価

6,000,000－6,000,000×1.000＝０

③ 過大計上

①－②＝6,000,000円

2．受取配当等の益金不算入

(1) みなし配当

4,000,000円

(2) 配当等の額（関連法人株式等）

4,000,000円

(3) 益金不算入額

4,000,000－50,000＝3,950,000円

| 項目 | | 金額 | 留保 | 社外流出 |
| --- | --- | --- | --- | --- |
| 加算 | | | | |
| 減算 | B株式過大計上 | 6,000,000 | 6,000,000 | |
| | 受取配当等の益金不算入額 | 3,950,000 | | ※ 3,950,000 |

# Chapter 15

# 海外取引

| No | 内　容 | | 標準時間 | 重要度 | 難易度 |
|---|---|---|---|---|---|
| 問題１ | 移転価格税制（寄附金との関係） | 計算 | 10分 | A | 基本 |
| 問題２ | 移転価格税制（減価償却との関係） | 計算 | ４分 | A | 基本 |
| 問題３ | 移転価格税制（高価買入） | 計算 | 12分 | A | 基本 |
| 問題４ | タックスヘイブン税制（基本） | 計算 | ７分 | B | 基本 |
| 問題５ | タックスヘイブン税制（外国税額控除との関係） | 計算 | 12分 | B | 応用 |
| 問題６ | ミニテスト | 計算 | 10分 | A | 基本 |

→ 解答・解説　15－8

## 問題1　移転価格税制（寄附金との関係）

重要　基本　10分

**次の資料により、当社の当期における税務上の調整を示しなさい。**

⑴　当社は当期において寄附金を支出しているが、その費用に計上した寄附金の内訳は次のとおりである。

①　日本下水道事業団に対して事業運営費として支出した金額　100,000円

②　社会福祉法人Ａ会に事業拡張資金として支出した金額　250,000円

③　Ｂ市に対して図書館建設費を負担した金額　300,000円

④　Ｃ社（注）に対して支出した金額　12,350,000円

⑤　政治団体に対して支出した金額　2,000,000円

（注）Ｃ社は、当社が100%出資して数年前に設立した外国法人である。

⑵　当社は、Ｃ社から商品を輸入しており、当期におけるＣ社からの輸入額は150,000,000円であった（当期末における在庫はない。）。なお、Ｃ社から輸入した商品に係る租税特別措置法第66条の４に規定する独立企業間価格は120,000,000円である。

⑶　当社の当期末における資本金の額は30,000,000円、資本準備金の額は20,000,000円であり、当期の所得金額は56,780,000円（別表四「仮計」の金額であり、調整は不要である。）である。

## 問題2 移転価格税制（減価償却との関係）

重要　基本　4分

**次の資料により、当社の当期における税務上の調整を示しなさい。**

⑴　当社が当期において取得した減価償却資産について、検討を要するものには次のものがある。

| 種　類 | 取得価額 | 当期償却費 | 期末帳簿価額 | 法定耐用年数 | 事業供用年月日 |
|---|---|---|---|---|---|
| 機械装置A | 20,000,000円 | 1,800,000円 | 18,200,000円 | 11年 | 令和７年11月15日 |

（注）　機械装置Aは、B社（当社が50％を出資している外国法人である。）から購入したものであり、当社は購入価額をもって取得価額としている。なお、機械装置Aの租税特別措置法第66条の４に規定する独立企業間価格は12,500,000円である。

⑵　当社は、減価償却資産の償却方法として定率法を選定し届け出ており、耐用年数11年による200％定率法による償却率等は、次のとおりである。

| 償　却　率 | 0.182 |
|---|---|
| 改定償却率 | 0.200 |
| 保　証　率 | 0.05992 |

⑶　当社は、製造業を営む内国法人であり、当期末における資本金の額は150,000,000円である。

理論 計算

→ 解答・解説 15－10

## 問題3 移転価格税制（高価買入）

重要 基本 12分

**次の資料により、当社の当期における税務上の調整を示しなさい。**

⑴ 当社が当期において取得した減価償却資産について、検討を要するものには次のものがある。

| 種　類 | 取得価額 | 当期償却費 | 期末帳簿価額 | 耐用年数 | 事業供用年月日 |
|---|---|---|---|---|---|
| 機械装置Ａ | 22,000,000円 | 7,000,000円 | 15,000,000円 | 10年 | 令和７年11月10日 |
| 機械装置Ｂ | 25,000,000円 | 4,000,000円 | 21,000,000円 | ８年 | 令和８年３月11日 |

（注１） 機械装置Ａは新品のものであり、当社の子会社Ｘ社（内国法人であり、当社はＸ社の発行済株式の50％を所有している。）から購入したものである。当社は、購入価額をもって取得価額としているが、購入価額のうち15,000,000円は、実質的に贈与したと認められる金額に該当する。

（注２） 機械装置Ｂは新品のものであり、当社の親会社Ｙ社（外国法人であり、Ｙ社は当社の発行済株式の50％を所有している。）から購入したものである。当社は、購入価額をもって取得価額としているが、機械装置Ｂの租税特別措置法第66条の４に規定する独立企業間価格は11,000,000円である。

⑵ 当社には、Ｚ社（外国法人であり、当社はＺ社の発行済株式の全てを所有している。）に対する製品売上が40,000,000円あるが、この取引に係る租税特別措置法第66条の４に規定する独立企業間価格は84,000,000円である。

⑶ 当社は減価償却資産の償却方法として定率法を選定し届け出ている。なお、200％定率法の償却率等の資料は、次のとおりである。

| 耐用年数 | 償却率 | 改定償却率 | 保証率 |
|---|---|---|---|
| 8 | 0.250 | 0.334 | 0.07909 |
| 10 | 0.200 | 0.250 | 0.06552 |

⑷ 当社は、青色申告書を提出する中小企業者に該当する法人であり、当期末における資本金の額は50,000,000円、資本準備金の額は30,000,000円、利益積立金額は360,000,000円である。）である。なお、当社の当期における所得金額（別表四「仮計」の金額）は、312,000,000円（調整は不要とする。）である。

理論 計算

→ 解答・解説 15−12

## 問題4 タックスヘイブン税制（基本） 基本 7分

**次の資料により、当社の当期における特定外国子会社等の課税対象金額の益金算入額に係る税務上の調整を示しなさい。**

⑴ 当社は、X国に所在するA株式会社（以下「A社」という。）の発行済株式総数の40％に相当する株式を所有している。この他、内国法人であるB株式会社（当社との間に特殊の関係はない。）についても、A社の発行済株式総数の15％に相当する株式を所有している。

⑵ A社の設立事業年度（2025年４月１日～2025年12月31日）における租税特別措置法第66条の６に規定する基準所得金額（X国の法人所得税に関する法令により計算した金額と同額である。）は436,000ドルであり、外国法人税額は55,000ドルである。

⑶ 円換算の必要がある場合には、円換算に用いる為替相場は、すべて１ドル当たり105円であるものとする。

⑷ A社は、主たる事業を行うに必要と認められる事務所、店舗その他の固定施設を有しておらず、また、本店所在地国においてその事業の管理、支配及び運営を自ら行っていない。その他、租税回避リスクが限定的であると考えられるものに該当しない。

## 問題5　タックスヘイブン税制（外国税額控除との関係）　応用　12分

**次の資料により、当社の当期における税務上の調整及び外国税額控除額を計算しなさい。**

(1)　当社は、令和７年４月１日にＸ国に子会社Ａ社（当社はＡ社の発行済株式総数の90％を所有している。なお、Ａ社は租税特別措置法第66条の６第１項に規定する特定外国関係会社に該当し、当社は課税対象金額の益金算入の適用を受ける法人である。）を設立しているが、Ａ社の資本金の額は85,000ドルである。

(2)　Ａ社の令和７年４月１日から令和７年９月30日までの事業年度の所得金額等の資料は、次のとおりである。なお、Ａ社の決算に基づく所得金額につき、我が国の法人税に関する法令の規定に準じて計算した場合の当該事業年度の所得金額は50,000ドルであり、当社は配当金を30,000ドル収受している（この配当金につき課された外国税額は2,100ドルである。）。

①　Ｘ国の法令の規定により計算した所得金額は25,000ドルであるが、次の金額が損金の額に算入されている。

| | | |
|---|---|---|
| (イ) | 役員給与のうち法人税法の規定によると損金不算入とされるもの | 10,400ドル |
| (ロ) | 資産の評価損のうち法人税法の規定によると損金不算入とされるもの | 2,800ドル |
| (ハ) | 租税特別措置法に規定する交際費等の損金不算入額 | 2,350ドル |

②　Ａ社が①の所得金額につき、Ｘ国において課された法人所得税額は3,645ドルであり、令和７年10月30日に申告し、納付している。

(3)　当社の当期における所得金額（別表四「差引計」の金額）は30,200,000円であり、法人税額（別表一「差引法人税額」の金額）は7,006,400円である。なお、当期の国外源泉所得の金額の計算上、損金として配分する経費の額は522,000円と計算されている。

（注）　円換算に用いる為替相場は、すべて１ドル当たり110円であるものとする。

理論 計算

→ 解答・解説 15－14

## 問題6 ミニテスト

重要 基本 10分

**次の資料により、当社の当期における税務上の調整を示しなさい。**

⑴ 当社は自社製品（通常売価1,000,000円、原価300,000円）を子会社であるＡ社及びＢ社に販売している。その販売状況に関する資料は次のとおりである。なお、売上原価は適正に処理されている。

① 内国子会社Ａ社（出資割合50％）　100台

当社はＡ社の資金援助の目的で１台当たり500,000円で販売しており、当期において次の経理処理をしている。

（現　　金）　50,000,000円　　（売　　上）　50,000,000円

② 外国子会社Ｂ社（出資割合50％）　50台

当社はＢ社の業績悪化に対する防止策として、１台当たり400,000円で販売しており、当期において次の経理処理をしている。

（現　　金）　20,000,000円　　（売　　上）　20,000,000円

なお、租税特別措置法第66条の４第２項に規定する独立企業間価格は１台当たり1,000,000円である。

⑵ 上記⑴を除き、当期の寄附金の額の内訳は次のとおりである。

① 国等に対するもの　6,500,000円

② 特定公益増進法人に対するもの　4,360,000円

③ その他　26,508,000円

（注）③には、外国子会社Ｂ社に対し業務拡張費として現金10,000,000円を支出した金額が含まれている。

⑶ 当期の所得金額（別表四の仮計・調整不要）は246,912,000円である。

⑷ 当社の当期末における資本金の額は４億、資本準備金の額は４千万円である。

Ch 1 Ch 2 Ch 3 Ch 4 Ch 5 Ch 6 Ch 7 Ch 8 Ch 9 Ch 10 Ch 11 Ch 12 Ch 13 Ch 14 Ch 15 Ch 16 Ch 17 Ch 18 総合問題

## 解答　問題1　移転価格税制（寄附金との関係）

1．移転価格否認

150,000,000−120,000,000＝30,000,000円

2．寄附金の損金不算入額

⑴　支出寄附金

①　指定寄附金等

300,000円

②　特定公益増進法人等

250,000円

③　一般寄附金

100,000＋2,000,000＝2,100,000円

④　国外関連者

12,350,000円

⑤　合　計

①＋②＋③＋④＝15,000,000円

⑵　損金算入限度額

①　一般寄附金の損金算入限度額

(ｲ)　資本基準額

$(30,000,000+20,000,000)\times\frac{12}{12}\times\frac{2.5}{1,000}=125,000$円

(ﾛ)　所得基準額

$(56,780,000+15,000,000)\times\frac{2.5}{100}=1,794,500$円

(ﾊ)　$((ｲ)+(ﾛ))\times\frac{1}{4}=479,875$円

②　特別損金算入限度額

(ｲ)　資本基準額

$(30,000,000+20,000,000)\times\frac{12}{12}\times\frac{3.75}{1,000}=187,500$円

(ﾛ)　所得基準額

$(56,780,000+15,000,000)\times\frac{6.25}{100}=4,486,250$円

(ﾊ)　$((ｲ)+(ﾛ))\times\frac{1}{2}=2,336,875$円

⑶　損金不算入額

①　国外関連者に対するもの

12,350,000円

②　①以外

⑴⑤−⑴④−⑴①−※⑴②−⑵①＝1,620,125円

※　⑴②＜2,336,875円　　∴　⑴②

③　①＋②＝13,970,125円

（単位：円）

| 項　　目 | | 金　額 | 留　保 | 社外流出 |
|---|---|---|---|---|
| 加算 | 移転価格否認（C社） | 30,000,000 | | 30,000,000 |
| 減算 | | | | |
| 仮　計 | | 56,780,000 | ××× | ××× |
| 寄附金の損金不算入額 | | 13,970,125 | | 13,970,125 |

## 解説

① C社は、当社が100%（50%以上）出資している外国法人であるため、当社の国外関連者に該当します。

② C社に対する寄附金の額は、国外関連者に対する寄附金に該当するため、全額が損金不算入とされます。

③ 当社はC社から独立企業間価格が120,000,000円である商品を150,000,000円の対価の額で仕入れていることから、その独立企業間価格と対価の額との差額は、移転価格否認として損金不算入とされます。

## 解答　問題2　移転価格税制（減価償却との関係）

**1．移転価格否認（機械装置A減額）**

20,000,000－12,500,000＝7,500,000円

**2．減価償却**

**(1) 償却限度額**

12,500,000×0.182＝2,275,000円≧12,500,000×0.05992＝749,000円

∴　$2,275,000\times\frac{5}{12}$＝947,916円

**(2) 償却超過額**

1,800,000－947,916＝852,084円

（単位：円）

| 項　　目 | | 金　額 | 留　保 | 社外流出 |
|---|---|---|---|---|
| 加算 | 移転価格否認（B社） | 7,500,000 | | 7,500,000 |
| | 減価償却超過額（機械装置A） | 852,084 | 852,084 | |
| 減算 | 機械装置A減額 | 7,500,000 | 7,500,000 | |

## 解説

① Ｂ社は、当社が50%（50%以上）出資している外国法人であるため、当社の国外関連者に該当します。

② 当社はＢ社から独立企業間価格が12,500,000円である機械装置Ａを20,000,000円の対価の額（購入価額）で取得していることから、その独立企業間価格と対価の額との差額は、移転価格否認として損金不算入とされます。

③ 上記②で損金不算入とされた金額は、機械装置Ａとして資産に計上されている金額であり、費用に計上されていない金額であることから、同額を機械装置Ａの取得価額を減額し、損金の額に算入することになります。

④ 償却限度額は、上記③の減額後の取得価額に基づいて計算します。

## 解答　問題３ 移転価格税制（高価買入）

1．移転価格否認

(1) Ｙ　社

25,000,000－11,000,000＝14,000,000円

(2) Ｚ　社

84,000,000－40,000,000＝44,000,000円

2．減価償却

(1) 機械装置Ａ

① 償却限度額

(イ) 普通償却

※7,000,000×0.200＝1,400,000円≧7,000,000×0.06552＝458,640円

∴　1,400,000×$\frac{5}{12}$＝583,333円

※　22,000,000－15,000,000＝7,000,000円

(ロ) 特別償却

7,000,000×30%＝2,100,000円

(ハ) (イ)＋(ロ)＝2,683,333円

② 償却超過額

7,000,000－2,683,333＝4,316,667円

(2) 機械装置Ｂ

① 償却限度額

(イ) 普通償却

11,000,000×0.250＝2,750,000円≧11,000,000×0.07909＝869,990円

∴　2,750,000×$\frac{1}{12}$＝229,166円

(ロ) 特別償却

11,000,000×30%＝3,300,000円

(ハ) (イ)＋(ロ)＝3,529,166円

② 償却超過額

4,000,000－3,529,166＝470,834円

3．寄附金の損金不算入額

(1) 支出寄附金

15,000,000円

(2) 一般寄附金の損金算入限度額

① 資本基準額

$(50,000,000+30,000,000)\times\frac{12}{12}\times\frac{2.5}{1,000}=200,000$円

② 所得基準額

$(312,000,000+15,000,000)\times\frac{2.5}{100}=8,175,000$円

③ $(①+②)\times\frac{1}{4}=2,093,750$円

(3) 損金不算入額

(1)－(2)③＝12,906,250円

（単位：円）

| | 項目 | 金額 | 留保 | 社外流出 |
|---|---|---|---|---|
| 加算 | 移転価格否認 | | | |
| | （Y社） | 14,000,000 | | 14,000,000 |
| | （Z社） | 44,000,000 | | 44,000,000 |
| | 減価償却超過額 | | | |
| | （機械装置A） | 4,316,667 | 4,316,667 | |
| | （機械装置B） | 470,834 | 470,834 | |
| 減算 | 寄附金認定損 | | | |
| | （X社） | 15,000,000 | 15,000,000 | |
| | 機械装置B減額 | 14,000,000 | 14,000,000 | |
| 仮計 | | 312,000,000 | ××× | ××× |
| 寄附金の損金不算入額 | | 12,906,250 | | 12,906,250 |

## 解説

機械装置Aについて、15,000,000円は実質的に贈与したと認められる金額に該当するとあります。これは、機械装置Aの時価が7,000,000円（22,000,000円－15,000,000円）であることを意味していますが、実質的に贈与したと認められる金額は寄附金の額に該当し、寄附金の損金不算入の対象となります。この寄附金について、当社は機械装置Aとして資産に計上し、費用となっていないことから、別表四で寄附金認容（減算留保）の調整を行って、機械装置Aの取得価額を減額するとともに、費用（寄附金）を認識することになります。

## 解答　問題4　タックスヘイブン税制（基本）

⑴　判　定

①　外国関係会社の判定

40%＋15%＝55%＞50%　　∴　外国関係会社

②　特定外国関係会社等の判定

Ａ社は、主たる事業を行うに必要と認められる事務所等の固定施設を有しておらず、また、本店所在地国においてその事業の管理、支配及び運営を自ら行っていない。その他、租税回避リスクが限定的であると考えられるものに該当しない。

∴　特定外国関係会社

③　適用対象内国法人の判定

40%≧10%　　∴　該当

④　適用除外の判定

$\frac{55,000ドル}{436,000ドル}$＝12.6…%＜27%　　∴　適用あり

⑵　適用対象金額

436,000ドル

⑶　課税対象金額

436,000ドル×40%＝174,400ドル

174,400ドル×105＝18,312,000円

（単位：円）

| | 項　　　目 | 金　　額 | 留　　保 | 社外流出 |
|---|---|---|---|---|
| 加算 | 課税対象金額の益金算入額 | 18,312,000 | | 18,312,000 |
| 減算 | | | | |

## 解説

①　Ａ社は、当社及び内国法人であるＢ株式会社に発行済株式総数の55%（40%＋15%）を所有されていることから、外国関係会社に該当します。

②　外国関係会社のうち、イ主たる事業を行うに必要と認められる事務所等の固定施設を有しておらず、ロ本店所在地国においてその事業の管理、支配及び運営を自ら行っていない、ハさらにその他、租税回避リスクが限定的であると考えられるものに該当しないものが特定外国関係会社に該当します。

③　当社の所有割合が10%以上であることから、当社は適用対象内国法人に該当し、課税対象金額の益金算入額を計算する必要があります。なお、租税負担割合が27%以上の場合は、益金算入の適用除外となります。

## 解答　問題5 タックスヘイブン税制（外国税額控除との関係）

1．課税対象金額の益金算入額

⑴　基準所得金額

①　我が国の法令による場合

50,000ドル

②　現地の法令による場合

25,000＋10,400＋2,800＋2,350＝40,550ドル

③　①＞②　　∴　40,550ドル

⑵　課税対象金額

40,550×90%×110＝4,014,450円

2．特定外国関係会社等の配当等の益金不算入額

30,000ドル×110＝3,300,000円

3．控除対象外国法人税額

$3,645 \times \frac{40,550 \times 90\%}{40,550} \times 110 = 360,855円 \leqq 4,014,450円$　　∴　360,855円

（単位：円）

| 項目 | | 金額 | 留保 | 社外流出 |
|---|---|---|---|---|
| 加算 | 課税対象金額の益金算入額 | 4,014,450 | | 4,014,450 |
| 減算 | 特定外国関係会社等の配当等の益金不算入額 | 3,300,000 | | ※ 3,300,000 |
| 仮計 | | | | |
| 控除対象外国法人税額 | | 360,855 | | 360,855 |

4．控除外国税額

⑴　控除対象外国法人税額

360,855円

⑵　控除限度額

$7,006,400 \times \frac{※3,622,305}{30,200,000} = 840,374円$

※①　4,014,450＋360,855＋3,300,000－2,100ドル×110－3,300,000－522,000＝3,622,305円

②　30,200,000×90%＝27,180,000円

③　①＜②　　∴　3,622,305円

⑶　⑴＜⑵　　∴　360,855円

## 解説

①　当社は問題文から、課税対象金額の益金算入額を計算する必要がありますが、A社は令和７年４月１日に設立され、その設立事業年度は令和７年９月30日に終了することから、当期が適用初年度となっています。適用初年度である場合には、基準所得金額は、我が国の法令による所得金額（一定の調整を加えた金額）と現地の法令による所得金額（一定の調整を加えた金額）との選択ができます。益

金算入額が少なく計算されるいずれか少ない金額を選択することになります。

② 特定外国関係会社等の所得（一定の調整をした金額。適用対象金額）はすべて、基本的に持ち分に応じて（課税対象金額）、あたかも配当等がされたかのように課税されますので、実際配当がされた場合には、全額益金不算入となります。

③ 控除対象外国法人税額は、A社の法人所得税額（特定外国関係会社等の外国法人税額）のうち課税対象金額に対応する金額となります。

④ 外国税額控除に係る控除限度額の計算上使用する国外源泉所得の金額は、次の金額となります。

国外源泉所得＝課税対象金額の益金算入額（4, 014, 450）＋控除対象外国法人税額（360, 855）
＋A社からの配当金（3, 300, 000）－特定外国関係会社等の配当等の益金不算入に係る外国税額の損金算入（2, 100ドル×110）－特定外国関係会社等の益金不算入額（3, 300, 000）－国外源泉所得の金額の計算上損金として配分する経費の額(522, 000)

（注） 外国子会社等の配当等の益金不算入に係る外国税額は損金不算入ですが、特定外国関係会社等の配当等の益金不算入に係る外国税額は損金算入となります。

## 解答　問題6 ミニテスト

1．移転価格否認

(1, 000, 000－400, 000) ×50＝30, 000, 000円

2．寄附金の損金不算入

(1) 支出寄附金

① 指定寄附金等　6, 500, 000円

② 特定公益増進法人等　4, 360, 000円

③ その他の寄附金　26, 508, 000＋(1, 000, 000－500, 000) ×100－10, 000, 000
＝66, 508, 000円

④ 国外関連者　10, 000, 000円

⑤ 合　計　①＋②＋③＋④＝87, 368, 000円

(2) 損金算入限度額

① 一般寄附金の損金算入限度額

(イ) 資本基準額

$(400,000,000+40,000,000) \times \frac{12}{12} \times \frac{2.5}{1,000} = 1,100,000$円

(ロ) 所得基準額

$(246,912,000+87,368,000) \times \frac{2.5}{100} = 8,357,000$円

(ハ) ((イ)＋(ロ)) $\times \frac{1}{4} = 2,364,250$円

② 特別損金算入限度額

(イ) 資本基準額

$(400,000,000+40,000,000) \times \frac{12}{12} \times \frac{3.75}{1,000} = 1,650,000$円

(ロ) 所得基準額

$(246,912,000+87,368,000)\times\frac{6.25}{100}=20,892,500$円

(ハ) $((イ)+(ロ))\times\frac{1}{2}=11,271,250$円

(3) 損金不算入

① 国外関係者に対するもの　10,000,000円

② ①以外　(87,368,000－10,000,000)－6,500,000－※4,360,000－2,364,250
＝64,143,750円
※　4,360,000円＜11,271,250円　∴　4,360,000円

③ ①＋②＝74,143,750円

| | 項　　目 | 総　　額 | 留　　保 | 社外流出 |
|---|---|---|---|---|
| 加算 | 移転価格否認（B社） | 30,000,000 | | 30,000,000 |
| 減算 | | | | |
| 仮　計 | | 246,912,000 | | |
| 寄附金の損金不算入額 | | 74,143,750 | | 74,143,750 |

# ········ *Memorandum Sheet* ········

# Chapter 16

# 組織再編成

| No | 内　容 | | 標準時間 | 重要度 | 難易度 |
|---|---|---|---|---|---|
| 問題１ | 適格判定（合併） | 計算 | ５分 | A | 応用 |
| 問題２ | みなし配当（合併⑴） | 計算 | ３分 | A | 基本 |
| 問題３ | みなし配当（合併⑵） | 計算 | ５分 | A | 基本 |
| 問題４ | 適格合併による移転減価償却資産・合併法人 | 計算 | 12分 | B | 応用 |
| 問題５ | 適格合併があった場合の貸倒引当金・合併法人 | 計算 | ７分 | B | 応用 |
| 問題６ | 非適格合併等による移転資産等に係る調整勘定 | 計算 | ５分 | B | 応用 |
| 問題７ | 適格現物出資 | 計算 | ４分 | B | 基本 |
| 問題８ | 適格現物出資 | 計算 | ７分 | A | 基本 |
| 問題９ | 現物分配 | 計算 | ３分 | A | 基本 |
| 問題10 | 株式交換等（金銭等不交付株式交換） | 計算 | ３分 | A | 基本 |
| 問題11 | 株式交換等（金銭等不交付株式交換でない場合） | 計算 | ３分 | A | 基本 |
| 問題12 | ミニテスト | 計算 | 10分 | A | 応用 |
| 問題13 | ミニテスト | 計算 | 15分 | A | 応用 |
| 問題14 | ミニテスト | 計算 | ５分 | A | 基本 |
| 問題15 | ミニテスト | 計算 | ５分 | A | 基本 |
| 問題16 | ミニテスト | 計算 | ７分 | A | 基本 |

→ 解答・解説 16－18

## 問題１ 適格判定（合併）

重要 応用 5分

**次の資料により、設問ごとに適格合併であるか非適格合併であるかを示しなさい。**

内国法人であるＡ株式会社（以下「Ａ社」という。）は、当期において内国法人であるＢ株式会社（以下「Ｂ社」という。）との間で、吸収合併契約を締結している。なお、この吸収合併は、Ａ社を合併法人とし、Ｂ社を被合併法人とするものである。

**【設問１】**

⑴ 合併の直前において、Ａ社はＢ社の発行済株式総数の60％を所有していた。

⑵ Ａ社は、Ｂ社の主要な事業を引き続き営むこととし、合併後において、合併の直前におけるＢ社の従業者の80％以上がＡ社の業務に従事している。

⑶ Ａ社は、Ｂ社との合併の対価として、Ｂ社の株主に対しＡ社株式以外の資産は交付していない。

**【設問２】**

⑴ 合併の直前において、Ａ社とＢ社は共に発行済株式総数の100％をＣ社に所有されていた。

⑵ Ｃ社は、合併後も継続してＡ社株式を所有することとしている。

⑶ Ａ社は、Ｂ社との合併の対価として、Ｃ社に対しＡ社株式及び金銭を交付している。

**【設問３】**

⑴ 合併の直前において、Ａ社とＢ社の間に資本関係はなかったが、Ａ社とＢ社はいずれも卸売業を営んでおり同一の商品を取り扱っていた。

⑵ 合併後において、合併の直前におけるＢ社の代表取締役はＡ社の専務取締役に就任している。

⑶ Ａ社は、Ｂ社の主要な事業を引き続き営むこととし、合併後において、合併直前におけるＢ社の従業者の85％がＡ社の業務に従事している。

⑷ Ａ社は、Ｂ社との合併の対価として、Ｂ社株主（70人）に対してＡ社株式及びＢ社の合併前の最終の事業年度に係る剰余金の配当として金銭を交付している。なおＢ社株主のうちそのＢ社株式の50％超を保有する株主がいるが、その交付を受けた合併法人等の株式の全部を継続して保有することが見込まれている。

理論 計算

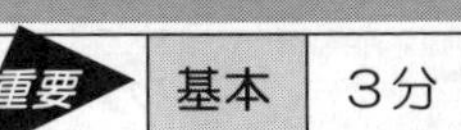


## 問題2 みなし配当（合併(1)）

重要 基本 3分

**次の資料により、当社の当期における税務上の調整（株式の期末帳簿価額に関する調整に限る。）を示しなさい。**

(1) 当社が数年前に取得し、所有してきたA社株式の発行法人であるA株式会社は、令和7年7月3日にB株式会社に吸収合併されている。当社は、この吸収合併に伴いB社株式の交付を受けているが、合併直前のA社株式の帳簿価額等の資料は次のとおりである。

① 合併直前のA社株式の1株当たりの帳簿価額　700円（所有株式数は3,000株である。）

② 交付を受けたB社株式の時価　500円（5,500株の交付を受けている。）

③ B株式会社からのみなし配当の通知額　1,400,000円（総額である。）

なお、当社は、合併の対価として金銭の交付は受けていない。

(2) 当社は、B社株式の取得価額としてA社株式の合併直前の帳簿価額を引き継ぐ処理をし、源泉所得税等214,410円については租税公課として当期の費用に計上している。

理論 計算

→ 解答・解説 16−20

## 問題３ みなし配当（合併⑵）

基本 5分

**次の資料により、当社の当期における税務上の調整を示しなさい。**

⑴ 当社が数年前に取得し、継続して所有してきたＡ社株式の発行法人である内国法人Ａ株式会社は、当期においてＢ株式会社に吸収合併されている。

当社が当該合併の直前において所有していたＡ社株式は20,000株（合併直前の１株当たりの帳簿価額は710円である。）であり、これに対して、次のとおり合併法人Ｂ社が合併に当たって発行した株式及び金銭の交付を受けている。

| | |
|---|---|
| ① 交付を受けたＢ社株式の数 | Ａ社株式１株当たりＢ社株式２株 |
| ② 交付を受けた金銭の額 | Ａ社株式１株当たり200円（Ａ株式会社の最終の事業年度に係る剰余金の配当として交付を受けたものである。） |

（注） 当社は、みなし配当の額がＡ社株式１株当たり400円である旨の通知を受けている。

⑵ 当社は、⑴の取引についてＢ社株式の取得価額としてＡ社株式の合併直前の帳簿価額を付すとともに、交付を受けた金銭の額を当期の収益に計上している。

⑶ Ａ社株式は、関連法人株式等に該当するものである。なお、受取配当等の益金不算入額を計算する場合における控除負債利子の額は128,400円と計算されている。

## 問題4 適格合併による移転減価償却資産・合併法人　応用　12分

**次の資料により、当社の当期における税務上の調整を示しなさい。**

なお、当社は、償却方法の選定の届出はしていない。また、特に記載があるものを除き、耐用年数は法定耐用年数によることとする。

| 種類 | 取得価額 | 受入帳簿価額 | 当期償却費 | 法定耐用年数 |
|---|---|---|---|---|
| 建物B | 50,000,000円 | 26,000,000円 | 800,000円 | 24年 |
| 建物C | 38,000,000円 | 35,000,000円 | 2,000,000円 | 24年 |
| 機械 | 4,000,000円 | 2,900,000円 | 600,000円 | 10年 |
| 一括償却資産 | 2,700,000円 | − | − | − |

(注1)　当社は、当期の８月１日を合併期日として、Ａ社と適格合併を行い、その合併により、上記の減価償却資産を、Ａ社から引き継いでいる。なお、取得価額はＡ社における取得価額である。

(注2)　建物Ｂは、Ａ社が平成10年４月４日に事業供用したものである。なお、Ａ社における移転直前の帳簿価額は26,300,000円となっていたものである。

(注3)　建物Ｃは、Ａ社が、令和３年に取得し、４年間事業の用に供したものである。なお、建物Ｃは、当社において中古資産の耐用年数を計算するものとする。

(注4)　機械は、Ａ社が令和６年４月15日に事業の用に供したものである。なお、Ａ社において生じていた減価償却超過額で繰り越された金額が85,600円ある。

(注5)　一括償却資産は、Ａ社において、最後事業年度(自令和７年４月１日至令和７年７月31日)に事業の用に供し、消耗品費勘定に計上されたものである。なお、上記の一括償却資産の取得価額は、取得価額の合計額である。

(注6) 償却率等は、次のとおりである。

| 耐用年数 | 定額法償却率 | 250%定率法 | | | 200%定率法 | | | 旧定額法償却率 | 旧定率法償却率 |
|---|---|---|---|---|---|---|---|---|---|
| | | 償却率 | 改定償却率 | 保証率 | 償却率 | 改定償却率 | 保証率 | | |
| 10 | 0.100 | 0.250 | 0.334 | 0.04448 | 0.200 | 0.250 | 0.06552 | 0.100 | 0.206 |
| 20 | 0.050 | 0.125 | 0.143 | 0.02517 | 0.100 | 0.112 | 0.03486 | 0.050 | 0.109 |
| 21 | 0.048 | 0.119 | 0.125 | 0.02408 | 0.095 | 0.100 | 0.03335 | 0.048 | 0.104 |
| 24 | 0.042 | 0.104 | 0.112 | 0.02157 | 0.083 | 0.084 | 0.02969 | 0.042 | 0.092 |

理論 計算

→ 解答・解説 16−22

## 問題5 適格合併があった場合の貸倒引当金・合併法人 応用 7分

**次の資料により、当社の当期における税務上の調整を示しなさい。**

(1) 当社（製造業を営んでいる。）は、当期末における資本金の額が50,000,000円（株主はすべて個人である。）の製造業を営む内国法人であるが、当期の11月1日を合併期日として、A社と適格合併を行っている。当期末における貸借対照表に計上されている売掛金等の債権の金額（貸倒引当金控除前の金額）は、200,000,000円である。

(2) 基準年度における期末一括評価金銭債権の帳簿価額及び原則法により計算した実質的に債権とみられないものの額は、当社及びA社においてそれぞれ次のとおりである。なお、実質的に債権とみられないものの額は、簡便法によることとする。

① 当 社

| 事業年度 | 一括評価金銭債権の帳簿価額 | 実質的に債権とみられないものの額 |
|---|---|---|
| 平成27年4月1日～平成28年3月31日 | 205,800,000円 | 8,000,000円 |
| 平成28年4月1日～平成29年3月31日 | 213,000,000円 | 10,200,000円 |

② A 社

| 事業年度 | 一括評価金銭債権の帳簿価額 | 実質的に債権とみられないものの額 |
|---|---|---|
| 平成28年3月1日～平成29年2月28日 | 190,300,000円 | 7,500,000円 |
| 平成29年3月1日～平成30年2月28日 | 164,600,000円 | 8,400,000円 |

(3) 当社の最近の各事業年度末における一括評価金銭債権の額及び貸倒損失の額は、当社及びA社においてそれぞれ次のとおりである。

① 当 社

| 区分＼事業年度 | 令4.4.1～令5.3.31 | 令5.4.1～令6.3.31 | 令6.4.1～令7.3.31 |
|---|---|---|---|
| 一括評価金銭債権の額 | 203,000,000円 | 205,800,000円 | 247,200,000円 |
| 貸倒損失の額 | 552,000円 | 635,000円 | 2,553,000円 |

② A 社

| 区分＼事業年度 | 令4.3.1～令5.2.28 | 令5.3.1～令6.2.29 | 令6.3.1～令7.2.28 | 令7.3.1～令7.10.31 |
|---|---|---|---|---|
| 一括評価金銭債権の額 | 164,600,000円 | 190,300,000円 | 166,600,000円 | 177,410,000円 |
| 貸倒損失の額 | 1,914,000円 | 1,242,000円 | 1,965,000円 | 1,225,000円 |

(4) 当社が当期において損金経理により繰り入れた貸倒引当金の額は3,000,000円である。また、当社が前期において損金経理により繰り入れた貸倒引当金の額2,000,000円（うち繰入超過額870,000円が含まれている。）及びA社から引き継いだ貸倒引当金1,500,000円（うち繰入超過額680,000円が含まれている。）は、当期にその全額を取り崩して収益に計上している。

理論 計算

→ 解答・解説 16−23

## 問題6 非適格合併等による移転資産等に係る調整勘定

応用 5分

**次の資料により、当社の当期における税務上の調整を示しなさい。**

⑴ 当社は、当期においてＡ社と事業譲受契約を締結し、Ａ社が営む機械部品製造事業のすべての資産及び権利義務を令和７年６月１日付で譲り受けた。

⑵ 当社における機械部品製造事業の会計上の受入仕訳は次のとおりである。

| | | | | | |
|---|---|---|---|---|---|
| （借） | 売掛債権 | 40,000,000円 | （貸） | 買掛債務 | 25,000,000円 |
| （借） | 棚卸資産 | 20,000,000円 | （貸） | 退職給付引当金 | 20,000,000円 |
| （借） | その他資産 | 90,000,000円 | （貸） | 賞与引当金 | 2,000,000円 |
| | | | （貸） | 負ののれん（負債） | 43,000,000円 |
| | | | （貸） | 譲受対価・現金預金 | 60,000,000円 |

（注） 退職給付引当金勘定の金額及び賞与引当金勘定の金額は、一般に公正妥当と認められる会計処理基準により計上されたものである。なお、退職給与引受従業者は10人であり、当期において１人退職している。

理論 計算

→ 解答・解説 16－24

## 問題7 適格現物出資 基本 4分

**次の資料により、当社の当期における税務上の調整を示しなさい。**

⑴ 当社は、設立当時から小売業及び製造業を営んでいたが、経営の効率化を図るため、当期において小売業部門に属する資産及び負債を現物出資して、Ａ社を新たに設立（当社の持株割合は100％である。）し、事業を移転している。

（注） この現物出資は、法人税法上の適格現物出資に該当するものである。

⑵ 当社が現物出資により移転した資産及び負債に関する事項は次のとおりである。

① 資産の移転直前の帳簿価額 75,000,000円（時価72,500,000円）

② 負債の移転直前の帳簿価額 9,000,000円（時価 9,000,000円）

（注） 資産には減価償却資産が含まれており、繰越償却超過額が660,000円ある。

⑶ 当社は、上記の現物出資に伴いＡ社株式を取得しているが、当社が行った経理処理は次のとおりである。なお、雑損失として計上されている475,000円は、Ａ社株式の交付を受けるために支出したものである。

| | | | |
|---|---|---|---|
| （負　　債） | 9,000,000円 | （資　　産） | 75,000,000円 |
| （譲　渡　損） | 6,000,000円 | | |
| （Ａ 社 株 式） | 60,000,000円 | | |
| （雑　損　失） | 475,000円 | （現　　金） | 475,000円 |

理論 計算

➜ 解答・解説　16－24

## 問題8　適格現物出資

重要　基本　7分

**次の資料により、当社の当期における税務上の調整を示しなさい。**

⑴　当社は、令和７年４月１日に、その営む事業の分社化することを目的として、現金30,000,000円を払い込み、100％子会社であるＡ社（資本金30,000,000円）を設立した。

なお、当社はＡ社の発行済株式の全部を継続して当期末まで保有しており、今後も継続保有する見込みである。

⑵　当社は、令和８年３月１日に、土地（時価90,000,000円、期首帳簿価額68,000,000円）及び建物（時価14,000,000円、取得価額20,000,000円、期首帳簿価額12,000,000円、旧定額法適用、法定耐用年数17年、旧定額法の償却率の年率0.058）を借入金60,000,000円と併せて、上記⑴で設立したＡ社に現物出資した。これについて、当社は、次のとおりの経理処理を行っている。

| | | | |
|---|---|---|---|
| （減価償却費） | 1,000,000円 | （建　　物） | 1,000,000円 |
| （借　入　金） | 60,000,000円 | （土　　地） | 68,000,000円 |
| （Ａ社株式） | 50,000,000円 | （建　　物） | 11,000,000円 |
| | | （固定資産売却益） | 31,000,000円 |

(理論)(計算)

## 問題9　現物分配　重要　基本　3分

**次の資料により、当社の当期における税務上の調整を示しなさい。**

⑴　当社は、A社の発行済株式の全てを数年前より所有しているが、令和7年11月24日に当社はA社から剰余金の配当によりA社がその発行済株式の100%を所有しているB社株式の全ての交付を受けている。なお、交付時におけるB社株式の時価は32,500,000円であり、A社におけるB社株式の交付直前の帳簿価額は8,000,000円であった。

⑵　当社は、A社から交付を受けたB社株式ついて、時価をもって取得価額とする次の経理を行っている。

（B　社　株　式）　32,500,000円　（受取配当金）　32,500,000円

⑶　当該剰余金の配当は、法人税法上の適格現物分配の要件を満たすものである。

理論 計算

→ 解答・解説 16−26

## 問題10 株式交換等（金銭等不交付株式交換）

重要 基本 3分

**次の資料により、当社の当期における税務上の調整を示しなさい。**

⑴ 当社は、内国法人Ａ社が発行するＡ社株式を保有していたが、令和７年５月24日にＡ社は会社法に規定する株式交換によりＢ社の完全子会社になることとなり、当社は当社の有するＡ社株式のすべてをＢ社に移転し、Ｂ社が発行するＢ社株式の割当てを受けている。

⑵ この株式交換に係る資料は、次のとおりである。

① 株式交換直前の当社が所有するＡ社株式数　　15,000株（帳簿価額は12,900,000円である。）

② Ｂ社から割当てを受けたＢ社株式数　　15,000株（時価総額は12,765,000円である。）

⑶ 当社は、割当てを受けたＢ社株式の取得価額として、Ａ社株式の株式交換直前の帳簿価額を付している。なお、交付を受けるために要した費用74,500円を支出しているが、当期の費用に計上されている。

理論 計算

→ 解答・解説　16－26

## 問題11　株式交換等（金銭等不交付株式交換でない場合）

基本　3分

**次の資料により、当社の当期における税務上の調整を示しなさい。**

⑴　当社は、内国法人Ａ社が発行するＡ社株式を保有していたが、令和７年８月15日にＡ社は会社法に規定する株式交換によりＢ社の完全子会社になることとなり、当社は当社の有するＡ社株式のすべてをＢ社に移転し、Ｂ社が発行するＢ社株式の割当てを受けている。

⑵　この株式交換に係る資料は、次のとおりである。なお、金銭等不交付株式交換に該当しない。

①　株式交換直前の当社が所有するＡ社株式数　　12,500株（帳簿価額は24,500,000円である。）

②　Ｂ社から割当てを受けたＢ社株式数　　12,500株（時価総額は85,500,000円である。）

③　取得した交付金の額　　Ａ社株式１株当たり35円（総額で437,500円である。）

⑶　当社は、割当てを受けたＢ社株式の取得価額として、Ａ社株式の株式交換直前の帳簿価額を付している。なお、取得した交付金の額は、当期の収益に計上されている。

理論 計算

→ 解答・解説 16−27

## 問題12 ミニテスト

重要 応用 10分

**次の資料により、当社の当期(自令和7年4月1日至令和8年2月28日)における税務上の調整を示しなさい。**

なお、当社は、償却方法の選定の届出はしていない。また、特に記載があるものを除き、耐用年数は法定耐用年数によることとする。

| 種　類 | 取得価額 | 期首帳簿価額 | 当期償却費 | 法定耐用年数 |
|---|---|---|---|---|
| 建　物　A | 50,000,000円 | 26,000,000円 | 3,000,000円 | 24年 |
| 建　物　B | 38,000,000円 | 35,000,000円 | 2,000,000円 | 24年 |
| 機　　械 | 4,000,000円 | 2,900,000円 | 600,000円 | 10年 |

(注1)　建物Aは、平成10年3月4日に事業供用したものである。

(注2)　建物Bは、平成19年4月に取得したものである。

(注3)　機械は、平成29年4月15日に事業の用に供したものである。

| 耐用年数 | 定額法償却率 | 250%定率法 | | | 200%定率法 | | | 旧定額法償却率 | 旧定率法償却率 |
|---|---|---|---|---|---|---|---|---|---|
| | | 償却率 | 改定償却率 | 保証率 | 償却率 | 改定償却率 | 保証率 | | |
| 10 | 0.100 | 0.250 | 0.334 | 0.04448 | 0.200 | 0.250 | 0.06552 | 0.100 | 0.206 |
| 24 | 0.042 | 0.104 | 0.112 | 0.02157 | 0.083 | 0.084 | 0.02969 | 0.042 | 0.092 |
| 26 | 0.039 | 0.096 | 0.100 | 0.01989 | 0.077 | 0.084 | 0.02716 | 0.039 | 0.085 |
| 27 | 0.038 | 0.093 | 0.100 | 0.01902 | 0.074 | 0.077 | 0.02624 | 0.037 | 0.082 |

理論 計算

→ 解答・解説 16−28

## 問題13 ミニテスト

重要 応用 15分

**次の資料により、甲社の当期（通常の事業年度は５月１日から４月30日まで）における税務調整すべき金額を計算しなさい。**

甲社と乙社は、甲社の工具製造に関する技術と、乙社が構築した工具の販売網とを統合することによる相乗効果によって、工具の企画開発から流通までを包含する総合的な企業として発展させることを目的として、甲と乙は合併（適格）し、甲は解散し、乙は存続する以下の合併契約を締結（合併期日は令和８年２月１日）する。なお、甲社が合併により、引継ぎをした減価償却資産は次のとおりであり、移転に際して譲渡損益は計上しないものとする。

（単位：円）

| 内容 | 数量 | 取得年月 | 償却方法 | 耐用年数 | 取得価額 | 期首残高 | 減価償却費 | 期末残高 |
|---|---|---|---|---|---|---|---|---|
| A 建 物 | 1 | 平19. 3 | 旧定額 | 38 | 46,000,000 | 38,000,000 | 1,000,000 | 37,000,000 |
| B 建 物 | 1 | 平19. 3 | 旧定額 | 31 | 39,000,000 | 30,000,000 | 800,000 | 29,200,000 |
| 機 械 | 1 | 平18. 5 | 旧定率 | 12 | 74,000,000 | 20,000,000 | 3,000,000 | 17,000,000 |
| 車 両 | 1 | 平24. 2 | 定 率 | 5 | 7,000,000 | 4,000,000 | 2,000,000 | 2,000,000 |
| 工 具 | 8 | 令６．５ | 一括償却 | 3 | 2,880,000 | 1,920,000 | 960,000 | 960,000 |

〈参考〉

| 耐用年数 | 旧定額法 | 旧定率法 | 定額法 | 250%定率法 | | |
|---|---|---|---|---|---|---|
| | 償却率 | 償却率 | 償却率 | 償却率 | 改定償却率 | 保証率 |
| 3 | 0.333 | 0.536 | 0.334 | 0.833 | 1.000 | 0.02789 |
| 5 | 0.200 | 0.369 | 0.200 | 0.500 | 1.000 | 0.06249 |
| 12 | 0.083 | 0.175 | 0.084 | 0.208 | 0.250 | 0.03870 |
| 16 | 0.062 | 0.134 | 0.063 | 0.156 | 0.167 | 0.03063 |
| 31 | 0.033 | 0.072 | 0.033 | 0.081 | 0.084 | 0.01688 |
| 38 | 0.027 | 0.059 | 0.027 | 0.066 | 0.067 | 0.01393 |

理論 計算

→ 解答・解説　16－30

## 問題14　ミニテスト

重要　基本　5分

**次の資料により、当社の当期における税務上の調整を示しなさい。**

(1)　当社が数年前に取得し、所有してきたＡ社株式（所有割合１％未満）の発行法人であるＡ株式会社は、令和７年７月３日にＢ株式会社に吸収合併（非適格）されている。当社は、この吸収合併に伴いＢ社株式の交付を受けているが、合併直前のＡ社株式の帳簿価額等の資料は次のとおりである。

①　合併直前のＡ社株式の１株当たりの帳簿価額　　700円（所有株式数は3,000株である。）

②　交付を受けたＢ社株式の時価　　500円（5,500株の交付を受けている。）

③　Ａ株式会社の合併直前の１株当たりの資本金等の額　450円

なお、当社は、合併の対価として金銭の交付は受けていない。

(2)　当社は、Ｂ社株式の取得価額としてＡ社株式の合併直前の帳簿価額を引き継ぐ処理をし、源泉所得税等214,410円については租税公課として当期の費用に計上している。

理論 計算

→ 解答・解説 16−31

## 問題15 ミニテスト

重要 基本 5分

**次の資料により、当社の当期における税務上の調整を示しなさい。**

⑴ 令和８年１月１日、当社は100％子会社であるＢ社に土地（時価36,000,000円、現物出資直前帳簿価額25,000,000円）及び建物（時価25,000,000円、現物出資直前帳簿価額23,000,000円）を借入金10,000,000円と併せて現物出資した。当社は、この現物出資について次のとおり経理処理を行っている。

| | | | |
|---|---|---|---|
| （減価償却費） | 1,000,000円 | （建　　　物） | 1,000,000円 |
| （借　入　金） | 10,000,000円 | （土　　　地） | 25,000,000円 |
| （Ｂ 社 株 式） | 51,000,000円 | （建　　　物） | 23,000,000円 |
| | | （固定資産売却益） | 13,000,000円 |

（注）　この建物は、取得価額50,000,000円、償却方法定額法、法定耐用年数50年（定額法の償却率の年率は0.020）のものである。

⑵ この現物出資は法人税法第２条第十二号の十四に規定する適格現物出資に該当するものである。

理論 計算

→ 解答・解説 16−32

## 問題16 ミニテスト

重要 基本 7分

**次の資料により、当社が当期における税務調整すべき金額を求めなさい。**

(1) 当期において、当社の株主とA社との間で、A社を完全親会社とする株式交換が行われ、当社の株主はその有する当社の株式をA社に移転し、当社はA社の完全子会社となった。なお、この株式交換は、法人税法に規定する適格株式交換に該当しない。

(2) 当社の有する資産で、評価益又は評価損の計上ができるか否かの検討の対象となる資産は、次のとおりである。

① 土地　帳簿価額30,000,000円（時価55,000,000円）

（注） 前々期において国庫補助金の圧縮記帳により15,000,000円損金算入されている。

② B社株式（売買目的有価証券に該当しない。）

イ 株式交換の日における時価　10,000,000円

ロ 期末時における時価　16,000,000円

ハ 帳簿価額　30,000,000円

③ C社株式（売買目的有価証券に該当しない。）

イ 株式交換の日における時価　15,000,000円

ロ 期末時における時価　20,000,000円

ハ 帳簿価額　11,000,000円

(3) 当社は、資本金の額が10,000,000円（資本金等の額は18,000,000円）の内国法人である。

## 解答　問題1　適格判定（合併）

【設問１】　適格合併である。

【設問２】　非適格合併である。

【設問３】　適格合併である。

## 解説

①　【設問１】は、合併直前において発行済株式総数の60％を所有しており、企業グループ内再編に該当します。合併の対価として合併法人株式以外の資産の交付がなく、従業者の引継ぎ要件及び事業継続要件も満たすことから適格合併となります。

②　【設問２】は、合併の対価として合併法人株式以外の資産（金銭）を交付していることから、非適格合併となります。

③　【設問３】は、合併に際して最終の事業年度に係る剰余金の配当としての金銭の交付がされていますが、これは合併の対価ではないことから、合併法人株式以外の資産は交付されていないことになります。

また、Ａ社とＢ社の間に資本関係はないことから共同事業再編に該当しますが、共同事業要件を満たすため適格合併となります。

（注）共同事業要件

・　Ａ社及びＢ社はいずれも卸売業を営んでいるため、事業関連性要件を満たしています。

・　Ｂ社の代表取締役（特定役員）がＡ社の専務取締役（特定役員）に就任していることから、特定役員引継ぎ要件を満たしています。

・　Ｂ社の従業者の80％以上（85％）がＡ社の業務に従事していることから、従業者の引継ぎ要件を満たしています。

・　Ａ社はＢ社の主要な事業を引き続き営むこととしていることから、事業継続要件を満たしています。

・　Ｂ社株主のうちそのＢ社株式の50％超を保有する株主（支配株主）がいますが、その交付を受けた合併法人等の株式の全部を継続して保有することが見込まれています（支配株主がいない場合には、この判定は不要となり、他の共同事業要件を満たしていれば適格合併となります。）。

## 解答　問題2 みなし配当（合併(1)）

(1)　会社計上の簿価

700×3,000＝2,100,000円

(2)　税務上の簿価

2,100,000＋1,400,000＝3,500,000円

(3)　計上もれ

(2)－(1)＝1,400,000円

（単位：円）

| 項目 | | 金額 | 留保 | 社外流出 |
|---|---|---|---|---|
| 加算 | B社株式計上もれ | 1,400,000 | 1,400,000 | |
| 減算 | | | | |

## 解説

当社は、A株式会社の合併に伴ってB社株式を取得していますが、B社株式の交付のみを受けていることから、B社株式の取得価額は、A社株式の合併直前の帳簿価額を引継ぐことになります。なお、みなし配当が生じていますが、そのみなし配当の額についてもB社株式の取得価額に含める処理をします。

## 解答　問題３　みなし配当（合併⑵）

１．有価証券

⑴　会社計上の簿価

710×20,000＝14,200,000円

⑵　税務上の簿価

14,200,000＋400×20,000＝22,200,000円

⑶　計上もれ

⑵－⑴＝8,000,000円

２．受取配当等

⑴　みなし配当

400×20,000＝8,000,000円

⑵　配当等の額（関連法人株式等）

8,000,000＋200×20,000＝12,000,000円

⑶　控除負債利子の額

128,400円

⑷　益金不算入額

⑵－⑶＝11,871,600円

（単位：円）

| 項目 | | 金額 | 留保 | 社外流出 |
|---|---|---|---|---|
| 加算 | Ｂ社株式計上もれ | 8,000,000 | 8,000,000 | |
| 減算 | 受取配当等の益金不算入額 | 11,871,600 | | ※ 11,871,600 |

## 解説

①　Ｂ社株式の取得価額は、Ａ社株式の合併直前の帳簿価額にみなし配当の額を加えた金額となります。

②　配当等の額として、みなし配当の額及びＡ株式会社の最終の事業年度に係る剰余金の配当については、いずれも受取配当等の益金不算入額の対象となります。なお、本問と直接関係ありませんが、源泉徴収税額については、みなし配当に係るものは「その他」の区分で期間按分は不要なものですが、Ａ株式会社の最終の事業年度に係る剰余金の配当に係るものは「株式出資」の区分で期間按分が必要なものに該当します。

## 解答　問題4　適格合併による移転減価償却資産・合併法人

1．建物B

(1)　償却限度額

$50,000,000 \times 0.9 \times 0.042 \times \frac{8}{12} = 1,260,000$円

(2)　償却超過額

$800,000 - 1,260,000 = \triangle 460,000$

$460,000$円 $> 26,300,000 - 26,000,000 = 300,000$円　　∴　300,000円（認　容）

2．建物C

(1)　耐用年数

$(24 - 4) + 4 \times 20\% = 20.8 \rightarrow 20$年

(2)　償却限度額

$35,000,000 \times 0.050 \times \frac{8}{12} = 1,166,666$円

(3)　償却超過額

$2,000,000 - 1,166,666 = 833,334$円

3．機　械

(1)　償却限度額

$(2,900,000 + 85,600) \times 0.200 = 597,120$円 $\geqq 4,000,000 \times 0.06552 = 262,080$円

∴　$597,120 \times \frac{8}{12} = 398,080$円

(2)　償却超過額

$600,000 - 398,080 = 201,920$円

4．一括償却資産

(1)　損金算入限度額

$2,700,000 \times \frac{8}{36} = 600,000$円

(2)　損金算入限度超過額

$0 - 600,000 = \triangle 600,000$

$600,000$円 $< 2,700,000 - 2,700,000 \times \frac{4}{36} = 2,400,000$円　　∴　600,000円（認　容）

（単位：円）

| 区分 | 項目 | 金額 | 留保 | 社外流出 |
|---|---|---|---|---|
| 加算 | 減価償却超過額 | | | |
| | （建物C） | 833,334 | 833,334 | |
| | （機械） | 201,920 | 201,920 | |
| 減算 | 減価償却超過額認容 | | | |
| | （建物B） | 300,000 | 300,000 | |
| | 一括償却資産損金算入限度超過額認容 | 600,000 | 600,000 | |

## 解説

① 償却方法の適用区分における取得日は、適格合併により、減価償却資産を引き継いだ場合は、その取得日も引き継ぐことになります。建物Ｂは平成10年４月１日から平成19年３月31日までの取得の建物のため、償却方法は旧定額法となります。なお、当社（合併法人）が建物Ｂにつき帳簿価額として計上した金額は26,000,000円であるのに対し、Ａ社（被合併法人）の移転直前の帳簿価額は26,300,000円であるため、その満たない金額300,000円は繰越償却超過額とみなされます。

② 建物Ｃの償却方法は、Ａ社が令和３年に取得しているため、定額法となります。合併により引継ぎを受けた減価償却資産についても、中古資産の耐用年数の規定の特例の適用を受けることができます。問題文の指示により、建物Ｃについてのみ、中古資産の耐用年数の計算を行います。中古資産の耐用年数は、その取得後の使用可能期間を計算するものです。よって、中古資産の耐用年数の規定の特例の適用を受けた場合には、その対応関係から、取得価額も未償却残額（帳簿価額）相当額とされます。

③ 機械は、Ａ社（被合併法人）において繰越償却超過額の残額があります。当社（合併法人）は、その繰越償却超過額を引き継ぐことになります。

④ 一括償却資産は、期中に事業供用した場合においても分子の月数は12となりますが、当期に適格合併があった場合の分子の月数は、合併の日から事業年度末までの月数となります。

## 解答　問題5　適格合併があった場合の貸倒引当金・合併法人

⑴ 期末一括評価金銭債権

200,000,000円

⑵ 貸倒実績率

$$\frac{{}^{※1}8,172,000\times\frac{12}{68}}{{}^{※2}1,190,310,000\div6}=0.00726\cdots\rightarrow0.0073$$

※１　552,000＋635,000＋2,553,000＋1,242,000＋1,965,000＋1,225,000＝8,172,000円

※２　203,000,000＋205,800,000＋247,200,000＋190,300,000＋166,600,000＋177,410,000
＝1,190,310,000円

⑶ 実質的に債権とみられない金額（簡便法）

200,000,000×※0.044＝8,800,000円

$$※\ \frac{8,000,000+10,200,000+7,500,000+8,400,000}{205,800,000+213,000,000+190,300,000+164,600,000}=0.0440\cdots\rightarrow0.044$$

⑷ 繰入限度額

① 200,000,000×0.0073＝1,460,000円

② $(200,000,000-8,800,000)\times\frac{8}{1,000}=1,529,600$円

③ ①＜②　∴　1,529,600円

⑸ 繰入超過額

3,000,000－1,529,600＝1,470,400円

⑹ 繰入超過額認容

870,000＋680,000＝1,550,000円

（単位：円）

| 項目 | | 金額 | 留保 | 社外流出 |
|---|---|---|---|---|
| 加算 | 一括貸倒引当金繰入超過額 | 1,470,400 | 1,470,400 | |
| 減算 | 一括貸倒引当金繰入超過額認容 | 1,550,000 | 1,550,000 | |

## 解説

① 貸倒実績率の計算において、一括評価金銭債権の額及び貸倒損失の額の実績が必要な事業年度は、当社の当期開始の日前３年以内に開始した事業年度となります。本問の被合併法人の一括評価金銭債権の額及び貸倒損失の額の実績が必要な事業年度についても、当社の当期開始の日前３年以内に開始した事業年度となり、令和６年２月期、令和７年２月期及び令和７年10月期となります。

② Ａ社の令和７年10月期は８ケ月しかありません。したがって、貸倒実績率の計算上の分子の算式は、$8,172,000\times\frac{12}{68}$となります。

この上記分数の68については、当期開始の日前３年以内に開始した合併法人と被合併法人の事業年度の月数の合計数であり、本問の場合は、合併法人において36月、被合併法人において32月の合計68月となります。

なお、8,172,000に乗ずる上記分数の12については、事業年度の月数によって変わることはありません。

## 解答 問題６ 非適格合併等による移転資産等に係る調整勘定

１．差額負債調整勘定

⑴ 差額負債調整勘定の計上額

（40,000,000＋20,000,000＋90,000,000）－25,000,000－20,000,000－60,000,000＝45,000,000円

⑵ 益金算入額

$45,000,000\times\frac{10}{60}=7,500,000$円

２．退職給与負債調整勘定の益金算入額

20,000,000÷10＝2,000,000円

（単位：円）

| 項目 | | 金額 | 留保 | 社外流出 |
|---|---|---|---|---|
| 加算 | 差額負債調整勘定の益金算入額 | 7,500,000 | 7,500,000 | |
| | 退職給与負債調整勘定の益金算入額 | 2,000,000 | 2,000,000 | |
| 減算 | | | | |

## 解答　問題7　適格現物出資

⑴　会社計上の簿価

60,000,000円

⑵　税務上の簿価

(75,000,000＋660,000－9,000,000)＋475,000＝67,135,000円

⑶　計上もれ

⑵－⑴＝7,135,000円

（単位：円）

| 項目 | | 金額 | 留保 | 社外流出 |
|---|---|---|---|---|
| 加算 | A社株式計上もれ | 7,135,000 | 7,135,000 | |
| 減算 | 減価償却超過額認容 | 660,000 | 660,000 | |

## 解説

適格現物出資により取得したA社株式の取得価額は、資産の移転直前の帳簿価額から負債の移転直前の帳簿価額を控除した金額にA社株式の交付を受けるために支出した費用の額を加算した金額となります。なお、繰越償却超過額は、資産の移転直前の帳簿価額に加算するとともに、現物出資により譲渡しているため、別表四で減算調整が必要になります。

## 解答　問題8　適格現物出資

⑴　会社計上の簿価

50,000,000円

⑵　税務上の簿価

(68,000,000＋※11,028,000)－60,000,000＝19,028,000円

※①　償却率の調整計算

$0.058\times\frac{11}{12}=0.054$（小数点以下３位未満切上）

②　償却限度額

20,000,000×0.9×0.054＝972,000円

③　償却超過額

1,000,000－972,000＝28,000円

④　税務上帳簿価額

12,000,000－1,000,000＋28,000＝11,028,000円

⑶　過大計上

⑴－⑵＝30,972,000円

（単位：円）

| 項　目 | | 金　額 | 留　保 | 社外流出 |
|---|---|---|---|---|
| 加算 | | | | |
| 減算 | A 社 株 式 過 大 計 上 | 30,972,000 | 30,972,000 | |

## 解説

① 適格組織再編成により、事業年度の中途において減価償却資産を移転しているため、償却率又は耐用年数等を調整します。本問の適格組織再編成の日は令和８年３月１日のため、その前日で事業年度終了したものとみなすことになります。償却方法は旧定額法のため、償却率の改訂を行っていきます。償却率に12分の11を乗ずることになります。

② 本問の償却超過額は、当期に生じたものであり、移転しているため認容も生じます。当期において同額の加算留保及び減算留保のため、調整を省略します。

## 解答 問題9 現物分配

**(1) 会社計上の簿価**

32,500,000円

**(2) 税務上の簿価**

8,000,000円

**(3) 過大計上**

(1)－(2)＝24,500,000円

（単位：円）

| 項　目 | | 金　額 | 留　保 | 社外流出 |
|---|---|---|---|---|
| 加算 | | | | |
| 減算 | B 社 株 式 過 大 計 上 | 24,500,000 | 24,500,000 | |
| | 適格現物分配に係る益金不算入額 | 8,000,000 | | ※ 8,000,000 |

## 解説

① 本問の現物分配は、適格現物分配に該当することから、現物分配を受けたＢ社株式の取得価額として、現物分配法人（Ａ社）における交付直前の帳簿価額を付すことになります。

② なお、適格現物分配により生ずる収益の額（受取配当金）は、受取配当等の益金不算入を適用するのではなく、別途、適格現物分配に係る益金不算入額として益金不算入とされます。

## 解答　問題10　株式交換等（金銭等不交付株式交換）

⑴　会社計上の簿価

12,900,000円

⑵　税務上の簿価

12,900,000＋74,500＝12,974,500円

⑶　計上もれ

⑵－⑴＝74,500円

（単位：円）

| | 項　　　目 | 金　額 | 留　保 | 社外流出 |
|---|---|---|---|---|
| 加算 | B　社　株　式　計　上　も　れ | 74,500 | 74,500 | |
| 減算 | | | | |

### 解説

当社は、株式交換により完全子法人となる法人（A社）の株主であり、この株式交換によりA社株式を譲渡し、B社株式を取得することになります。本問では、株式交換に当たって株式以外の資産の交付はないため、B社株式の取得価額として、A社株式の株式交換直前の帳簿価額に、A社株式の交付を受けるための費用を加算した金額を付すことになります。

## 解答　問題11　株式交換等（金銭等不交付株式交換でない場合）

⑴　会社計上の簿価

24,500,000円

⑵　税務上の簿価

85,500,000円

⑶　計上もれ

⑵－⑴＝61,000,000円

（単位：円）

| | 項　　　目 | 金　額 | 留　保 | 社外流出 |
|---|---|---|---|---|
| 加算 | B　社　株　式　計　上　も　れ | 61,000,000 | 61,000,000 | |
| 減算 | | | | |

### 解説

本問では、金銭等不交付株式交換でない場合のため、B社株式の取得価額は、時価を付すことになります。

## 解 答 問題12 ミニテスト

1．建物Ａ

⑴ 耐用年数の調整計算

$24年 \times \frac{12}{11} = 26.1\cdots$ → 26年（１年未満切捨）

⑵ 償却限度額

26,000,000×0.085＝2,210,000円

⑶ 償却超過額

3,000,000－2,210,000＝790,000円

2．建物Ｂ

⑴ 償却率の調整計算

$0.042 \times \frac{11}{12} = 0.0385$ → 0.039（小数点以下３位未満切上）

⑵ 償却限度額

38,000,000×0.039＝1,482,000円

⑶ 償却超過額

2,000,000－1,482,000＝518,000円

3．機 械

⑴ 判 定

2,900,000×0.200＝580,000円≧4,000,000×0.06552＝262,080円 ∴ 償却率の調整計算

⑵ 償却率の調整計算

$0.200 \times \frac{11}{12} = 0.183$ → 0.184（小数点以下３位未満切上）

⑶ 償却限度額

2,900,000×0.184＝533,600円

⑷ 償却超過額

600,000－533,600＝66,400円

（単位：円）

| | 項目 | 金額 | 留保 | 社外流出 |
|---|---|---|---|---|
| 加算 | 減価償却超過額 | | | |
| | （建物Ａ） | 790,000 | 790,000 | |
| | （建物Ｂ） | 518,000 | 518,000 | |
| | （機械） | 66,400 | 66,400 | |
| 減算 | | | | |

# 解答 問題13 ミニテスト

1．A建物

⑴ 償却率の調整計算　※　本問は４月期決算であることに注意しましょう。

$0.027\times\frac{9}{12}=0.02025$ → 0.021（小数点以下３位未満切上）

⑵ 償却限度額

46,000,000×0.9×0.021＝869,400円

⑶ 償却超過額

1,000,000－⑵＝130,600円

2．B建物

⑴ 償却率の調整計算

$0.033\times\frac{9}{12}=0.02475$ → 0.025（小数点以下３位未満切上）

⑵ 償却限度額

39,000,000×0.9×0.025＝877,500円

⑶ 償却超過額

800,000－⑵＝△77,500（切捨）

3．機　械

⑴ 耐用年数の調整計算

12年$\times\frac{12}{9}=$16年（１年未満切捨）

⑵ 償却限度額

20,000,000×0.134＝2,680,000円

⑶ 償却超過額

3,000,000－⑵＝320,000円

4．車　両

⑴ 判　定

① 4,000,000×0.500＝2,000,000円

② 7,000,000×0.06249＝437,430円

③ ①≧②　∴　償却率の調整計算

⑵ 償却率の調整計算

$0.500\times\frac{9}{12}=0.375$（小数点以下３位未満切上）

⑶ 償却限度額

4,000,000×0.375＝1,500,000円

⑷ 償却超過額

2,000,000－⑶＝500,000円

5．一括償却資産

⑴　損金算入限度額

$2,880,000 \times \frac{9}{36} = 720,000$円

⑵　損金算入限度超過額

960,000－⑵＝240,000円

（単位：円）

| | 項　目 | 金　額 | 留　保 | 社外流出 |
|---|---|---|---|---|
| 加算 | 減価償却超過額 | | | |
| | （A　建　物） | 130,600 | 130,600 | |
| | （機　械） | 320,000 | 320,000 | |
| | （車　両） | 500,000 | 500,000 | |
| | 一括償却資産損金算入限度超過額 | 240,000 | 240,000 | |
| 減算 | | | | |

Ch 1 Ch 2 Ch 3 Ch 4 Ch 5 Ch 6 Ch 7 Ch 8 Ch 9 Ch 10 Ch 11 Ch 12 Ch 13 Ch 14 Ch 15 Ch 16 Ch 17 Ch 18 総合問題

## 解答　問題14　ミニテスト

1．有価証券の譲渡損益

(1)　みなし配当

500×5,500株－450×3,000株＝1,400,000円

(2)　有価証券

①　会社計上の簿価

700×3,000＝2,100,000円

②　税務上の簿価

2,100,000＋1,400,000＝3,500,000円

③　計上もれ

②－①＝1,400,000円

2．受取配当等の益金不算入

(1)　みなし配当

1,400,000円

(2)　配当等の額（非支配目的株式等）

1,400,000円

(3)　益金不算入額

1,400,000×20%＝280,000円

（単位：円）

| | 項　目 | 金　額 | 留　保 | 社外流出 |
|---|---|---|---|---|
| 加算 | B社株式計上もれ | 1,400,000 | 1,400,000 | |
| 減算 | 受取配当等の益金不算入額 | 280,000 | | ※　280,000 |
| 仮　計 | | ××× | ××× | ××× |
| 法人税額控除所得税額 | | 214,410 | | 214,410 |

## 解答 問題15 ミニテスト

⑴ 会社計上の簿価

51,000,000円

⑵ 税務上の簿価

(25,000,000＋※23,250,000)－10,000,000＝38,250,000円

※① 償却率の調整計算

$0.020 \times \frac{9}{12} = 0.015$（小数点以下３位未満切上）

② 償却限度額

50,000,000×0.015＝750,000円

③ 償却超過額

1,000,000－750,000＝250,000円

④ 税務上帳簿価額

23,000,000＋250,000＝23,250,000円

⑶ 過大計上

⑴－⑵＝12,750,000円

（単位：円）

| | 項目 | 金額 | 留保 | 社外流出 |
|---|---|---|---|---|
| 加算 | | | | |
| 減算 | B社株式過大計上 | 12,750,000 | 12,750,000 | |
| 仮計 | | ××× | ××× | ××× |
| | | | | |

## 解答　問題16 ミニテスト

⑴　判　定（帳簿価額はすべて1,000万円以上）

①　土地

55,000,000－30,000,000－※1 15,000,000＝10,000,000円≧※2 9,000,000円　∴適用あり

※1　15,000,000円＜55,000,000－30,000,000＝25,000,000円

※2　$18,000,000\times\frac{1}{2}$＝9,000,000円＜10,000,000円　∴9,000,000円

②　Ｂ社株式

30,000,000－10,000,000＝20,000,000円≧※2 9,000,000円　∴適用あり

③　Ｃ社株式

15,000,000－11,000,000＝4,000,000円＜※2 9,000,000円　∴適用なし

⑵　時価評価損益

①　土地

55,000,000－30,000,000＝25,000,000円（評価益）

②　Ｂ社株式

20,000,000円（評価損）

（単位：円）

| | 項　目 | 金　額 | 留　保 | 社外流出 |
|---|---|---|---|---|
| 加算 | 時価評価資産（土地）評価益計上もれ | 25,000,000 | 25,000,000 | |
| 減算 | 時価評価資産（Ｂ社株式）評価損計上もれ | 20,000,000 | 20,000,000 | |
| 仮　計 | | ××× | ××× | ××× |
| | | | | |

# Chapter 17

# グループ法人税制

| No | 内　容 | | 標準時間 | 重要度 | 難易度 |
|---|---|---|---|---|---|
| 問題１ | 譲渡損益（非減価償却資産） | 計算 | ５分 | A | 基本 |
| 問題２ | 譲渡損益（減価償却資産） | 計算 | ５分 | A | 基本 |
| 問題３ | 寄附金（基本） | 計算 | ８分 | A | 基本 |
| 問題４ | 譲渡損益（低額譲渡等） | 計算 | ６分 | A | 応用 |
| 問題５ | 寄附金（子会社支援損との関係） | 計算 | ７分 | A | 基本 |
| 問題６ | みなし配当（完全支配関係のある法人からのもの） | 計算 | ５分 | B | 応用 |
| 問題７ | ミニテスト | 計算 | ７分 | A | 応用 |

理論 計算

→ 解答・解説 17－8

## 問題1 譲渡損益（非減価償却資産）

重要 基本 5分

**次の資料により、当社の当期における税務上の調整を示しなさい。**

⑴ 当社の属するグループ企業（全て内国法人である。）における出資関係は、次の図のとおりである。なお、当社、A社及びB社の事業年度は、いずれも毎年4月1日から3月31日までの1年間であり、ここ数年における出資関係の変動はない。

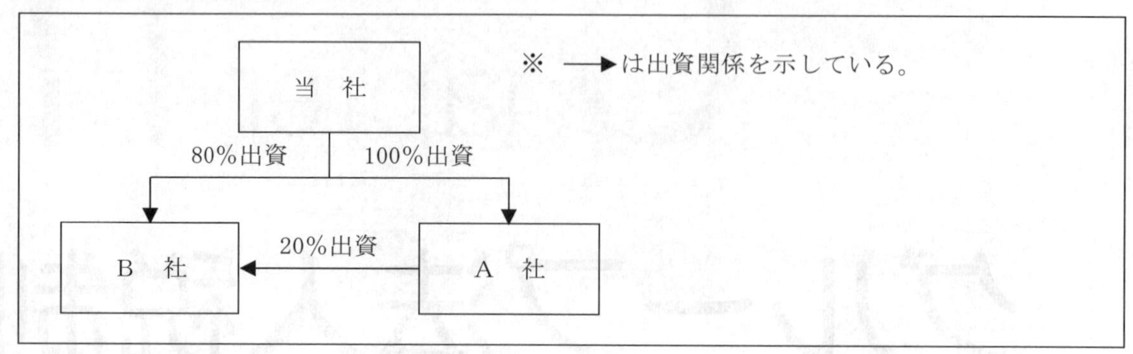


⑵ 当社は、令和7年8月1日にA社に対し、X土地を時価相当額の95,000,000円で譲渡している。X土地の譲渡直前の帳簿価額は62,000,000円であり、当社は譲渡対価の額との差額33,000,000円を当期の収益に計上している。

⑶ B社は、令和7年9月11日にC社に対し、Y土地を時価相当額の60,000,000円で譲渡している。Y土地は、前期の令和6年11月15日に当社がB社に対し、55,000,000円で譲渡（譲渡直前の帳簿価額は31,000,000円であった。）したものであり、当社の前期における税務調整は適正に行われている。

→ 解答・解説　17－8

## 問題2　譲渡損益（減価償却資産）

重要　基本　5分

**次の資料により、当社の当期における税務上の調整を示しなさい。**

⑴　当社は、数年前からＡ社の発行済株式の全てを所有しており、当期においても異動はない。なお、当社及びＡ社の事業年度は、いずれも毎年４月１日から３月31日までの１年間であり、ここ数年における出資関係の変動はない。

⑵　当社は、令和７年７月１日に当社が使用してきた次の機械装置をＡ社に対して時価相当額で譲渡している。なお、この機械装置はＡ社において取得後直ちに事業の用に供されている。

| 種　類 | 譲渡直前の帳簿価額 | 時　　価 | 法定耐用年数 |
|---|---|---|---|
| 機械装置 | 15,000,000円 | 12,500,000円 | ８年 |

⑶　当社は、⑵の機械装置の譲渡につき、譲渡対価の額と譲渡直前の帳簿価額との差額を固定資産譲渡損として当期の費用に計上している。なお、Ａ社は当期において損金経理により償却費1,200,000円を計上している（全額がＡ社の損金の額に算入されている。）。

理論 計算

→ 解答・解説 17－9

## 問題3 寄附金（基本）

重要 基本 8分

**次の資料により、当社の当期における寄附金の損金不算入額を求めなさい。**

⑴ 当社は、A社の発行済株式の全てを所有しており、当期においても異動はない。また、当社は子会社B社の株式を所有しているが、B社との間に完全支配関係はない。なお、当社及びA社の事業年度は、いずれも毎年4月1日から3月31日までの1年間であり、ここ数年における出資関係の変動はない。

⑵ 当社は、A社及びB社に対し、それぞれ資金援助を目的として金銭又は土地の贈与を行っている。その贈与した金銭等の資料は次のとおりである。

| 贈与年月 | 贈与先 | 贈与した資産 | 金　額 |
|---|---|---|---|
| 令和7年7月 | A　社 | 金　銭 | 15,000,000円 |
| 令和8年2月 | B　社 | 土　地 | 65,000,000円（時価） |

⑶ 当社の当期における所得金額は88,000,000円（別表四「仮計」の金額である。なお、調整は一切不要である。）であり、当期末における資本金の額は120,000,000円、資本準備金の額は30,000,000円である。

理論 計算

→ 解答・解説　17−10

## 問題4　譲渡損益（低額譲渡等）

応用　6分

**次の資料により、当社の当期における税務上の調整を示しなさい。**

⑴　当社は、数年前からＡ社の発行済株式の全てを保有している。当社は、令和７年６月にＡ社に対して時価100,000,000円のＢ土地（帳簿価額30,000,000円）を50,000,000円で譲渡し、時価30,000,000円のＣ土地（帳簿価額20,000,000円）及び時価10,000,000円のＤ土地（帳簿価額5,000,000円）を贈与している。

⑵　当社は、上記の取引につき、次の経理を行っている。

（借）　現金預金　50,000,000円　　（貸）　土　　地　55,000,000円

（借）　寄 附 金　90,000,000円　　（貸）　譲 渡 益　85,000,000円

⑶　当社の、当期における所得金額100,000,000円（仮計の金額であり、調整は不要である。）であり、当期末における資本金等の額は150,000,000円、資本準備金の額は50,000,000円である。

⑷　事業年度はいずれも毎年４月１日から３月31日までの１年間である。

理論 計算

→ 解答・解説　17−11

## 問題5　寄附金（子会社支援損との関係）

重要　基本　7分

**次の資料により、当社の当期における寄附金の損金不算入額を求めなさい。**

⑴　当社は、Ａ社及びＢ社の発行済株式の全てを数年前より所有している。なお、当社、Ａ社及びＢ社の事業年度は、いずれも毎年４月１日から３月31日までの１年間であり、ここ数年における出資関係の変動はない。

⑵　当社は、当期において子会社の経営を支援するために、次の債権放棄を行い、それぞれ放棄した債権の額を当期の特別損失に計上している。

①　令和７年５月６日にＡ社に対して有する貸付金25,000,000円を放棄している。この債権放棄は、Ａ社に欠損金が生じたことから行ったものである。

②　令和８年１月10日にＢ社に対して有する売掛金41,000,000円を放棄している。この債権放棄は、債務超過に陥ったＢ社の倒産を防止するために行われたものであり、合理的な再建計画に基づくものと認められるものである。

⑶　当社は、当期において日本政策投資銀行に対して寄附金として4,200,000円を支出し、当期の費用に計上している。なお、当社の当期の所得金額は92,000,000円（仮計の金額であり、調整不要である。）であり、当期末における資本金の額は350,000,000円（資本金及び資本準備金の合計額は400,000,000円）である。

⑷　事業年度はいずれも毎年４月１日から３月31日までの１年間である。

## 問題6 みなし配当（完全支配関係のある法人からのもの） 応用 5分

次の資料により、当社の当期における税務上の調整を示しなさい。

⑴ 当社が所有するA社株式（完全子法人株式等に該当する。）の発行法人であるA株式会社（以下「A社」という。）が、当期において相対取引により自己の株式を取得することとしたため、当社はA社株式をすべて譲渡し、金銭の交付を受けている。当社は、次の処理をしている。

| | | | |
|---|---|---|---|
| （現金預金） | 2,500,000円 | （A社株式） | 2,000,000円 |
| | | （A社株式譲渡益） | 500,000円 |

⑵ 当社におけるA社株式の譲渡直前の所有株式数等の資料は、次のとおりである。なお、当期においてA社株式についての異動はこの譲渡以外にはなかった。

| 譲渡直前の所有株式数 | 譲渡直前の1株当たりの帳簿価額 | 譲渡株式1株当たりの交付金銭の額 | A社の1株当たりの資本金等の額 |
|---|---|---|---|
| 1,000株 | 2,000円 | 2,500円 | 2,400円 |

理論 計算

→ 解答・解説 17−14

## 問題7 ミニテスト

応用 7分

**次の資料により、当社の当期における税務調整すべき金額を求めなさい。**

⑴ 内国法人である当社は、内国法人A社の発行済株式の全てを所有している。また、A社は内国法人B社の株式の全てを所有している。

⑵ 当社は、A社及びB社に対し、それぞれ資金援助を目的として土地の贈与を行っている。その贈与した土地の資料は次のとおりである。なお、これら以外に一般寄附金の額が61,000,000円ある。

| 贈与年月 | 贈与先 | 帳簿価額 | 時　　価 |
|---|---|---|---|
| 令和７年８月 | Ａ　社 | 9,000,000円 | 10,000,000円 |
| 令和８年１月 | Ｂ　社 | 20,000,000円 | 9,000,000円 |

⑶ 当社の当期における所得金額は300,000,000円（別表四「仮計」の金額である。なお、調整は一切不要である。）であり、当期末における資本金の額は100,000,000円（資本金及び資本準備金の額の合計額は200,000,000円）である。

## 解答　問題1　譲渡損益（非減価償却資産）

1．Ｘ土地（繰入れ）

⑴　判　定

62,000,000円≧10,000,000円　　∴　該　当

⑵　繰　入

95,000,000－62,000,000＝33,000,000円

2．Ｙ土地（戻入れ）

55,000,000－31,000,000＝24,000,000円

（単位：円）

| | 項目 | 金額 | 留保 | 社外流出 |
|---|---|---|---|---|
| 加算 | 譲渡損益調整勘定戻入額（Ｙ土地） | 24,000,000 | 24,000,000 | |
| 減算 | 譲渡損益調整勘定繰入額（Ｘ土地） | 33,000,000 | 33,000,000 | |

### 解説

①　当社、Ａ社及びＢ社は、100％出資の関係にあることから、完全支配関係があることになります。

②　当社からＡ社に対するＸ土地の譲渡は、完全支配関係がある法人間で行われたものであることから、その譲渡損益は繰り延べられることになります。

③　Ｂ社からＣ社に対するＹ土地の譲渡については、当社がＢ社にＹ土地を譲渡した段階で当社の譲渡損益が繰り延べられていることになりますが、当期においてはＢ社がＹ土地を譲渡しているため、その譲渡損益の課税が取り戻されることになります。

## 解答　問題2　譲渡損益（減価償却資産）

⑴　判　定

15,000,000円≧10,000,000円　　∴　該　当

⑵　繰　入

15,000,000－12,500,000＝2,500,000円

⑶　戻　入

①　$2,500,000 \times \frac{1,200,000}{12,500,000} = 240,000$円

②　$2,500,000 \times \frac{9}{8 \times 12} = 234,375$円

③　①＞②　∴　240,000円

（単位：円）

| 項目 | | 金額 | 留保 | 社外流出 |
|---|---|---|---|---|
| 加算 | 譲渡損益調整勘定繰入額（機械装置） | 2,500,000 | 2,500,000 | |
| 減算 | 譲渡損益調整勘定戻入額（機械装置） | 240,000 | 240,000 | |

## 解説

① 当社とA社には、完全支配関係があるため、当社がA社に対して譲渡した機械装置に係る譲渡損益に対する課税は繰り延べられることになります。

② 譲渡した資産が減価償却資産である場合には、取得した側で減価償却することになりますが、当社においては、その減価償却に係る償却費（損金算入額）に対応する部分の譲渡損益について、取り戻されることになります。なお、本問は、譲渡直前の帳簿価額が時価より大きい場合であるため、譲渡損の繰延べであり（加算調整）、取戻しは減算調整となります。

## 解答　問題3　寄附金（基本）

**(1) 支出寄附金**

① 一般寄附金

65,000,000円

② 完全支配関係がある法人

15,000,000円

③ 合　計

①＋②＝80,000,000円

**(2) 損金算入限度額**

① 資本基準額

$(120,000,000+30,000,000)\times\frac{12}{12}\times\frac{2.5}{1,000}=375,000$円

② 所得基準額

$(88,000,000+(1)③)\times\frac{2.5}{100}=4,200,000$円

③ $(①+②)\times\frac{1}{4}=1,143,750$円

**(3) 損金不算入額**

① 完全支配関係がある法人

15,000,000円

② ①以外

(1)③－(1)②－(2)＝63,856,250円

③ ①＋②＝78,856,250円

（単位：円）

| 項目 | | 金額 | 留保 | 社外流出 |
|---|---|---|---|---|
| 加算 | | | | |
| 減算 | | | | |
| 仮計 | | 88,000,000 | ××× | ××× |
| **寄附金の損金不算入額** | | **78,856,250** | | **78,856,250** |

## 解説

① 当社との間に完全支配関係があるA社に対する寄附金の額は、当社において、その全額が損金不算入となります。

② 本問では問われていませんが、この取引により当社の別表五㈠には、寄附修正として次の記載が必要になります。

（別表五㈠Ⅰ）

| 区分 | 期首現在利益積立金額 | 当期の増減 | | 差引翌期首現在利益積立金額 |
|---|---|---|---|---|
| | | 減 | 増 | |
| A社株式（寄附修正） | | | 15,000,000 | 15,000,000 |

③ 本問とは直接関係ありませんが、寄附を受けたA社においては受贈益が計上されますが、完全支配関係がある法人間の贈与であるため、その受贈益の額は益金不算入となります。

## 解答　問題4　譲渡損益（低額譲渡）

**1. 譲渡損益調整資産の譲渡損益**

**⑴ 判定**

**① B土地**

**30,000,000円≧10,000,000円　∴ 該当**

**② C土地**

**20,000,000円≧10,000,000円　∴ 該当**

**③ D土地**

**5,000,000円＜10,000,000円　∴ 非該当**

**⑵ 繰入**

**① B土地**

**100,000,000－30,000,000＝70,000,000円**

**② C土地**

**30,000,000－20,000,000＝10,000,000円**

2．寄附金の損金不算入

⑴　B土地

100,000,000－50,000,000＝50,000,000円

⑵　C土地

30,000,000－０＝30,000,000円

⑶　D土地

10,000,000－０＝10,000,000円

⑷　合　計

⑴＋⑵＋⑶＝90,000,000円

（単位：円）

| 項目 | | 金額 | 留保 | 社外流出 |
|---|---|---|---|---|
| 加算 | | | | |
| 減算 | 譲渡損益調整勘定繰入額 | | | |
| | （B土地） | 70,000,000 | 70,000,000 | |
| | （C土地） | 10,000,000 | 10,000,000 | |
| 仮計 | | 100,000,000 | ××× | ××× |
| 寄附金の損金不算入額 | | 90,000,000 | | 90,000,000 |

## 解説

①　当社との間に完全支配関係があるA社に対する譲渡損益調整資産の譲渡損益は、繰り延べられることになります。なお、D土地は帳簿価額が1,000万円未満のため、譲渡損益調整資産に該当しません。

②　寄附金の額は、時価と対価との差額です。譲渡損益調整資産であるか否かは関係ありません。当社との間に完全支配関係があるA社に対する寄附金となるため、全額損金不算入となります。特定公益増進法人等に対する寄附金又は一般寄附金の額があれば、寄附金の損金算入限度額の計算をする必要がありますが、特定公益増進法人等に対する寄附金又は一般寄附金の額がないため、寄附金の額の全額を損金不算入とするだけです。

③　本問とは直接関係ありませんが、寄附を受けたA社において当社における寄附金の額相当額の受贈益が計上されます。この受贈益は、完全支配関係がある法人間の贈与であるため、その受贈益の額は益金不算入となります。

## 解答　問題5　寄附金（子会社支援損との関係）

⑴　支出寄附金

①　一般寄附金

4,200,000円

②　完全支配関係がある法人

25,000,000円

③　合　計

①＋②＝29,200,000円

⑵　損金算入限度額

①　資本基準額

$400,000,000 \times \frac{12}{12} \times \frac{2.5}{1,000} = 1,000,000$円

②　所得基準額

$(92,000,000 + ⑴③) \times \frac{2.5}{100} = 3,030,000$円

③　$(① + ②) \times \frac{1}{4} = 1,007,500$円

⑶　損金不算入額

①　完全支配関係がある法人

25,000,000円

②　①以外

⑴③－⑴②－⑵＝3,192,500円

③　①＋②＝28,192,500円

（単位：円）

| 項目 | | 金額 | 留保 | 社外流出 |
|---|---|---|---|---|
| 加算 | | | | |
| 減算 | | | | |
| 仮計 | | 92,000,000 | ××× | ××× |
| 寄附金の損金不算入額 | | 28,192,500 | | 28,192,500 |

## 解説

①　当社、A社及びB社は、完全支配関係があります。

②　当社は、A社及びB社に対して債権放棄を行っており、A社に対する貸付金の放棄は寄附金に該当しますが、B社に対する売掛金の放棄は寄附金には該当しません。

③　A社に対する寄附金の額は、完全支配関係がある法人に対する寄附金であるため、当社においてはその全額が損金不算入となります。なお、本問では問われていませんが、この取引により当社の別表五㈠には、寄附修正として次の記載が必要になります。

（別表五㈠Ⅰ）

| 区分 | 期首現在利益積立金額 | 当期の増減 | | 差引翌期首現在利益積立金額 |
|---|---|---|---|---|
| | | 減 | 増 | |
| A社株式（寄附修正） | | | 25,000,000 | 25,000,000 |

なお、本問とは直接関係ありませんが、A社において生じる受贈益の額は益金不算入となります。

④　合理的な再建計画に基づく債権放棄等による損失負担（いわゆる子会社支援損）は、寄附金の額に該当しません。つまり、寄附金の損金不算入や受贈益の益金不算入の対象とはならないということです。

したがって、B社に対する債権放棄に係る損失の額（子会社支援損）は損金の額に算入されることになります（B社においては、これに対応する受贈益は益金の額に算入されます。）。

## 解答　問題6　みなし配当（完全支配関係のある法人からのもの）

1．有価証券の譲渡損益

(1)　みなし配当

(2,500－2,400）×1,000＝100,000円

(2)　有価証券譲渡損益

①　会社計上の譲渡益

(2,500×1,000－100,000）－2,000×1,000＝400,000円

②　税務上の譲渡益

0

③　過大計上

400,000－0＝400,000円

2．受取配当等の益金不算入

(1)　みなし配当

100,000円

(2)　配当等の額（完全子法人株式等）

100,000円

(3)　益金不算入額

100,000円

（単位：円）

| | 項　　　目 | 金　　額 | 留　　保 | 社外流出 |
|---|---|---|---|---|
| 加算 | | | | |
| 減算 | Ａ社株式譲渡益否認 | 400,000 | 400,000 | |
| | 受取配当等の益金不算入額 | 100,000 | | ※ 100,000 |

## 解説

①　みなし配当を収受する場合には、株式の譲渡損益が伴いますが、そのみなし配当が完全支配関係のある内国法人からのものについては、譲渡損益相当額は資本金等の額の増減額とされます。

②　税務上の有価証券の譲渡損益の計算は、その対価についてみなし配当を除いた金額とされます。よって、通常であれば、会社経理の譲渡益500,000円のうちみなし配当100,000円を控除した金額400,000円が、税務上の有価証券の譲渡益となります。本問の場合は、その400,000円は完全支配関係のある内国法人からのもののため、資本金等の増加額とされます。

なお、解答で会社計上の譲渡益を400,000円となっているのは、みなし配当100,000円についても収益に計上すべき金額であり、その金額については勘定科目が異なっていますが、収益に計上されていますので、みなし配当分の収益計上は正しいものとして除外したためです。

③　本問は所得税額についての解答は求められていません。なお、本問の税務上の仕訳は次のとおりです。

| | | | |
|---|---|---|---|
| （現　金　預　金） | 2,500,000円 | （みなし配当） | 100,000円 |
| | | （Ａ　社　株　式） | 2,000,000円 |
| | | （資本金等の額） | 400,000円 |

## 解答　問題7 ミニテスト

1．譲渡損益調整資産の譲渡損益

⑴　判　定

①　Ａ社土地

9,000,000円＜10,000,000円　　∴　非該当

②　Ｂ社土地

20,000,000円≧10,000,000円　　∴　該　当

⑵　繰入・Ｂ社土地

20,000,000－9,000,000＝11,000,000円

2．寄附金の損金不算入

⑴　支出寄附金

①　一般寄附金　　61,000,000円

②　完全支配関係がある法人

10,000,000＋9,000,000＝19,000,000円

③　合　計　　①＋②＝80,000,000円

⑵　一般寄附金損金算入限度額

①　資本基準額

$200,000,000\times\frac{12}{12}\times\frac{2.5}{1,000}=500,000$円

②　所得基準額

$(300,000,000+⑴③)\times\frac{2.5}{100}=9,500,000$円

③　$(①+②)\times\frac{1}{4}=2,500,000$円

⑶　損金不算入額

①　完全支配関係がある法人　19,000,000円

②　①以外

⑴③－⑴②－⑵＝58,500,000円

③　①＋②＝77,500,000円

（単位：円）

| | 項　　目 | 金　額 | 留　保 | 社外流出 |
|---|---|---|---|---|
| 加算 | 譲渡損益調整勘定繰入額（B社土地） | 11,000,000 | 11,000,000 | |
| 減算 | | | | |
| 仮　計 | | ××× | ××× | ××× |
| 寄附金の損金不算入額 | | 77,500,000 | | 77,500,000 |

# Chapter 18

# グループ通算制度

| No | 内　容 | | 標準時間 | 重要度 | 難易度 |
|---|---|---|---|---|---|
| 問題１ | 受取配当等 | 計算 | ７分 | B | 基本 |
| 問題２ | 交際費等 | 計算 | ７分 | B | 基本 |

## 問題１　受取配当等　基本　７分

**次の資料により、当社の受取配当等の益金不算入額を計算しなさい。**

⑴　当社は、数年前からＡ社の発行済株式の全てを所有しており、令和４年４月１日から当社を通算親法人としてグループ通算制度を適用している。

⑵　当社が当期において内国法人から収受した剰余金の配当の額は、次のとおりである。当社は、配当等の額から源泉徴収税額を控除した差引手取額を当期の収益に計上している。なお、いずれの銘柄もここ数年、所有株式数に異動はない。

| 銘　柄 | 当社の持株割合 | 剰余金の配当の額 | 源泉徴収所得税額 | 源泉徴収復興特別所得税額 |
|---|---|---|---|---|
| Ａ社株式 | 100％ | 2,300,000円 | 460,000円 | 9,660円 |
| Ｂ社株式 | 25％ | 1,200,000円 | 240,000円 | 5,040円 |
| Ｃ社株式 | 20％ | 700,000円 | 140,000円 | 2,940円 |
| Ｄ社株式 | ５％ | 450,000円 | 90,000円 | 1,890円 |

⑶　Ａ社が当期において内国法人から収受した剰余金の配当の額は次のとおりである。Ａ社は、配当等の額から源泉徴収税額を控除した差引手取額を当期の収益に計上している。なお、いずれの銘柄もここ数年、所有株式数に異動はない。

| 銘　柄 | Ａ社の持株割合 | 剰余金の配当の額 | 源泉徴収所得税額 | 源泉徴収復興特別所得税額 |
|---|---|---|---|---|
| Ｃ社株式 | 30％ | 1,050,000円 | 157,500円 | 3,307円 |
| Ｅ社株式 | ２％ | 50,000円 | 10,000円 | 210円 |

⑷　当期に支払った負債利子の額は当社が4,000,000円（うちＡ社に支払った負債利子は1,000,000円）でＡ社が500,000円である。

→ 解答・解説　18－4

## 問題2　交際費等　基本　7分

**次の資料により、当社の交際費等の損金不算入額を求めしなさい。**

⑴　当社は、数年前からＡ社の発行済株式の全てを所有しており、令和４年４月１日から当社を通算親法人としてグループ通算制度を適用している。なお、当社の資本金の額は90,000,000円であり、Ａ社の資本金の額は100,000,000円である。

⑵　当社が当期において交際費として費用に計上した金額は、次のとおりである。

①　取引先の従業員の慶弔禍福に際し、一定の基準に基づき支給したお祝金等　850,000円
（このうち100,000円は、当社工場内において下請会社の従業員が業務遂行に当たり災害を受けたため、当社の従業員に準じて見舞金を交付した金額である。）

②　特約店のセールスマン（所得税法204条の適用を受ける者である。）の慰安のために行われた旅行に要した費用　580,000円

③　得意先の従業員に対して、取引の謝礼として支出した金銭の額　200,000円

④　上記の他、税務上の交際費等の額に該当するもの　8,500,000円
（うち接待飲食費に該当するもの　1,500,000円）

⑶　Ａ社が当期において交際費として費用に計上した金額は、次のとおりである。

①　得意先に対する中元、歳暮の贈答費用　3,470,000円

②　得意先の従業員に対して取引の謝礼として交付した金品の額　937,000円

③　上記の他、税務上の交際費等の額に該当するもの　6,143,000円
（うち接待飲食費に該当するもの　2,500,000円）

## 解答　問題1　受取配当等

(1) 配当等の額

① 完全子法人株式等　2,300,000円

② 関連法人株式等　700,000円

③ その他株式等　1,200,000円

④ 非支配目的株式等　450,000円

(2) 控除負債利子

① 当期支払負債利子

$$(4,000,000-1,000,000+500,000)\times\frac{700,0000}{700,000+1,050,000}=1,400,000円$$

② 控除負債利子の額

イ　配当等の額基準額

700,000×４％＝28,000円

ロ　支払負債利子基準額

①×10％＝140,000円

ハ　イ＜ロ　∴　28,000円

(3) 益金不算入額

(1)①＋((1)②－(2))＋(1)③×50％＋(1)④×20％＝3,662,000円

（単位：円）

| | 項目 | 金額 | 留保 | 社外流出 |
|---|---|---|---|---|
| 加算 | | | | |
| 減算 | 受取配当等の益金不算入額 | 3,662,000 | | ※　3,662,000 |

## 解説

各グループ通算法人の支払負債利子の額の合計額からは、他のグループ通算法人に対する支払負債利子の額を控除します。本問の場合は、A社に対して支払った利子を控除することになります。

## 解答　問題2　交際費等

(1) 支出交際費等

① 接待飲食費

イ　当　社　1,500,000円

ロ　A　社　2,500,000円

ハ　イ＋ロ＝4,000,000円

② ①以外

イ　当　社　(850,000－100,000)＋200,000＋(8,500,000－1,500,000)＝7,950,000円

ロ　A　社　3,470,000＋937,000＋(6,143,000－2,500,000)＝8,050,000円

ハ　イ＋ロ＝16,000,000円

③　合　計

イ　当　社　1,500,000＋7,950,000＝9,450,000円

ロ　A　社　2,500,000＋8,050,000＝10,550,000円

ハ　イ＋ロ＝20,000,000円

⑵　損金算入限度額

①　接待飲食費基準額

1,500,000×50%＝750,000円

②　定額控除限度額

9,450,000円＞$8,000,000 \times \frac{12}{12} \times \frac{9,450,000}{20,000,000}$＝3,780,000円　∴　3,780,000円

③　①＜②　∴　3,780,000円

⑶　損金不算入額

⑴③イ－⑵＝5,670,000円

（単位：円）

| 項目 | | 金額 | 留保 | 社外流出 |
|---|---|---|---|---|
| 加算 | 交際費等の損金不算入額 | 5,670,000 | | 5,670,000 |
| 減算 | | | | |

解説

①　当社工場内において下請会社の従業員が業務遂行に当たり災害を受けたため、当社の従業員に準じて見舞金を交付した金額は、当社の従業員に対するものに準じて交際費等に該当しません。

②　特約店のセールスマンの慰安のために行われた旅行に要した費用は、当社の従業員に対するものと同様に、交際費等に該当しません。

③　通算定額控除限度額を配分するために、他のグループ通算法人の支出交際費等の額を計算する必要があります。

# 総合計算問題

| No | 内　容 | 標準時間 | 重要度 | 難易度 |
|---|---|---|---|---|
| 問題１ | 総合計算問題 | 70分 | A | 基本 |
| 問題２ | 総合計算問題 | 70分 | A | 基本 |
| 問題３ | 総合計算問題 | 70分 | A | 基本 |
| 問題４ | 総合計算問題 | 70分 | A | 基本 |

➜ 解答・解説　総合計算-62

## 問題１　総合計算問題

基本　70分

内国法人である甲株式会社（適用除外事業者に該当しない。以下「甲社」という。）は、製造業を営む年１回３月末日決算の非同族会社（株主は全員個人。従業員は500人。）で、令和７年４月１日から令和８年３月31日までの事業年度（以下「当期」という。）末の資本金等の額は60,000,000円である（うち貸借対照表に計上されている資本金の額は50,000,000円である。）。

甲社は、設立以来毎期連続して適法に青色の申告書によって法人税の確定申告書を提出しており、当期についても申告期限内に青色の申告書による法人税の確定申告を行うものとする。

甲社の当期の確定した決算（株主総会の承認を受けた決算）に基づく株主資本等変動計算書の内容及び法人税の確定申告に必要な資料は、下記のとおりである。

これらに基づいて、当期分の法人税の課税標準である所得の金額及び確定申告により納付すべき法人税額を計算しなさい（計算過程を答案用紙の所定の欄に示すこと。）。

なお、法人税の確定申告に当たって必要な申告の記載及び証明書の添付その他の手続はいずれも適法に行うものとし、計算に当たって選択することができる計算方法が２以上ある場合には、設問中に特に指示されている事項を除き、当期の納付すべき法人税額が最も少なくなる計算方法を用いるものとする。

**Ⅰ　当期の確定した決算に関する事項**

⑴　当期の確定した決算による当期純利益は73,400,000円である。

⑵　当期の６月25日に開催された前期に係る定時株主総会における決議に基づき、前期確定配当（基準日は前期の３月31日）として5,000,000円を支払い、利益準備金500,000円及び別途積立金5,000,000円を積み立てている。

⑶　当期に係る定時株主総会において、当期確定配当（基準日は当期の３月31日）として6,000,000円を支払うことが決議された。

**Ⅱ　所得の金額等の計算に必要な事項**

**１　租税公課に関する事項**

⑴　当期における「法人税等未払金」勘定の異動状況は次のとおりである。

| 税　目 | 期首現在額 | 期中減少額 | 期中増加額 | 期末現在額 |
|---|---|---|---|---|
| 法　人　税 | 18,400,000円 | 18,400,000円 | 21,120,000円 | 21,120,000円 |
| 地方法人税 | 1,895,200円 | 1,895,200円 | 2,175,300円 | 2,175,300円 |
| 住　民　税 | 1,913,600円 | 1,913,600円 | 2,196,400円 | 2,196,400円 |
| 事　業　税 | 5,120,000円 | 5,120,000円 | 5,952,000円 | 5,952,000円 |
| 合　計 | 27,328,800円 | 27,328,800円 | 31,443,700円 | 31,443,700円 |

（注１）　期中減少額については、各租税の前期確定申告分を納付するために取り崩したものであり、上記のほか、納付した前期確定申告分の法人税の延滞税123,800円が「租税公課」に計上されている（下記⑶参照）。

（注２）　期中増加額は当期確定申告分の各租税の納付に備えるために計上したものであり、当期において「法人税・住民税及び事業税」勘定に計上している。

⑵　上記⑴のほか、当期において「法人税・住民税及び事業税」勘定に計上したものは、次のとおりで

ある。

| 税　目　等 | 金　額 |
|---|---|
| ①　当期分中間申告法人税 | 12,194,300円 |
| ②　当期分中間申告地方法人税 | 1,259,700円 |
| ③　当期分中間住民税 | 1,271,900円 |
| ④　当期分中間申告事業税 | 3,427,200円 |

(3)　当期の「租税公課」勘定に計上したもののうちには、次のものがある。

| 税　目　等 | 金　額 |
|---|---|
| ①　固定資産税 | 10,866,000円 |
| ②　法人税の延滞税 | 123,800円 |
| ③　印紙税 | 3,427,200円 |
| ④　甲社の役員が業務中において科せられた交通反則金 | 120,000円 |
| ⑤　当期に生じた控除対象外消費税額等 | 3,261,732円 |

(注)　控除対象外消費税額等の費用計上は、甲社が消費税の経理処理として税抜経理を行っているため生じたものであり、甲社における当期の消費税法に規定する課税売上割合は80%未満である。また、控除対象外消費税額等の中には次のものが含まれている。

イ．棚卸資産に係るもの　1,060,852円

ロ．事務所用建物（床の改修等の工事を含む。）に係るもの　1,100,800円

ハ．車両に係るもの　8,000円

ニ．経費に係るもの　1,092,080円

（うち交際費等の額に係るもの67,000円であり、すべて接待飲食費に該当するものである。）

## 2　交際費等に関する事項

甲社が当期において「接待交際費」勘定に計上した金額は8,834,600円であるが、次のものを除き、接待飲食費に該当するものである。

(1)　得意先A社の社長との飲食店での飲食に要した費用 15,000 円がある。なお、A社の社長は、甲社の取締役と叔父甥の関係である。

(2)　得意先B社との飲食店での飲食に要した費用 10,000 円には得意先を飲食店へ送迎するためのタクシー代 750 円が含まれている。参加者数は２人である。

(3)　同業者パーティに出席して甲社負担分の飲食費相当額として支出した会費 5,000 円があるが、パーティ費用の総額は 95,000 円、参加者数は招待客を含めて 20 人であり、甲社の参加者は１人である。

(4)　取引先に対する慶弔見舞金が 340,000 円ある。

## 3　買換えに関する事項

(1)　甲社は令和７年７月10日に集中地域に所在する土地（面積400㎡）を60,000,000円で譲渡し、当該金額から譲渡直前の土地の帳簿価額41,000,000円及び仲介手数料1,200,000円を控除した17,800,000円を「固定資産売却益」勘定に計上した。この土地の上には倉庫があったが、その譲渡

に関する契約の一環として取り壊し、その取壊し直前の帳簿価額1,382,800円（前期からの繰越償却超過額が65,200円ある。）及び取壊し費用152,000円を「雑損失」勘定に計上した。なお、この土地は平成18年３月21日に取得したものである。

(2)　甲社は、(1)の譲渡対価及び自己資金をもって乙市（集中地域以外の地域）に所在する倉庫用建物、建物付属設備及びその敷地である土地を取得し、令和７年10月14日から事業の用に供している。

| 取得資産 | 取得価額 | 取得に係る仲介手数料 | 法定耐用年数 |
|---|---|---|---|
| 倉庫用建物 | 38,000,000円 | 400,000円 | 24年 |
| 建物付属設備 | 2,000,000円 | — | 15年 |
| 土地（面積2,400㎡） | 20,500,000円 | 500,000円 | |

（注）　取得に際し支払った仲介手数料については「雑費」勘定に計上している。

(3)　甲社は、(2)の取得資産について租税特別措置法第65条の７《特定の資産の買換えの場合の課税の特例》の規定を適用し、倉庫用建物については10,000,000円、土地については12,500,000円、建物付属設備については750,000円、それぞれ圧縮損として帳簿価額を損金経理により減額した。また、減価償却費として、倉庫用建物につき200,000円、建物付属設備につき400,000円を計上している。

**4　減価償却に関する事項**

甲社の当期における減価償却について、考慮すべきものとして次のものがある。甲社は、減価償却資産の償却方法につき、設立時から建物附属設備及び構築物については定率法を選択し、これら以外の減価償却資産については償却方法を選定していないが、建物附属設備及び構築物について、当期から償却方法を定額法に変更することとし、その旨を記載した申請書を、令和７年２月14日に納税地の所轄税務署長に提出している。その申請については、当期末まで何らの通知も受けていない。なお、特に記載があるものを除き、取得後直ちに事業供用をしている。

| 種　　類 | 取得価額 | 期首帳簿価額 | 「減価償却費」勘定計上額 | 法定耐用年数 | 取得年月 |
|---|---|---|---|---|---|
| 工場用建物 | 43,200,000円 | 22,400,000円 | 2,400,000円 | 24年 | 平成10年３月 |
| 事務所用建物 | 34,400,000円 | — | 750,000円 | 50年 | 令和７年11月 |
| 構築物 | 3,400,000円 | 2,400,000円 | 700,000円 | 20年 | 平成23年６月 |
| 機械装置 | 9,500,000円 | 7,500,000円 | 3,000,000円 | 10年 | 令和６年12月 |
| 車両運搬具 | 300,000円 | — | 300,000円 | 5年 | 令和７年４月 |

（注１）　工場用建物については、当期の10月に次の改修等の工事を行い、「修繕費」勘定に計上している。

①　避難階段の取付工事　　1,500,000円

②　壁の破損の原状回復のための工事　　700,000円

（注２）　事務所用建物は、取得後、床の改修等の工事を行った後に11月から事業の用に供している。その工事に要した費用20,000,000円は、「修繕費」勘定に計上している。なお、建築後28年を経過した中古のもの（再取得価額75,000,000円）であるが、残存耐用年数を見積ることは困難と認められる。

（注３）　機械装置は前期において特別償却（特別償却限度額は取得価額の30％相当額）を行っているが、特別償却不足額が生じている。

（注４）　車両運搬具は、中古車販売所で取得したものであり、５年間使用されたものであるが、残存耐用年数を見積ることは困難と認められる。

**5　外貨建資産等に関する事項**

甲社の当期末における外貨建資産等の状況は次のとおりである。なお、甲社は、外貨建資産等の期末換算方法等の届出書を提出したことはない。

| 区　　分 | 期末帳簿価額 | | 支払期限（満期日） | 備　考 |
|---|---|---|---|---|
| 売　掛　金 | 500ドル | 54,500円 | 令８．５．10 | （注１） |
| 外 国 株 式 | 100,000ドル | 11,100,000円 | 令８．９．30 | （注２） |
| 貸　付　金 | 10,000ドル | 1,070,000円 | 令10．４．30 | （注３） |
| 借　入　金 | 200,000ドル | 22,400,000円 | （注４） | |

（注１）　売掛金は外国法人Ｃ社に当期の２月に売り上げた際に取得したものであり、その取得時の外国為替相場は１ドル109円である。当期末においては外国為替相場が１ドル112円であるが、その売掛金が少額であったため、「為替差損益」計上の処理をしなかった。

（注２）　外国株式は償還有価証券に該当し、その取得時における外国為替相場は１ドル111円であり、期末帳簿価額は、その取得時における為替相場により計上している。

（注３）　貸付金は、当期の５月１日に外国法人Ｄ社に貸付けたものであるが、当期の12月17日に１ドル107円の為替予約が付されている。当期の12月17日の外国為替相場は１ドル104円であるが、取得時の外国為替相場は１ドル101円であるため、その差額60,000円の「為替差損益」勘定を貸方計上している。

（注４）　借入金は、外国法人Ｅ社から当期の４月１日に借り入れたものであり、翌期の４月末日から毎月月末に5,000ドルの返済予定となっているものである。甲社は、その200,000ドルにつき、当期の４月１日の外国為替相場１ドル109円で換算した金額と当期末の外国為替相場１ドル112円で換算した金額との差額600,000円を「為替差損益」勘定の借方に計上している。

（注５）　為替差損益の按分計算を要する場合には、月数によることとする。

6　受取配当等に関する事項

⑴　当期中に内国法人から支払を受けた配当等の額は次のとおりであり、配当等の額を収益に、源泉徴収税額を費用に計上している。

| 銘柄等 | 区分 | 計算期間 | 配当等の額 | 源泉徴収税額 |
|---|---|---|---|---|
| F社株式 | 剰余金配当 | 令6.10.1～令7.9.30 | 100,000円 | 15,315円 |
| G社株式 | 剰余金配当 | 令6.4.1～令7.3.31 | 2,000,000円 | －円 |
| H証券投資信託 | 収益分配金 | 令6.11.1～令7.10.31 | 250,000円 | 38,287円 |
| 預金 | 利子 | —— | 60,000円 | 9,189円 |

⑵　甲社がF社株式（発行済株式数2億株）を初めて取得したのが令和6年8月31日であり、以後の異動の状況は次のとおりである。なお、甲社は有価証券の一単位当たりの帳簿価額の算出の方法について選定の届出を行っていない。

| 日付 | 摘要 | 取得 | | 譲渡（売却価額） | | 残高 |
|---|---|---|---|---|---|---|
| 令6.8.31 | 購入 | 35,000株 | 10,500,000円 | | | 35,000株 |
| 令7.9.15 | 購入 | 15,000株 | 4,900,000円 | | | 50,000株 |
| 令7.10.30 | 譲渡 | | | 10,000株 | 4,500,000円 | 40,000株 |
| 令8.2.2 | 譲渡 | | | 20,000株 | 9,500,000円 | 20,000株 |
| 令8.3.12 | 購入 | 15,000株 | 5,190,000円 | | | 35,000株 |

（注）　F社株式について譲渡益を3,910,000円計上し、貸借対照表に帳簿価額として10,500,000円が計上されている。

⑶　G社株式は、令和6年9月20日に発行済株式数の全部を取得したものである。

⑷　H証券投資信託は、数年前に取得したものであるが、その信託財産を主に株式に運用することとされているものである。

⑸　配当等の額から控除する負債利子の額は70,826円である。

7　外国税額に関する事項

(1)　甲社は、前期よりＩ国及びＪ国に支店を設けて甲社製品の販売を行っている。

(2)　甲社が当期中に納付した外国法人税に関する資料は次のとおりである。

| 国　　別 | Ｉ　国 | Ｊ　国 |
|---|---|---|
| 所得の種類 | 事業所得 | 事業所得 |
| 計算期間 | 令6.4.1～令7.3.31 | 令6.4.1～令7.3.31 |
| 納付確定日<br>(納付日) | 令7.6.28<br>(令7.6.28) | 令7.6.29<br>(令7.6.29) |
| 課税標準 | 7,500,000円 | 10,000,000円 |
| 税額(費用計上) | 3,000,000円 | 3,000,000円 |
| 税　　率 | 40% | 30% |

(3)　法人税法施行令第142条第3項に規定する当期の調整国外所得金額は28,492,000円である。

〈参　考〉

－耐用年数が20年の場合の、250%定率法による未償却残額割合表＜抜粋＞－

| 耐用年数<br>経過年数 | 20年 |
|---|---|
| 1年 | 0.875 |
| 2年 | 0.766 |
| 3年 | 0.670 |
| 4年 | 0.586 |
| 5年 | 0.513 |

－別表第七　平成19年３月31日以前に取得をされた減価償却資産の償却率表＜抜粋＞－

| 耐 用 年 数 | 旧定額法の償却率 | 旧定率法の償却率 |
|---|---|---|
| 年<br>2 | 0.500 | 0.684 |
| 3 | 0.333 | 0.536 |
| 4 | 0.250 | 0.438 |
| 5 | 0.200 | 0.369 |
| 10 | 0.100 | 0.206 |
| 15 | 0.066 | 0.142 |
| 16 | 0.062 | 0.134 |
| 17 | 0.058 | 0.127 |
| 18 | 0.055 | 0.120 |
| 19 | 0.052 | 0.114 |
| 20 | 0.050 | 0.109 |
| 21 | 0.048 | 0.104 |
| 22 | 0.046 | 0.099 |
| 23 | 0.044 | 0.095 |
| 24 | 0.042 | 0.092 |
| 27 | 0.037 | 0.082 |
| 28 | 0.036 | 0.079 |
| 29 | 0.035 | 0.076 |
| 30 | 0.034 | 0.074 |
| 31 | 0.033 | 0.072 |
| 32 | 0.032 | 0.069 |
| 50 | 0.020 | 0.045 |

－別表第八、九　平成19年４月１日以後に取得をされた定額法又は定率法（定率法は平成24年３月31日以前取得のもの）の減価償却資産の償却率、改定償却率及び保証率の表＜抜粋＞－

| 耐用年数 | 定額法の償却率 | 定率法の償却率 | 改定償却率 | 保証率 |
|---|---|---|---|---|
| 年<br>2 | 0.500 | 1.000 | — | — |
| 3 | 0.334 | 0.833 | 1.000 | 0.02789 |
| 4 | 0.250 | 0.625 | 1.000 | 0.05274 |
| 5 | 0.200 | 0.500 | 1.000 | 0.06249 |
| 10 | 0.100 | 0.250 | 0.334 | 0.04448 |
| 15 | 0.067 | 0.167 | 0.200 | 0.03217 |
| 16 | 0.063 | 0.156 | 0.167 | 0.03063 |
| 17 | 0.059 | 0.147 | 0.167 | 0.02905 |
| 18 | 0.056 | 0.139 | 0.143 | 0.02757 |
| 19 | 0.053 | 0.132 | 0.143 | 0.02616 |
| 20 | 0.050 | 0.125 | 0.143 | 0.02517 |
| 21 | 0.048 | 0.119 | 0.125 | 0.02408 |
| 22 | 0.046 | 0.114 | 0.125 | 0.02296 |
| 23 | 0.044 | 0.109 | 0.112 | 0.02226 |
| 24 | 0.042 | 0.104 | 0.112 | 0.02157 |
| 27 | 0.038 | 0.093 | 0.100 | 0.01902 |
| 28 | 0.036 | 0.089 | 0.091 | 0.01866 |
| 29 | 0.035 | 0.086 | 0.091 | 0.01803 |
| 30 | 0.034 | 0.083 | 0.084 | 0.01766 |
| 31 | 0.033 | 0.081 | 0.084 | 0.01688 |
| 32 | 0.032 | 0.078 | 0.084 | 0.01655 |
| 50 | 0.020 | 0.050 | 0.053 | 0.01072 |

－別表第十　平成24年４月１日以後に取得をされた減価償却資産の定率法の償却率、改定償却率及び保証率の表＜抜粋＞－

| 耐用年数 | 償却率 | 改定償却率 | 保証率 |
|---|---|---|---|
| 年<br>2 | 1.000 | — | — |
| 3 | 0.667 | 1.000 | 0.11089 |
| 4 | 0.500 | 1.000 | 0.12499 |
| 5 | 0.400 | 0.500 | 0.10800 |
| 10 | 0.200 | 0.250 | 0.06552 |
| 15 | 0.133 | 0.143 | 0.04565 |
| 16 | 0.125 | 0.143 | 0.04294 |
| 17 | 0.118 | 0.125 | 0.04038 |
| 18 | 0.111 | 0.112 | 0.03884 |
| 19 | 0.105 | 0.112 | 0.03693 |
| 20 | 0.100 | 0.112 | 0.03486 |
| 21 | 0.095 | 0.100 | 0.03335 |
| 22 | 0.091 | 0.100 | 0.03182 |
| 23 | 0.087 | 0.091 | 0.03052 |
| 24 | 0.083 | 0.084 | 0.02969 |
| 27 | 0.074 | 0.077 | 0.02624 |
| 28 | 0.071 | 0.072 | 0.02568 |
| 29 | 0.069 | 0.072 | 0.02463 |
| 30 | 0.067 | 0.072 | 0.02366 |
| 31 | 0.065 | 0.067 | 0.02286 |
| 32 | 0.063 | 0.067 | 0.02216 |
| 50 | 0.040 | 0.042 | 0.01440 |

## 答案用紙 問題1 総合計算問題

| 区分 | | 金額 |
| --- | --- | --- |
| 会社計上当期純利益 | | 円 |
| 加算 | | |
| | 小計 | |

| 減算 | | |
|---|---|---|
| | 小　　計 | |
| 仮　　計 | | |
| 合計・差引計・総計 | | |
| 所得金額 | | |

計算過程(1)

（単位：円）

［租税公課に関する事項］

［交際費等に関する事項］

計算過程(2)　　(単位：円)

［買換えに関する事項その１］

計算過程(3)

(単位：円)

［買換えに関する事項その２］

［減価償却に関する事項その１］

計算過程(4)　（単位：円）

［減価償却に関する事項その２］

計算過程(5)　　　　（単位：円）

［減価償却に関する事項その３］

計算過程(6)

(単位:円)

［外貨建資産等に関する事項］

計算過程(7)　　(単位：円)

[受取配当等及び有価証券に関する事項]

計算過程(8)　（単位：円）

［所得税に関する事項］

［外国税に関する事項］

## Ⅱ　納付すべき法人税額の計算

| 区　　　分 | 金　　　額 | 計　算　過　程 |
|---|---|---|
| 所　得　金　額 | 円 | (　　　　　　) |
| 法　人　税　額 | | [法人税額の計算] |
| 差　引　法　人　税　額<br>法　人　税　額　計<br>差引所得に対する法人税額 | | (　　　　　　) |
| 納付すべき法人税額 | | |

## 問題2　総合計算問題　重要　基本　70分

内国法人である甲株式会社（以下「甲社」という。）は、製造業を営む年１回３月末決算の特定同族会社（株主は全員個人）で、令和７年４月１日から令和８年３月31日までの事業年度（以下「当期」という。）末の資本金等の額は400,000,000円である。甲社は、設立以来、毎期連続して適法に青色の申告書によって法人税の確定申告書を提出しており、当期についても申告期限内に青色の申告書により法人税の確定申告を行う予定である。

甲社の当期の確定した決算（株主総会の承認を受けた決算）に基づく株主資本等変動計算書の内容及び法人税の確定申告のために必要な資料は次のとおりである。これらに基づいて、当期分の法人税の課税標準である所得の金額及び確定申告により納付すべき法人税額を計算するともに、法人税申告書別表五㈠Ⅰ「利益積立金額の計算に関する明細書」を完成させなさい（計算過程を答案用紙の所定の欄に示すこと。）。

なお、解答に当たっては、次の事項を前提として計算することとし、解答に当たり補足すべき事項があれば適宜補足したうえで解答すること。

⑴　税法上選択できる計算方法が２以上ある事項については、設問中に特に指示されている事項を除き、当期の納付すべき法人税額が最も少なくなる計算方法によるものとする。

⑵　法人税の確定申告に当たって必要な申告の記載及び証明書の添付その他の手続は、いずれも適法に行うものとする。

⑶　期間按分を要する場合は、月数によることとする。

⑷　消費税等については考慮する必要はない。

### Ⅰ　株主資本等変動計算書の内容

（単位：円）

| | 資本金 | 利益剰余金 | | | 株主資本合計 |
|---|---|---|---|---|---|
| | | 利益準備金 | その他利益剰余金 | | |
| | | | 圧縮積立金 | 繰越利益剰余金 | |
| 当期首残高 | 400,000,000 | 50,000,000 | 0 | 136,800,000 | 586,800,000 |
| 当期変動額 | | | | | |
| 剰余金の配当 | | | | △20,000,000 | △20,000,000 |
| 剰余金の配当に伴う利益準備金の積立て | | 2,000,000 | | △ 2,000,000 | — |
| 圧縮積立金の積立て | | | 52,000,000 | △52,000,000 | — |
| 当期純利益 | | | | 171,200,000 | 171,200,000 |
| 当期変動額合計 | | 2,000,000 | 52,000,000 | 97,200,000 | 151,200,000 |
| 当期末残高 | 400,000,000 | 52,000,000 | 52,000,000 | 234,000,000 | 738,000,000 |

（注）　当期純利益の計算上、法人税等調整額が28,000,000円控除されている。

上記の剰余金の配当は、前期（令和６年４月１日から令和７年３月31日までの事業年度）に係る株主総会において、前期末を基準日（配当の効力発生日は、令和７年５月25日）とする確定配当を行ったことによるものである。また、当期に係る株主総会において、当期末を基準日（配当の効力発生日は、令和８年５月25日）とする確定配当を40,000,000円とすることを決議している。

## Ⅱ　所得金額等の計算に関する事項

### 1　租税公課に関する事項

(1)　法人税等未払金の増減の状況は次のとおりである。

| 期首現在額 | 期中減少額 | 期中増加額 | 期末現在額 |
|---|---|---|---|
| 100,000,000円 | 100,000,000円 | 120,000,000円 | 120,000,000円 |

（注１）　「期首現在額」及び「期中増加額」の金額は、それぞれ前期及び当期において、前期確定申告分及び当期確定申告分の法人税、地方法人税、道府県民税及び市町村民税並びに事業税に係る税額として引き当てたものであり、法人税、住民税及び事業税として費用に計上している。

（注２）　「期中減少額」の金額は、前期確定申告分の法人税62,368,000円（法人税の延滞税82,000円を含む。）、地方法人税6,415,400円、道府県民税1,245,700円、市町村民税5,232,000円及び事業税24,008,000円を納付するために取り崩し、残額については収益に計上している。

(2)　上記(1)のほか、当期において法人税、住民税及び事業税として費用に計上した金額及び租税公課に計上した金額のうちには次のものがある。

| 区　　　　分 | 金　　額 |
|---|---|
| 当期中間分の法人税 | 56,164,100円 |
| 当期中間分の地方法人税 | 6,081,100円 |
| 当期中間分の道府県民税 | 1,180,800円 |
| 当期中間分の市町村民税 | 4,959,300円 |
| 当期中間分の事業税 | 23,616,000円 |
| 源泉徴収所得税 | 516,000円 |
| 源泉徴収復興特別所得税 | 10,836円 |
| 源泉徴収外国税 | 600,000円 |
| 使用人の業務中に係る交通違反に対して課された罰金 | 360,000円 |
| 印紙税（過怠税400,000円を含む。） | 4,592,000円 |
| 労働保険料の納付遅延に伴う延滞金 | 24,600円 |

## 2　受取配当等に関する事項

当期中に内国法人から支払を受けた利子、配当等の額は次のとおりであり、利子・配当等の額を収益に計上している。

| 区　　分 | 利子･配当等の別 | 利子･配当等の計算期間 | 利子・配当等の額 | 源泉徴収税額 | |
|---|---|---|---|---|---|
| | | | | 所得（外国）税 | 復興特別所得税額 |
| A社株式 | 確 定 配 当 | 令6.8.1<br>～令7.7.31 | 1,000,000円 | 150,000円 | 3,150円 |
| B社株式 | 確 定 配 当 | 令6.10.1<br>～令7.9.30 | 8,000,000円 | 600,000円 | － |
| C協同組合出資 | 事業分量配当 | 令7.1.1<br>～令7.12.31 | 200,000円 | － | － |
| E証券投資信託 | 収益分配金 | 令6.10.1<br>～令7.9.30 | 1,700,000円 | 240,000円 | 5,040円 |
| F社社債 | 利　　　子 | 令7.4.1<br>～令8.3.31 | 400,000円 | 60,000円 | 1,260円 |
| 銀行預金 | 利　　　子 | － | 440,000円 | 66,000円 | 1,386円 |

（注1）　A社株式の初めて取得してからの異動状況は次のとおりである（所有割合は1％を超えたことがない。）。なお、譲渡原価の計算は適正に行われている。

| 日付 | 摘要 | 株数 | 日付 | 摘要 | 株数 |
|---|---|---|---|---|---|
| 令7.6.30 | 取得 | 80,000株 | 令7.8.4 | 売却 | 60,000株 |
| 令7.7.2 | 取得 | 80,000株 | 令7.8.20 | 取得 | 40,000株 |
| 令7.7.22 | 売却 | 40,000株 | 令7.9.30 | 売却 | 20,000株 |
| 令7.7.31 | 取得 | 40,000株 | 令7.10.1 | 売却 | 40,000株 |

（注2）　B社株式は外国法人B社が発行した株式であり、源泉徴収税額はD国において徴収されたものである。なお、甲社のB社株式の発行済株式総数に対する所有割合は、前々期から継続して50%である。

（注3）　E証券投資信託は特定株式投資信託に該当するものであり、その上記の利子・配当等の額1,700,000円のうちには、特別分配金が100,000円含まれている。なお、前期の10月5日に取得したものである。

（注4）　F社社債（額面金額2億円、発行日令和6年4月1日）は法人税法施行令第119条の14に規定する償還有価証券に該当し、その償還期限は令和11年3月31日のものである。当期の4月20日に、F社社債を198,800,000円で取得し、社債利息に300,000円計上したことにより、当期末の帳簿価額を199,100,000円としている。

## 3　収用等に関する事項

⑴　甲社は、令和7年9月24日にG市から甲社所有の土地（面積200㎡、譲渡直前の帳簿価額88,400,000円）及びその上に存する事務所用建物（譲渡直前の帳簿価額35,120,000円。前期において減損損失に計上した金額20,000,000円があるが、損金算入されなかったものである。）について、買取りの申

出を受け、令和７年11月８日にその申出を受けた。この土地及びその上に存する事務所用建物につき収受した対価補償金は、それぞれ土地140,000,000円、事務所用建物68,000,000円である。また、譲渡に要した経費として、土地につき3,400,000円、事務所用建物につき1,920,000円あるが、その譲渡に要した経費に充てるための補償金として、土地につき3,200,000円、事務所用建物につき2,400,000円を収受している。甲社は補償金の額の合計額から譲渡直前の帳簿価額及び譲渡経費を控除した金額を固定資産売却益として収益に計上している。

⑵ 甲社は、令和８年１月15日に上記⑴の補償金と自己資金により、代替資産として土地（面積1,200㎡）及び事務所用建物を、それぞれ188,000,000円及び114,000,000円で取得し、圧縮記帳の適用を受けることとし、それぞれ土地60,000,000円（うち繰延税金負債21,000,000円）及び事務所用建物20,000,000円（うち繰延税金負債7,000,000円）の圧縮積立金を積み立てている。

⑶ 差益割合は一括して計算することとする。

## 4　減価償却に関する事項

甲社の減価償却資産に関する事項で検討を要するものは次のとおりである。

| 種類等 | 取得価額 | 当期償却額 | 法定耐用年数 | 償却方法 | 事業供用年月日 |
|---|---|---|---|---|---|
| 事務所用建物 | 114,000,000円 | 2,400,000円 | 50年 | 定額法 | 令８．１．16 |
| 機械装置 | 10,000,000円 | 4,000,000円 | 10年 | 定率法 | 令８．３．22 |
| 一括償却資産 | 4,680,000円 | － | － | 一括償却 | 令７．３．８ |

（注１）　事務所用建物は、上記資料３の代替資産である。

（注２）　機械装置は、法定耐用年数の３年を経過した中古のもので、事業供用に際し改良費を5,000,000円支出し費用に計上している。なお、その再取得価額は24,000,000円である。

（注３）　一括償却資産は前期において取得価額の全額を消耗品費として費用計上している。

## 5　試験研究費に関する事項

⑴ 当期及び前３期の売上金額と損金の額に算入された試験研究費の額は、次のとおりである。

なお、継続雇用者給与等支給額がその継続雇用者比較給与等支給額を超えている。また、試験研究費割合は10％以下である。

| 事業年度 | 試験研究費の額 | 売上金額 |
|---|---|---|
| 自令和４年４月１日　至令和５年３月31日 | 17,660,000円 | 1,498,200,000円 |
| 自令和５年４月１日　至令和６年３月31日 | 18,948,000円 | 1,786,748,000円 |
| 自令和６年４月１日　至令和７年３月31日 | 19,240,000円 | 1,853,692,000円 |
| 自令和７年４月１日　至令和８年３月31日 | 41,736,000円 | 1,971,060,000円 |

（注）　当期における試験研究費の額には、突発的な故障により、除却した試験研究用の機械装置の除却損4,800,000円が含まれている。

⑵ Ｈ社から委託を受けた試験研究費の額に充てるものとして支払いを受け、当期の収益に計上した金額が6,760,000円ある。

＜参考資料＞

減価償却資産の償却率、改定償却率及び保証率の表

① 旧定額法、旧定率法及び定額法の償却率並びに平成19年４月１日から平成24年３月31日までに取得した減価償却資産の定率法の償却率、改定償却率、保証率の表（一部）

| 耐用年数 | 定額法償却率 | 定率法 | | | 旧定額法償却率 | 旧定率法償却率 |
|---|---|---|---|---|---|---|
| | | 償却率 | 改定償却率 | 保証率 | | |
| 4 | 0.250 | 0.625 | 1.000 | 0.05274 | 0.250 | 0.438 |
| 5 | 0.200 | 0.500 | 1.000 | 0.06249 | 0.200 | 0.369 |
| 6 | 0.167 | 0.417 | 0.500 | 0.05776 | 0.166 | 0.319 |
| 7 | 0.143 | 0.357 | 0.500 | 0.05496 | 0.142 | 0.280 |
| 8 | 0.125 | 0.313 | 0.334 | 0.05111 | 0.125 | 0.250 |
| 9 | 0.112 | 0.278 | 0.334 | 0.04731 | 0.111 | 0.226 |
| 10 | 0.100 | 0.250 | 0.334 | 0.04448 | 0.100 | 0.206 |
| 50 | 0.020 | 0.050 | 0.053 | 0.01072 | 0.020 | 0.045 |

② 平成24年４月１日以後に取得した減価償却資産の定率法の償却率、改定償却率及び保証率の表(一部)

| 耐用年数 | 償却率 | 改定償却率 | 保証率 |
|---|---|---|---|
| 4 | 0.500 | 1.000 | 0.12499 |
| 5 | 0.400 | 0.500 | 0.10800 |
| 6 | 0.333 | 0.334 | 0.09911 |
| 7 | 0.286 | 0.334 | 0.08680 |
| 8 | 0.250 | 0.334 | 0.07909 |
| 9 | 0.222 | 0.250 | 0.07126 |
| 10 | 0.200 | 0.250 | 0.06552 |
| 50 | 0.040 | 0.042 | 0.01440 |

## 答案用紙 問題2 総合計算問題

I　所得の金額の計算

| 区分 | | 金額 |
|---|---|---|
| 会社計上当期純利益 | | 円 |
| 加算 | | |
| | 小計 | |

| | | |
|---|---|---|
| 減算 | | |
| | 小計 | |
| 仮計 | | |
| 合計・差引計・総計 | | |
| 所得金額 | | |

計算過程(1)　　　　　　　　　　　　　　　　　　　　(単位：円)

[租税公課]

[所得税額]

[外国法人からの配当金]

[受取配当等]

**計算過程(2)**

（単位：円）

［有価証券］

［収用等の圧縮記帳］

計算過程(3)　　（単位：円）

［減価償却資産に関する事項］

計算過程(4)　　　　(単位：円)

［試験研究費］

計算過程(5)

（単位：円）

［留保金課税］

Ⅱ　納付すべき法人税額の計算

| 区分 | 金額 | 計算過程 |
| --- | --- | --- |
| 所得金額 | 円 | (　　　　) |
| 法人税額 | | [法人税額の計算] |
| 差引法人税額 | | |
| 法人税額計 | | |
| 差引所得に対する法人税額 | | (　　　　) |
| 納付すべき法人税額 | | |

Ⅱ　利益積立金額の計算に関する明細書

| 事業年度 | 令和7.4.1<br>令和8.3.31 | 法人名 | 甲株式会社 |
|---|---|---|---|

| 区　　　分 | 期首現在利益積立金 | 当期の増減 | | 差引翌期首現在利益積立金額 ①－②＋③ |
|---|---|---|---|---|
| | | 減 | 増 | |
| | ① | ② | ③ | ④ |
| | 円 | 円 | 円 | 円 |
| 利益準備金 | 50,000,000 | | | |
| 別途積立金 | | | | |
| 一括償却資産 | 3,120,000 | | | |
| 旧事務所用建物 | 20,000,000 | | | |
| | | | | |
| | | | | |
| | | | | |
| | | | | |
| | | | | |
| | | | | |
| | | | | |
| | | | | |
| | | | | |
| | | | | |
| | | | | |
| 繰延税金負債 | | | 28,000,000 | 28,000,000 |
| 繰越損益金（損は△） | 136,800,000 | | | |
| 納税充当金 | 100,000,000 | | | |

<table>
<tr><td rowspan="6">未納法人税等（退職年金等積立金に対するものを除く。）</td><td rowspan="2">未納法人税及び未納地方法人税（附帯税を除く。）</td><td rowspan="2">△68,701,400</td><td rowspan="2">△</td><td>中間</td><td>△</td><td rowspan="2"></td></tr>
<tr><td>確定</td><td></td></tr>
<tr><td rowspan="2">未納道府県民税（均等割額を含む。）</td><td rowspan="2">△ 1,245,700</td><td rowspan="2">△</td><td>中間</td><td>△</td><td rowspan="2"></td></tr>
<tr><td>確定</td><td></td></tr>
<tr><td rowspan="2">未納市町村民税（均等割額を含む。）</td><td rowspan="2">△ 5,232,000</td><td rowspan="2">△</td><td>中間</td><td>△</td><td rowspan="2"></td></tr>
<tr><td>確定</td><td></td></tr>
<tr><td colspan="2">差引合計額</td><td>234,740,900</td><td></td><td colspan="2"></td><td></td></tr>
</table>

→ 解答・解説　総合計算-92

## 問題3　総合計算問題

重要　基本　70分

内国法人である甲株式会社（適用除外事業者に該当しない。株主は全員個人。以下「甲社」という。）は、平成25年４月１日に資本金の額100,000,000円で設立された製造業（主たる事業）等を営む年１回３月末決算の非同族会社である。甲社は、設立以来毎期連続して適法に青色の申告書により法人税の確定申告書を提出しており、令和７年４月１日から令和８年３月31日までの事業年度（以下「当期」という。）についても申告期限内に青色の申告書により法人税の確定申告を行う予定である。当期純利益の額は123,592,500円と算出される。

甲社の当期分の法人税の確定申告のために必要な資料は次のとおりである。

これらに基づき、当期分の法人税の課税標準である所得の金額及び確定申告により納付すべき法人税額を計算しなさい（計算過程を答案用紙の所定の欄に示すこと。）。

なお、法人税の確定申告に当たって必要な申告の記載、証明書類の添付その他の手続はいずれも適法に行うものとするが、計算に当たり選択することができる計算方法が２以上ある場合には、設問中に特に指示されている事項を除き、当期分の納付すべき法人税額が最も少なくなる方法によるものとする。

（注）　甲社は、減価償却資産の償却方法、棚卸資産の評価方法、外貨建資産等の換算方法及び有価証券の１単位当たりの帳簿価額の算出方法について何ら選定の届出を行っていない。

**【所得の金額等の計算に必要な事項】**

**1　前期以前の所得金額等**

設立から前期までの別表四差引計の金額又は欠損金額は、次のとおりである。

| 事業年度 | 別表四差引計の金額又は欠損金額<br>（欠損金額は△） |
|---|---|
| 自平成26年４月１日　至平成27年３月31日 | △ 85,000,000円 |
| 自平成27年４月１日　至平成28年３月31日 | △ 10,000,000円 |
| 自平成28年４月１日　至平成29年３月31日 | 30,000,000円 |
| 自平成29年４月１日　至平成30年３月31日 | 14,000,000円 |
| 自平成30年４月１日　至平成31年３月31日 | 25,000,000円 |
| 自平成31年４月１日　至令和２年３月31日 | 7,000,000円 |
| 自令和２年４月１日　至令和３年３月31日 | 24,650,000円 |
| 自令和３年４月１日　至令和４年３月31日 | 15,850,000円 |
| 自令和４年４月１日　至令和５年３月31日 | 10,900,000円 |
| 自令和５年４月１日　至令和６年３月31日 | 50,000,000円 |
| 自令和６年４月１日　至令和７年３月31日 | △ 30,000,000円 |

### 2　租税公課に関する事項

⑴　前期においては、欠損金額が生じたため、前期において納付した中間申告分の租税が当期において還付された。その内訳は、次のとおりであり、甲社は、これらにつき収益に計上している。

| 法人税 | 地方法人税 | 住民税 | 事業税 | 源泉所得税 |
|---|---|---|---|---|
| 4,500,000円 | 198,000円 | 900,000円 | 1,266,000円 | 38,287円 |

⑵　当期においては、業績が急回復したため、当期確定申告分として、法人税等未払金勘定に60,000,000円を損金経理により計上している。

⑶　当期中に納付し、租税公課として損金経理した金額のうちには次のものが含まれている。

| 区　分 | 金　額 | 備　考 |
|---|---|---|
| 住民税均等割 | 132,500円 | — |
| 固定資産税及び都市計画税 | 2,725,840円 | — |
| 過怠税 | 190,000円 | — |
| 未払金に計上した当期確定申告分の事業所税 | 978,600円 | 製造原価に含まれている金額が259,200円ある。 |
| 役員が科せられた罰金 | 75,000円 | 業務中以外のものが30,000円含まれている。 |

### 3　国庫補助金等

⑴　甲社は、令和６年12月１日に、Ａ県から機械装置（法定耐用年数10年）の取得に充てるための補助金2,400,000円の交付を受けたが、前期末において返還を要しないことが確定しなかったため、前期分の決算において同額の仮受金経理を行い、特別勘定として申告した。

⑵　甲社は、令和７年３月１日に、当該補助金に自己資金を加え、その交付目的に適合した新品の機械装置を6,000,000円で取得し、直ちに事業の用に供している。また、前期において、減価償却費を100,000円計上しているが、全額損金の額に算入されている。

⑶　令和７年10月28日に、上記補助金について、その全額の返還を要しないことが確定した。

甲社は、取得した機械装置について法人税法第44条《特別勘定を設けた場合の国庫補助金等で取得した固定資産等の圧縮額の損金算入》の規定の適用を受けることとし、圧縮損として2,400,000円計上し、帳簿価額を減額した。また、減価償却費として1,500,000円を計上した。

### 4　リース取引

甲社は令和７年10月１日に、リース会社との間で車両運搬具（法定耐用年数５年）のリースに係る契約を締結し、事業の用に供した。その契約の内容等は次のとおりである。

| リース期間 | 令和７年10月１日～令和11年９月30日 |
|---|---|
| 月額リース料 | 60,000円（総額は4,000,000円であり、残価保証額は1,120,000円である。） |
| 上記以外の契約の内容 | 中途解約はできず、車両運搬具の使用に伴って生ずる費用は実質的に甲社が負担し、リース期間終了後には当該器具備品はリース会社に返還される。 |

なお、甲社は、当期分のリース料360,000円及び運搬費50,000円を当期の費用に計上する処理を行っている。

## 5　借地権

甲社は、平成26年５月に取得した借地権について、非減価償却資産であることから、償却せず、平成27年３月期から前期まで貸借対照表の資産の部に8,000,000円計上していた。

契約期間の満了に伴い、その契約の更新をし、当期において更新料を4,000,000円支出し、費用計上した。

なお、更新時の借地権の価額は15,000,000円である。

## 6　貸倒損失及び貸倒引当金

(1)　甲社の当期末における貸借対照表の資産の部に計上されている債権には、次のものがある。

①　売掛金　70,000,001円

売掛金には、得意先Ｂ社に対する売掛金が１円含まれている。なお、前期末に得意先Ｂ社に対して売掛金が300,000円及び貸付金が900,000円あったが、Ｂ社は支払能力が悪化し、前期の３月から取引を停止していた。当期において、Ｂ社の債権につき回収の見込みが立たないため、それぞれ備忘価額として１円を残し、貸倒損失を計上した。また、Ｃ社に対する売掛金3,000,000円が含まれている。前期末に得意先Ｃ社に対して売掛金5,000,000円を有していたが、Ｃ社は債務超過の状態が相当期間継続し、売掛金の回収ができないと認められたため、当期においてＣ社に対して書面により売掛金2,000,000円を免除する旨の通知を行い、同額を貸倒損失に計上している。

②　受取手形　45,000,000円

③　未収入金　20,000,000円

損害賠償金の未収分である。

④　貸付金　32,000,001円

得意先Ｂ社に対する貸付金が１円含まれている。また、得意先Ｄ社に対する貸付金 4,000,000円が含まれているが、当期の 10 月においてＤ社が、会社更生法の規定による更生計画認可の決定を受けたことにより、次のように切捨て又は返済計画が立てられた。なお、Ｄ社に対して 300,000円の担保物を有している。

イ　債権総額の20％は切り捨てる。

ロ　債権総額の10％は令和13年４月末まで棚上げする。

ハ　債権総額の残りの70％は令和10年３月31日を第１回として、毎年３月31日に280,000円ずつの10回均等分割返済とする。

⑤　ゴルフ会員権　15,000,000円

(2)　甲社が、損金経理により、一括評価金銭債権に係る貸倒引当金に繰り入れた金額は4,000,000円、Ｄ社貸倒引当金として繰り入れた金額は2,000,000円である（甲社は貸倒引当金について、貸借対照表において貸方計上している。）。また、前期の決算において損金経理により貸倒引当金勘定に繰り入れた金額3,000,000円（税法上の繰入限度超過額87,966円を含む。）は、当期において全額を取り崩し、収益に計上している。

⑶　前期、前々期及び前々々期の貸倒損失等の状況は次のとおりである。なお、一括貸倒引当金繰入限度額の計算は、貸倒実績率によるものとする。

| 事業年度 | 期末一括評価金銭債権 | 貸倒損失額 | 個別貸倒引当期繰入額 |
|---|---|---|---|
| 前　　期 | 126,994,000円 | 1,938,000円 | 1,850,000円 |
| 前　々　期 | 122,092,000円 | 2,706,000円 | — |
| 前々々期 | 135,559,000円 | 683,000円 | — |

（注）　前期に繰り入れた個別貸倒引当金はＤ社に対してのものであり、税務上適正額である。なお、当期において全額を取り崩し、収益に計上している。

## 7　有価証券の売却

甲社は、令和７年10月14日に、数年前から所有していたＥ社株式（所有割合１％）の全部をＥ株式会社（以下「Ｅ社」という。）に対して6,750,000円（譲渡直前の帳簿価額4,500,000円）で売却した。これは、Ｅ社から買取りの申し出があったため、応じたものであり、いわゆる相対取引に該当する。

これについて、甲社は、売却価額から譲渡直前の帳簿価額、源泉徴収税額1,148,625円を控除した金額1,101,375円を譲渡益に計上している。

なお、譲渡直前のＥ社における資本金等の額は112,500,000円である。

## 8　受取配当等に関する事項

⑴　甲社は当期中に次の配当等を収受し、収益に計上している。

| 銘　柄 | 区　分 | 計算期間 | 配当等の額 | 源泉徴収税額 | 備　考 |
|---|---|---|---|---|---|
| Ｆ 社 株 式 | 確 定 配 当 | 令６．４．１・<br>～令７．３．31 | 4,000,000円 | 0円 | （注１） |
| Ｇ 社 株 式 | 確 定 配 当 | 令６．12．１<br>～令７．11．30 | 2,000,000円 | 0円 | （注２） |
| Ｈ 社 株 式 | 確 定 配 当 | 令７．１．１<br>～令７．12．31 | 400,000円 | 0円 | （注３） |

（注１）　数年前にＦ社を100％出資により設立している。

（注２）　数年前に発行済株式等の50％を取得したが、令和７年11月１日に、残りの50％を取得し、100％子会社となっている。

（注３）　当期の４月15日に発行済株式等の40％を取得したものである。

⑵　甲社の支払利息として費用に計上した金額は6,225,000円である。この金額のうちには手形売却損に相当するものが1,026,000円含まれている。

＜参考資料＞

減価償却資産の償却率、改定償却率及び保証率の表

① 旧定額法、旧定率法及び定額法の償却率並びに平成19年４月１日から平成24年３月31日までに取得した減価償却資産の定率法の償却率、改定償却率、保証率の表（一部）

| 耐用年数 | 定額法償却率 | 定率法 | | | 旧定額法償却率 | 旧定率法償却率 |
|---|---|---|---|---|---|---|
| | | 償却率 | 改定償却率 | 保証率 | | |
| 4 | 0.250 | 0.625 | 1.000 | 0.05274 | 0.250 | 0.438 |
| 5 | 0.200 | 0.500 | 1.000 | 0.06249 | 0.200 | 0.369 |
| 6 | 0.167 | 0.417 | 0.500 | 0.05776 | 0.166 | 0.319 |
| 7 | 0.143 | 0.357 | 0.500 | 0.05496 | 0.142 | 0.280 |
| 8 | 0.125 | 0.313 | 0.334 | 0.05111 | 0.125 | 0.250 |
| 9 | 0.112 | 0.278 | 0.334 | 0.04731 | 0.111 | 0.226 |
| 10 | 0.100 | 0.250 | 0.334 | 0.04448 | 0.100 | 0.206 |
| 50 | 0.020 | 0.050 | 0.053 | 0.01072 | 0.020 | 0.045 |

② 平成24年４月１日以後に取得した減価償却資産の定率法の償却率、改定償却率及び保証率の表（一部）

| 耐用年数 | 償却率 | 改定償却率 | 保証率 |
|---|---|---|---|
| 4 | 0.500 | 1.000 | 0.12499 |
| 5 | 0.400 | 0.500 | 0.10800 |
| 6 | 0.333 | 0.334 | 0.09911 |
| 7 | 0.286 | 0.334 | 0.08680 |
| 8 | 0.250 | 0.334 | 0.07909 |
| 9 | 0.222 | 0.250 | 0.07126 |
| 10 | 0.200 | 0.250 | 0.06552 |
| 50 | 0.040 | 0.042 | 0.01440 |

## 答案用紙　問題3総合計算問題

I　所得の金額の計算

| 区分 | | 金額 |
|---|---|---|
| 会社計上当期純利益 | | 円 |
| 加算 | | |
| | 小計 | |

<table>
<tr><td rowspan="2">減<br>算</td><td></td><td></td></tr>
<tr><td>小　　　　　　　　　計</td><td></td></tr>
<tr><td colspan="2">仮　　　　　　　　　計</td><td></td></tr>
<tr><td colspan="2">合　　　　　　　　　計<br>差　　　　引　　　　計<br>総　　　　　　　　　計</td><td></td></tr>
<tr><td colspan="2">所　得　金　額</td><td></td></tr>
</table>

**計算過程(1)** (単位：円)

［租税公課］

［国庫補助金等］

**計算過程(2)**　　(単位：円)

［リース取引］

［借地権等］

［貸倒損失及び貸倒引当金その１］

計算過程(3)　　(単位：円)

[貸倒損失及び貸倒引当金その２]

[有価証券の売却]

[受取配当等に関する事項その１]

計算過程(4)　(単位：円)

［受取配当等に関する事項その２］

計算過程(5)　　（単位：円）

| ［所得税額］ |
| --- |
| |
| ［欠損金等］ |
| |

Ⅱ　納付すべき法人税額の計算

| 区　分 | 金　額 | 計　算　過　程 |
| --- | --- | --- |
| 所得金額 | 円 | (　　　　) |
| 法人税額 | | [法人税額の計算] |
| 差引法人税額 | | |
| 法人税額計 | | |
| 差引所得に対する法人税額 | | (　　　　) |
| 納付すべき法人税額 | | |

Ch 1 Ch 2 Ch 3 Ch 4 Ch 5 Ch 6 Ch 7 Ch 8 Ch 9 Ch 10 Ch 11 Ch 12 Ch 13 Ch 14 Ch 15 Ch 16 Ch 17 Ch 18 総合問題

→ 解答・解説　総合計算-104

## 問題4　総合計算問題

重要　基本　70分

内国法人である甲株式会社（当期末における資本金の額は100,000,000円、資本金等の額は200,000,000円である。以下「甲社」という。）は製造業及び販売業を営む乙企業グループの乙株式会社（資本金の額は500,000,000円。非同族会社。以下「乙社」という。）の完全子会社であり、毎期、青色申告書を提出している。令和７年４月１日から令和８年３月31日までの事業年度（以下「当期」という。）についても、申告期限内に青色申告書により法人税の確定申告を行う予定である。税理士であるあなたは甲社の依頼により、法人税申告を行うべく作業を始めることとなった。

甲社の当期純利益は249,400,000円であり、その他当期分の法人税の確定申告のために必要な【資料】は次のとおりである。これに基づいて、記載された事実関係を検討し、当期分の法人税の課税標準である所得の金額及び確定申告により納付すべき法人税額を計算しなさい（計算過程を答案用紙の所定の欄に示すこと。）。

なお、法人税の確定申告に当たって必要な申告の記載及び証明書の添付その他の手続はいずれも適法に行うものとし、選択することができる計算方法が２以上ある場合には、設問中に特に指示されている事項を除き、当期の納付すべき法人税額が最も少なくなる計算方法を用いるものとする。

（注）　甲社は、減価償却資産の償却方法、棚卸資産の評価方法、外貨建資産等の換算方法及び有価証券の１単位当たりの帳簿価額の算出方法について何ら選定の届出を行っていない。

**【資料】**

**1　甲企業グループの資本関係図（令和７年４月１日現在）**

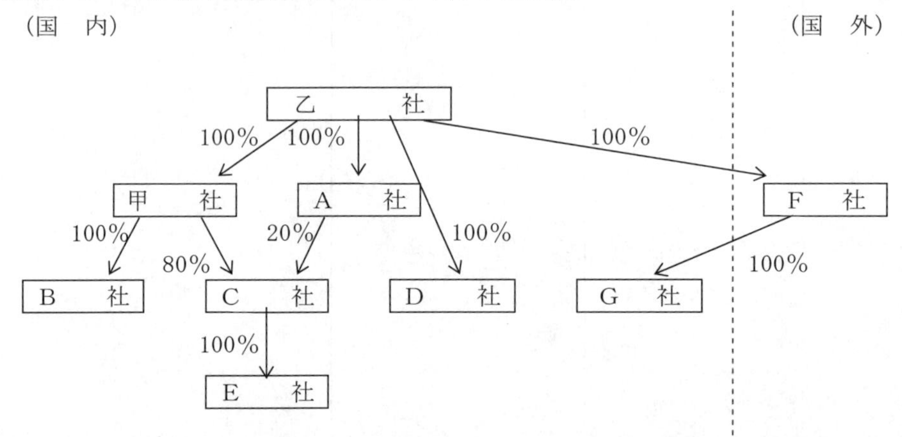


（注）　上記図の各者を結ぶ線は、位置が上の者が下の者の発行した株式を所有していることを示しており、その線の横にある割合は、発行済株式に対する所有割合である。なお、上記図における各者の有する株式について数年前から異動は生じていない。

## 2　租税公課に関する事項

甲社の当期の租税公課に関する処理は、次のとおりであり、特に記載のあるものを除き、費用計上されている。

(1)　総勘定元帳の未払法人税等勘定は以下のとおりである。

| 未払法人税等 | | | | | (単位：円) |
|---|---|---|---|---|---|
| 年月日 | 適要 | 相手科目 | 借方 | 貸方 | 残高 |
| 7.4.1 | 前期繰越 | | | | 90,000,000 |
| 7.5.31 | 法人税 | 当座預金 | 49,920,000 | | |
| 7.5.31 | 地方法人税 | 当座預金 | 5,216,300 | | |
| 7.5.31 | 法人住民税 | 当座預金 | 5,266,900 | | |
| 7.5.31 | 法人事業税 | 当座預金 | 15,958,800 | | 0 |
| 8.3.31 | 任意取崩 | 雑収入 | 13,638,000 | | |
| 決算 | 当期確定分計上 | 法人税等 | | 96,000,000 | 96,000,000 |

(注1)　前期繰越額及び決算による計上額はいずれも前期(自令和6年4月1日　至令和7年3月31日)及び当期において損金経理により引き当てたものである。

(注2)　期中減少額は、前期確定申告分のそれぞれに掲げる税額を納付するために取り崩したものである。

(2)　上記の他、当期に法人税等勘定に計上した諸税額の内訳は、次のとおりである。

| 区分 | 期中納付額 | 未払計上額 |
|---|---|---|
| 当期予定申告分の法人税 | 44,000,000円 | — |
| 当期予定申告分の地方法人税 | 3,818,500円 | |
| 当期予定申告分の住民税 | 3,855,500円 | — |
| 当期予定申告分の事業税 | 4,658,000円 | 4,000,000円 |
| 不納付加算税及び延滞税 | 204,000円 | — |
| 使用人が業務中に課された交通反則金 | 120,000円 | — |
| 合計 | 56,656,000円 | 4,000,000円 |

### 3　組織再編成

甲社は、九州に所在するＢ社に対して、九州地区の販売を管理させることとし、令和７年10月１日に次の現物出資を行っている。

⑴　出資をした資産の内訳

| 区　　分 | 甲社の事業供用月 | 甲社における取得価額 | 甲社における現物出資直前の帳簿価額 | 現物出資の時における価額 | 当該資産に係る法定耐用年数 | 当期償却額 |
|---|---|---|---|---|---|---|
| 荷扱所用建物 | 平18．４ | 30,000,000円 | 23,000,000円 | 24,000,000円 | 38年 | 1,558,000円 |
| 事務机等 | 平18．４ | 8,000,000円 | 716,000円 | 800,000円 | 15年 | 684,000円 |
| 荷扱所敷地 | 平18．４ | 60,000,000円 | 60,684,000円 | 74,200,000円 | | |

⑵　甲社における会計処理

甲社は当該現物出資により移転した資産について、次の経理処理を行っている。

| | | | |
|---|---|---|---|
| （Ｂ社株式） | 99,000,000円 | （荷扱所用建物） | 23,000,000円 |
| | | （事務机等） | 716,000円 |
| | | （荷扱所敷地） | 60,684,000円 |
| | | （譲渡益） | 14,600,000円 |

### 4　グループ内取引

甲社は、当期において、次のグループ内取引を行っている。

⑴　Ｃ社から甲社への現物分配

乙社は、グループ内の資本関係の見直しをすることとし、甲社に対してＣ社が有するＥ社の株式を現物分配させた。

甲社は、次の経理処理を行っている。

（Ｅ社株式）　20,000,000円（受取配当金）　20,000,000円

このＥ社株式の時価は20,000,000円と認められるものであるが、Ｃ社における現物分配直前の帳簿価額は6,000,000円である。

⑵　Ｄ社から機械装置の取得

Ｄ社から時価22,400,000円の機械装置を25,600,000円で取得し、機械装置の取得価額を25,600,000円とした。

⑶　Ｆ社から車両の取得

甲社は、当期において、Ｆ社から時価4,000,000円の車両を4,800,000円で取得し、車両の取得価額を4,800,000円とした。

⑷　Ｇ社から土地の取得

Ｇ社から時価50,000,000円の土地をＧ社における帳簿価額である35,000,000円で取得し、受贈益を15,000,000円収益計上した。

## 5　グループ内取引により取得した減価償却資産

甲社が上記４のグループ内取引により取得した資産について、当期の償却費等は次のとおりである。

| 種　類　等 | 事業供用年月日 | 取得価額 | 当期償却費 | 法　定<br>耐用年数 |
|---|---|---|---|---|
| 機械装置 | 令和７年10月12日 | 25,600,000円 | 6,000,000円 | 10年 |
| 車　　両 | 令和７年12月３日 | 4,800,000円 | 1,500,000円 | ５年 |

## 6　リース取引

甲社は令和７年11月１日にＨリース会社との間で器具備品（法定耐用年数：５年）の賃借に係る次の内容の契約（ファイナンスリース）を締結した。この契約は中途解約ができず、器具備品の使用に伴って生ずる費用は実質的に甲社が負担し、リース期間終了後には、甲社に著しく低い価額で譲渡されるものである。

| リース期間 | 令和７年11月1日～令和11年10月31日 |
|---|---|
| 月額リース料 | 200,000円（うち支払利息部分は30,000円と計算される。） |
| 賃借するために要した引取費用等 | 180,000円 |

甲社は、この器具備品につき、9,600,000円を取得価額に計上し、減価償却費として1,000,000円を計上している。

## 7　借地権の設定

(1)　甲社は当期の令和７年９月１日に、Ｉ社の本社建物の建設用地として、甲社が所有する集中地域に所在するＪ土地（面積250㎡、取得年月日：平成16年１月23日、設定直前の帳簿価額28,800,000円）を賃貸する契約を締結している。この契約に基づいて甲社はＩ社からＪ土地（設定直前の土地の価額64,000,000円、設定直後の土地の価額25,600,000円）に係る借地権の設定の対価として権利金38,400,000円（税務上適正額）を収受している。また、甲社は、この契約に基づいてＪ土地の上に存していたＫ建物を取り壊したため、その取壊直前の帳簿価額3,604,800円及び取壊し費用1,200,000円が生じている。また、その他の借地権の設定の経費として840,000円がある。

これにつき、甲社は、権利金収入として38,400,000円を計上し、雑損失として5,644,800円を計上している。

(2)　甲社は、(1)の契約により収受した権利金の額（適正）及び自己資金をもって、令和８年３月10日に集中地域以外に所在するＬ土地（1,200㎡）及びＭ建物をそれぞれ36,000,000円及び50,000,000円で取得し、その翌月から事業の用に供している。

上記の設定及び取得は、租税特別措置法（以下「措置法」という。）第65条の７〈特定資産の買換えの場合の課税の特例〉の規定の適用を受けることができるものであり、甲社は、同条を適用することとし、これにつき、剰余金処分により、土地につき20,000,000円、建物につき10,000,000円の圧縮積立金を積み立てている。

## 8　交際費等その他

当期において交際費として費用に計上した金額14,896,000円には次のものが含まれているが、その他のものは措置法第61条の４第６項に規定する交際費等に該当するものである。

⑴　得意先に対する見本品・試用品の供与に通常要する費用　530,000円

⑵　得意先の従業員に取引の謝礼として支出した金品の費用　400,000円

⑶　ゴルフクラブの会員権の購入代金（法人会員として入会）　3,000,000円

⑷　上記⑶のゴルフクラブの会員権に係る年会費　20,000円

⑸　上記⑶のゴルフクラブの会員権の購入に際して支出した名義変更料　500,000円

⑹　得意先とのゴルフコンペに要した費用　340,000円

⑺　その他接待飲食費に該当する支出　7,870,000円

## 9　子会社の清算

甲社は、内国法人Ｎ株式会社（資本金等の額20,000,000円。以下「Ｎ社」という。）の発行するＮ社株式を有していたが、Ｎ社は、当期の10月に清算した。Ｎ社は設立時から甲社の50％子会社（甲社におけるＮ社株式の帳簿価額は10,000,000円である。）であり、甲社は、Ｎ社から残余財産の分配金として20,000,000円の交付を受けている。甲社は、これにつき、交付金銭の額からＮ社株式の帳簿価額を控除した金額を雑収入に計上した。

## 10　受取配当等

⑴　甲社は当期において、次に掲げる配当等の支払いを受け、配当等の額を収益に、源泉徴収税額を費用に計上している。

| 銘柄等 | 区　　分 | 配当等の計算期間 | 配当等の額 | 源泉徴収<br>所得税等 |
|---|---|---|---|---|
| Ｂ社株式 | 剰余金の配当 | 令６．４．１<br>～令７．３．31 | 5,000,000円 | －円 |
| Ｃ社株式 | 剰余金の配当 | 令６．４．１<br>～令７．３．31 | 8,000,000円 | －円 |
| Ｏ社株式 | 剰余金の配当 | 令６．12．１<br>～令７．11．30 | 100,000円 | 15,315円 |

（注）　Ｏ社株式の所有割合は１％未満であり、数年前から、その所有株式につき異動は生じていない。

⑵　甲社の当期の受取配当等の益金不算入の計算上、控除すべき負債利子の額は162,154円である。

＜参考資料＞

減価償却資産の償却率、改定償却率及び保証率の表

① 旧定額法、旧定率法及び定額法の償却率並びに平成19年４月１日から平成24年３月31日までに取得した減価償却資産の定率法の償却率、改定償却率、保証率の表（一部）

| 耐用年数 | 定額法償却率 | 定率法 | | | 旧定額法償却率 | 旧定率法償却率 |
|---|---|---|---|---|---|---|
| | | 償却率 | 改定償却率 | 保証率 | | |
| 4 | 0.250 | 0.625 | 1.000 | 0.05274 | 0.250 | 0.438 |
| 5 | 0.200 | 0.500 | 1.000 | 0.06249 | 0.200 | 0.369 |
| 6 | 0.167 | 0.417 | 0.500 | 0.05776 | 0.166 | 0.319 |
| 7 | 0.143 | 0.357 | 0.500 | 0.05496 | 0.142 | 0.280 |
| 8 | 0.125 | 0.313 | 0.334 | 0.05111 | 0.125 | 0.250 |
| 9 | 0.112 | 0.278 | 0.334 | 0.04731 | 0.111 | 0.226 |
| 10 | 0.100 | 0.250 | 0.334 | 0.04448 | 0.100 | 0.206 |
| 15 | 0.067 | 0.167 | 0.200 | 0.03217 | 0.066 | 0.142 |
| 30 | 0.034 | 0.083 | 0.084 | 0.01766 | 0.034 | 0.074 |
| 38 | 0.027 | 0.066 | 0.067 | 0.01393 | 0.027 | 0.059 |
| 50 | 0.020 | 0.050 | 0.053 | 0.01072 | 0.020 | 0.045 |

② 平成24年４月１日以後に取得した減価償却資産の定率法の償却率、改定償却率及び保証率の表（一部）

| 耐用年数 | 償却率 | 改定償却率 | 保証率 |
|---|---|---|---|
| 4 | 0.500 | 1.000 | 0.12499 |
| 5 | 0.400 | 0.500 | 0.10800 |
| 6 | 0.333 | 0.334 | 0.09911 |
| 7 | 0.286 | 0.334 | 0.08680 |
| 8 | 0.250 | 0.334 | 0.07909 |
| 9 | 0.222 | 0.250 | 0.07126 |
| 10 | 0.200 | 0.250 | 0.06552 |
| 15 | 0.133 | 0.143 | 0.04565 |
| 30 | 0.067 | 0.072 | 0.02366 |
| 38 | 0.053 | 0.056 | 0.01882 |
| 50 | 0.040 | 0.042 | 0.01440 |

## 答案用紙　問題4総合計算問題

I　所得の金額の計算

| 区　分 | | 金　額 |
|---|---|---|
| 会社計上当期純利益 | | 円 |
| 加算 | | |
| | 小　計 | |

| | | |
|---|---|---|
| 減算 | | |
| | 小　　計 | |
| 仮　　計 | | |
| 合　計・差引計・総　計 | | |
| 所　得　金　額 | | |

計算過程(1)　(単位：円)

[租税公課]

[組織再編成]

[グループ内取引]

計算過程(2)

（単位：円）

| ［グループ内取引により取得した減価償却資産］ |
| --- |
| ［リース取引］ |
| ［借地権の設定］ |

計算過程(3)　(単位：円)

［交際費等その他］

［子会社の清算］

［受取配当等］

［所得税額］

Ⅱ　納付すべき法人税額の計算

| 区　　分 | 金　　額 | 計　算　過　程 |
|---|---|---|
| 所得金額 | 円 | （　　　　　） |
| 法人税額 | | ［法人税額の計算］ |
| 差引法人税額<br>法人税額計<br>差引所得に対する法人税額 | | ［その他］<br>（　　　　　） |
| 納付すべき法人税額 | | |

## 解答　問題1 総合計算問題

| 区分 | | | 金額 |
| --- | --- | --- | --- |
| 会社計上当期純利益 | | | 73,400,000円 |
| 加算 | 損金経理法人税 | ★ | 12,194,300 |
| | 損金経理地方法人税 | ★ | 1,259,700 |
| | 損金経理住民税 | ★ | 1,271,900 |
| | 損金経理納税充当金 | ★ | 31,443,700 |
| | 損金経理附帯税等 | ★ | 123,800 |
| | 損金経理罰科金等 | ★ | 120,000 |
| | 繰延消費税額等損金算入限度超過額 | ☆ | 990,720 |
| | 交際費等の損金不算入額 | ☆ | 887,350 |
| | 土地計上もれ | ★ | 500,000 |
| | 土地圧縮超過額 | ★ | 8,720,000 |
| | 減価償却超過額 | | |
| | (倉庫用建物) | ★ | 1,673,383 |
| | (建物付属設備) | ★ | 665,472 |
| | (工場用建物) | ☆ | 1,770,200 |
| | (事務所用建物) | ★ | 20,024,667 |
| | (構築物) | ★ | 558,400 |
| | (機械装置) | ★ | 313,334 |
| | (車両及び運搬具) | ☆ | 1 |
| | 売掛金計上もれ | ★ | 1,500 |
| | 借入金過大計上 | ☆ | 420,000 |
| | F社株式計上もれ | ☆ | 850,000 |
| | 小計 | | 83,788,427 |

| 区分 | 項目 | 印 | 金額 |
|---|---|---|---|
| 減算 | 納税充当金支出事業税等 | ★ | 5,120,000 |
| | 取壊倉庫減価償却超過額認容 | ★ | 65,200 |
| | 前受収益計上もれ | ☆ | 25,863 |
| | 受取配当等の益金不算入額 | ☆ | 1,947,974 |
| | 小計 | | 7,159,037 |
| 仮計 | | | 150,029,390 |
| 法人税額控除所得税額 | | ★ | 60,493 |
| 控除対象外国法人税額 | | ★ | 5,625,000 |
| 合計・差引計・総計 | | | 155,714,883 |
| 所得金額 | | | 155,714,883 |

計算過程(1)　　　　　　　　　　　　　　　　　　　　　　　　　　　　　　　　　(単位：円)

[租税公課に関する事項]

控除対象外消費税額等

(1) 判　定(80%未満)(判定★)

① 棚卸資産に係るもの　　∴ 損金算入

② 事務所用建物　　1,100,800円≧200,000円　∴ 該　当

③ 車　両　　8,000円＜200,000円　∴ 損金算入

④ 経費に係るもの　　∴ 交際費等以外に係るものは損金算入

(2) 損金算入限度額

$1,100,800\times\frac{12}{60}\times\frac{1}{2}=110,080$円

(3) 損金算入限度超過額

1,100,800－110,080＝990,720円

[交際費等に関する事項]

(1) 支出交際費等

① 接待飲食費

67,000＋8,834,600－15,000－※1 10,000－※2 5,000－340,000＝8,531,600円

※1　$\frac{10,000-750}{2}=4,625$円≦10,000円　∴ 損金算入、タクシー代は②へ

※2　$\frac{95,000}{20}=4,750$円≦10,000円　∴ 損金算入　★

② ①以外

15,000＋750＋340,000＝355,750円

③ 合　計

①＋②＝8,887,350円

(2) 損金算入限度額

① 接待飲食費基準額

8,531,600×50%＝4,265,800円　★

② 定額控除限度額

8,887,350円＞$8,000,000\times\frac{12}{12}=8,000,000$円　∴ 8,000,000円

③ ①＜②　∴ 8,000,000円

(3) 損金不算入額

(1)－(2)＝887,350円

計算過程(2)　　　　　　　　　　　　　　　　　　　　　　　　　　　（単位：円）

［買換えに関する事項その１］

１．圧縮記帳

(1)　差益割合

$$\frac{60,000,000-(41,000,000+1,200,000+1,382,800+65,200+152,000)}{60,000,000}=0.27$$ ★

(2)　圧縮限度額

①　土　地

60,000,000円＞※21,000,000×$\frac{400㎡\times5}{2,400㎡}$＝17,500,000円　　∴　17,500,000円

※　20,500,000＋500,000＝21,000,000円

17,500,000×0.27×80％＝3,780,000円

②　建　物

60,000,000－17,500,000＝42,500,000円＞※38,400,000円　　∴　38,400,000円

※　38,000,000＋400,000＝38,400,000円

38,400,000×0.27×80％＝8,294,400円

③　建物付属設備

42,500,000－38,400,000＝4,100,000円＞2,000,000円　　∴　2,000,000円

2,000,000×0.27×80％＝432,000円

(3)　圧縮超過額

①　土　地

12,500,000－3,780,000＝8,720,000円

②　倉庫用建物

10,000,000－8,294,400＝1,705,600円（償却費）★

③　建物付属設備

750,000－432,000＝318,000円（償却費）★

２．減価償却

(1)　倉庫用建物

①　償却限度額

(38,400,000－8,294,400)×0.042×$\frac{6}{12}$＝632,217円

②　償却超過額

(200,000＋400,000＋1,705,600)－①＝1,673,383円

(2)　建物付属設備

①　償却限度額

(2,000,000－432,000)×0.067×$\frac{6}{12}$＝52,528円

②　償却超過額

(400,000＋318,000)－①＝665,472円

計算過程(3)　　（単位：円）

［買換えに関する事項その２］

［減価償却に関する事項その１］

1．工場用建物

(1) 資本的支出の判定

① 避難階段の取付工事

∴ 資本的支出

② 壁の破損の原状回復のための工事

∴ 修繕費で損金算入

(2) 償却限度額（特例の方が償却率大きい、∴特例有利）

① 本　体

22,400,000×0.092＝2,060,800円

② 資本的支出

$1,500,000\times0.092\times\frac{6}{12}=69,000$円

③ ①＋②＝2,129,800円

(3) 償却超過額

(2,400,000＋1,500,000)－(2)＝1,770,200円

2．事務所用建物

(1) 耐用年数

① 判　定

34,400,000×50％＝17,200,000円＜20,000,000円≦75,000,000×50％＝37,500,000円

② 耐用年数

$(34,400,000+20,000,000)\div(\frac{34,400,000}{※27}+\frac{20,000,000}{50})=32.4\cdots\rightarrow32$年　★

※　(50－28)＋28×20％＝27.6 → 27年

(2) 償却限度額

$(34,400,000+20,000,000)\times0.032\times\frac{5}{12}=725,333$円

(3) 償却超過額

(750,000＋20,000,000)－(2)＝20,024,667円

**計算過程(4)** （単位：円）

［減価償却に関する事項その２］

３．構築物

(1) 耐用年数

① 未償却残額割合

$\frac{2,400,000}{3,400,000}$＝0.7058… → 0.706

② 経過年数

0.766（２年）＞0.706＞0.670（３年） ∴ 直近下位 ３年

③ 20－３＝17年 ★

(2) 償却限度額 2,400,000×0.059＝141,600円

(3) 償却超過額 700,000－(2)＝558,400円

４．機械装置

(1) 前期の計算

① 償却限度額

(イ) 普通償却

9,500,000×0.200＝1,900,000円≧9,500,000×0.06552＝622,440円

∴ 1,900,000×$\frac{4}{12}$＝633,333円

(ロ) 特別償却 9,500,000×30%＝2,850,000円

(ハ) (イ)＋(ロ)＝3,483,333円

② 償却超過額

（9,500,000－7,500,000）－①＝△1,483,333

1,483,333円＜2,850,000円 ∴ 1,483,333円（１年間繰越）

(2) 当期の計算

① 償却限度額

(イ) 普通償却

(7,500,000－1,483,333)×0.200＝1,203,333円≧9,500,000×0.06552＝622,440円

∴ 1,203,333円

(ロ) 特別償却不足額 1,483,333円 ★

(ハ) (イ)＋(ロ)＝2,686,666円

② 償却超過額 3,000,000－2,686,666＝313,334円

５．車両運搬具

(1) 耐用年数 ５×20%＝１年＜２年 ∴ ２年 ★

(2) 償却限度額

① 300,000×1.000×$\frac{12}{12}$＝300,000円

② 300,000－１＝299,999円

③ ①＞② ∴ 299,999円

(3) 償却超過額 300,000－299,999＝１円

計算過程(5)　　(単位：円)

［減価償却に関する事項その３］

計算過程(6)　　（単位：円）

［外貨建資産等に関する事項］

1．売掛金

(1) 会社計上の簿価

54,500円

(2) 税務上の簿価

500×112＝56,000円

(3) 計上もれ

(2)－(1)＝1,500円

2．外国株式

償還有価証券の法定換算方法は発生時換算法であるため、調整なし★

3．前受収益計上もれ

$(107-104)\times 10,000-(107-104)\times 10,000\times\frac{4}{29}=25,863$円

4．借入金

(1) 会社計上の簿価

22,400,000円

(2) 税務上の簿価

5,000×12×112＋（200,000－5,000×12）×109＝21,980,000円

(3) 過大計上

(1)－(2)＝420,000円

計算過程(7) (単位：円)

［受取配当等及び有価証券に関する事項］

1．受取配当等の益金不算入

(1) 短期所有株式等に係る配当等の額

$$10,000\times\frac{50,000\times\dfrac{15,000}{35,000+15,000}}{50,000}=3,000\text{株}$$

$$100,000\times\frac{3,000}{50,000}=6,000\text{円}\quad★$$

(2) 配当等の額

① 関連法人株式等

2,000,000円

② 非支配目的株式等

100,000－6,000＝94,000円

(3) 控除負債利子

70,826円

(4) 益金不算入

(2,000,000－70,826)＋94,000×20%＝1,947,974円

2．F社株式譲渡損益

(1) 会社計上の簿価

10,500,000円

(2) 税務上の簿価

① $\frac{10,500,000+4,900,000}{50,000}=308\text{円}$

② 308×20,000株＋5,190,000＝11,350,000円

(3) 計上もれ

(2)－(1)＝850,000円

計算過程(8)　　（単位：円）

［所得税に関する事項］

(1)　株式出資（$\frac{1}{12}<\frac{1}{2}$　∴　簡便法有利）

$$15,315\times\frac{35,000株+(50,000株-35,000株)\times\frac{1}{2}}{50,000株}(0.850))=13,017円$$

(2)　受益権

38,287円

(3)　その他

9,189円

(4)　合　計

(1)+(2)+(3)=60,493円

［外国税に関する事項］

1．控除対象外国法人税額（別表四）

(1)　I　国

①　3,000,000円

②　7,500,000×35%=2,625,000円

③　①>②　∴　2,625,000円

(2)　J　国

3,000,000円

(3)　合　　計

2,625,000+3,000,000=5,625,000円

2．控除外国税額（別表一）

(1)　控除対象外国法人税額

5,625,000円

(2)　控除限度額（算式★）

$$35,469,648\times\frac{28,492,000}{155,714,883}=6,490,074円$$

(3)　(1)<(2)　∴　5,625,000円

Ⅱ　納付すべき法人税額の計算

| 区　分 | 金　額 | 計算過程 |
|---|---|---|
| 所得金額 | 155,714,000円 | （千円未満切捨） |
| 法人税額 | 35,469,648 | ［法人税額の計算］<br>(1)　年800万円以下の金額<br>$8,000,000\times\frac{12}{12}=8,000,000$円<br>(2)　年800万円超の金額<br>155,714,000－8,000,000＝147,714,000円<br>(3)　法人税額<br>(1)×15%＋(2)×23.2%＝35,469,648円 |
| 差引法人税額 | 35,469,648 | |
| 法人税額計 | 35,469,648 | |
| **控除所得税額** | ★　60,493 | |
| **控除外国税額** | 5,625,000 | |
| 差引所得に対する法人税額 | 29,784,100 | （百円未満切捨） |
| **中間申告分の法人税額** | ★　12,194,300 | |
| 納付すべき法人税額 | 17,589,800 | 完了点　★ |

配点：★１つにつき１点☆１つにつき２点

【合計50点】

解　説〉

. 出題概要

(1) 前提の確認

① 業　　種 ➜ 製造業

② 資 本 金 ➜ 50,000,000円（中小法人、青色申告法人であり、株主は全員個人のため、中小企業者等）

本問の資本金の額は、資本金等の額のかっこ書きにあるため、読み飛ばさないよう注意が必要です。

(2) 出題形式

本問は、オーソドックスな申告調整型の問題となっています。

. 当期純利益

当期の確定した決算に関する事項に記載されています。

. 租税公課

(1) 法人税等未払金

（注１）に法人税の延滞税がありますが、納税充当金から支出しているものでなく、損金経理されているため、納税充当金支出事業税等の計算には何ら関係がありません。

また、法人税等未払金勘定の増額分は当期確定申告分につき費用に計上した金額であり、引当金（引当金は、貸倒引当金を除き、損金不算入となります。）と同様のものとして、損金経理納税充当金の加算調整が必要となります。

(2) 罰科金等

| 対象者 | 業務中又は業務外 | 取扱い | 税務調整 |
|---|---|---|---|
| 役　員 | 業務外 | 臨時的な役員給与 | 役員給与の損金不算入額（加算・社外流出） |
| | 業務中 | 租税公課（ペナルティー） | 損金経理罰科金等（加算・社外流出） |
| 使用人 | 業務外 | 臨時的な使用人給与 | 原則として損金算入 |
| | 業務中 | 租税公課（ペナルティー） | 損金経理罰科金等（加算・社外流出） |

本問は、業務中に科せられた交通反則金であるため、損金経理罰科金等となります。

(3) 控除対象外消費税額等（課税売上割合が80%未満の場合）

| 区　　分 | | 取扱い |
|---|---|---|
| ①　棚卸資産に係るもの | | 損金経理を要件に損金算入 |
| ②　①以外の資産に係るもの | 一の資産に係る金額が20万円未満 | 損金経理を要件に損金算入 |
| | 一の資産に係る金額が20万円以上 | 60ケ月で均等償却（発生事業年度は２分の１を乗ずる。） |
| ③　費用に係るもの | 下記以外 | 損金算入 |
| | 交際費等 | 支出交際費等の額に含める。 |

Ch 1 Ch 2 Ch 3 Ch 4 Ch 5 Ch 6 Ch 7 Ch 8 Ch 9 Ch 10 Ch 11 Ch 12 Ch 13 Ch 14 Ch 15 Ch 16 Ch 17 Ch 18 総合問題

本問の控除対象外消費税額等のうち交際費等の額に係るものは、接待飲食費に該当するものとあるため、交際費等の損金不算入の計算も、接待飲食費として計算を行っていきます。

**4．交際費等**

交際費等に関する事項に記載されている支出交際費等の額に控除対象外消費税額等で交際費等に係るものを加算します。

**⑴　社内飲食費**

Ａ社の社長に対する飲食接待ですが、本問の場合は、Ａ社の社長が甲社の役員と親族関係にあるため、社内における飲食接待の取扱いとなり、少額得意先等飲食費用の損金算入されるものや接待飲食費に該当しません。すなわち、接待飲食費に該当しない交際費等になります。

**⑵　接待に伴うタクシー代**

飲食に要した費用ではないため、接待交際費の金額判定などから除かれ、また、接待飲食費に該当しない交際費等になります。

**⑶　同業者パーティー飲食費の会費**

同業者パーティーに出席して自己負担分の飲食費相当額の会費を支出したような場合には、原則としてその飲食等のために要する費用の総額をその飲食等に参加した者の数で除して1人当たり費用の額を算定します。

**5．買換え**

**⑴　判　定**

所有期間が10年超の国内にある事業用の建物の敷地土地から国内にある建物及び土地への買換えであるため、特定資産の買換えの圧縮記帳が認められます。

**⑵　譲渡経費**

土地の上にある建物を契約の一環として、取り壊して譲渡した場合は、その取壊しに要した費用の額は譲渡経費に該当します。

したがって、本問の場合は仲介手数料1,200,000円、取壊し直前の帳簿価額1,382,800円（繰越償却超過額65,200円も加算します。）及び取壊し費用152,000円は譲渡経費に該当します。

**⑶　仲介手数料**

譲渡に要した仲介手数料は譲渡経費であるのに対し、取得に際しての仲介手数料は、取得価額に算入すべき付随費用となります。本問は取得に際しての仲介手数料を費用計上しているため、取得価額に含めるとともに会社計上の償却費に加算して償却超過額の計算をします。

**⑷　面積制限**

譲渡土地の面積の５倍を超える面積の土地等を取得した場合は、取得した土地の取得価額のうちその５倍の面積までに対応する金額までしか買換資産に該当しません。

⑸　**圧縮超過額**

| 資産の区分 | 経理方法 | 超過額の取扱い | その他 |
|---|---|---|---|
| 土　　地 | 積立金方式 | 別表四加算 | 積立額を別表四減算 |
| | 直接控除方式 | 別表四加算 | − |
| 減価償却資産 | 積立金方式 | 別表四加算 | 積立額を別表四減算 |
| | 直接控除方式 | 会社償却費に加算 | − |

⑹　**減価償却の計算**

本来の取得価額から圧縮による損金算入額（会社計上圧縮額と圧縮限度額のいずれか少ない金額）を控除した取得価額を基礎に計算します。

## 6．減価償却

⑴　**工場用建物**

平成10年３月31日以前取得の建物のため、償却方法は、旧定率法となります。

また、資本的支出（避難階段は資本的支出の例示に掲げられています。）がありますが、本体が平成19年３月31日以前取得のため、新たな資産の取得とする（償却方法は定額法）か本体の取得価額に加算する（償却方法は本体と同じ旧定率法）かの選択が認められています。さらに、その資本的支出につき、費用計上しているため、その費用計上額を会社計上の償却費に加算して償却超過額の計算をします。原則と特例の有利判定は、本問の場合、特例の方が償却率が大きく、また、同一の資産となり、原則と比較して不利になるところがないため、コメントの判定だけで問題ありません。

なお、床の原状回復のための工事に要した費用は、修繕費に該当します。

⑵　**事務所用建物**

床の改修等の工事に要した費用は、事業供用に際しての費用であるため、取得価額に算入すべき付随費用となります。

また、中古資産の取得であり、見積耐用年数が与えられていない反面、経過年数が与えられているため、耐用年数を計算します。その取得に際しての改修等の費用が改修等の費用を含めない取得価額の50％超であり、かつ、再取得価額の50％以下であるため、折衷法の計算をします。取得価額（表中の取得価額に改修等の費用の額を加算した金額）を１年当たりの償却費（表中の取得価額については、中古資産の耐用年数で除した金額であり、改修等の費用の額については、法定耐用年数で除した金額）で除すことにより、耐用年数を算出します。

⑶　**構築物**

償却方法を変更しているため、未償却残額割合から経過年数を求めます。また、変更事業年度の期首帳簿価額をみなし取得価額として計算します。

なお、平成28年４月１日以後取得のものは、建物付属設備（本問の場合は、買換資産にあります。）とともに、償却方法は定額法だけです。

⑷　**機械装置**

特別償却不足額が明らかでないため、前期の償却不足額の計算することになります。

特別償却不足額がある場合の定率法の調整前償却額の計算は、期首帳簿価額から特別償却不足額を控除して計算します。

⑸　**車両運搬具**

中古資産の取得で、法定耐用年数の全部を経過している場合には、法定耐用年数に20％を乗じて、中古資産の耐用年数を算出します。償却限度額の計算で帳簿価額が０となってしまう場合には、帳簿価額として１円を残す計算をします。

## ７．外貨建資産等

⑴　**売掛金**

債権債務についての法定換算方法は、短期のものは期末時換算法、長期のものについては発生時換算法となり、本問の売掛金は、期末時換算法によることになります。

⑵　**貸付金**

本問は、為替差損益による収益の額を前受収益に係る部分も含めた全額を当期に計上しているため、前受収益に係る部分の減算調整が生じます。なお、本問は月数計算によることとされていますが、当期の月数を計算する際に１月未満の端数は切上げとなります。

⑶　**借入金**

借入金200,000ドルについては、翌期に支払期日が到来する60,000ドル（5,000ドル×12月分）が短期外貨建債務であり、残額が長期外貨建債務であるため、期末時換算法により換算する金額は60,000ドルになります。

## ８．受取配当等

⑴　**Ｆ社株式（短期所有株式等）**

本問では、Ｆ社株式につき短期所有株式等に係る配当等の額を算出する必要がありますが、その算定の基礎は、次のとおりです。

①　基準日後２月以内譲渡株式数（Ｅ）…令和７年10月30日譲渡分の10,000株
②　基準日現在所有株式数（Ｃ）…令和７年９月30日現在所有株式数の50,000株
③　基準日後２月以内取得株式数（Ｄ）…なし
④　基準日以前１月前の日現在所有株式数（Ａ）…令和７年８月31日現在所有株式数の35,000株
⑤　基準日以前１月以内取得株式数（Ｂ）…令和７年９月15日取得分の15,000株

⑶　**Ｇ社株式**

令和６年９月20日に発行済株式数の100％を取得していますが、Ｇ社の計算期間（令６．４．１～令７．３.31）を通じて100％所有していないため、完全子法人株式等に該当しません。しかし、基準日（令和７年３月31日）以前６月以上継続して発行済株式数の３分の１超を所有しているため、関連法人株式等に該当します。

⑶　**Ｈ証券投資信託**

「その信託財産を主に株式に運用している」だけでは、特定株式投資信託に該当しません。特定株式投資信託に該当する場合は特定株式投資信託と問題文に書かれています。

9．Ｆ社株式譲渡損益

有価証券の一単位当たりの帳簿価額の算出方法について選定の届出を行っていないため、移動平均法により算出します。

10．外国税額

納付した外国税額のうち課税標準の35%を超える部分の金額は、高率部分として税額控除の対象にはなりません。また、税額控除の対象とならない部分の金額は、別表四において加算する必要もありません。

なお、外国支店の場合には、その課税標準と当期の国外所得は一致しません。当社の前期を計算期間として外国支店の外国税額が算出され、当期に納付するという流れになります。つまり、外国支店の課税標準の対象期間は前期であり、国外所得の対象期間は当期ですので一致しないことになります。

## 解答 問題2総合計算問題

I　所得の金額の計算

| 区分 | | | 金額 |
|---|---|---|---|
| 会社計上当期純利益 | | | 171,200,000円 |
| 加算 | 法人税等調整額 | ★ | 28,000,000 |
| | 損金経理法人税 | ★ | 56,164,100 |
| | 損金経理地方法人税 | ★ | 6,081,100 |
| | 損金経理住民税 | ★ | 6,140,100 |
| | 損金経理納税充当金 | ★ | 120,000,000 |
| | 損金経理附帯税等 | ★ | 82,000 |
| | 損金金経理罰科金等 | ★ | 360,000 |
| | 損金経理過怠税 | ★ | 400,000 |
| | 外国源泉税等の損金不算入額 | ★ | 600,000 |
| | 圧縮積立金積立超過額 | | |
| | （土地） | ★ | 1,720,000 |
| | （事務所用建物） | ★ | 13,800,000 |
| | 減価償却超過額 | | |
| | （事務所用建物） | ★ | 1,861,000 |
| | （機械装置） | ★ | 8,642,500 |
| | 小計 | | 243,850,800 |

|  |  | |  |
|---|---|---|---|
| 減算 | 納税充当金支出事業税等 | ★ | 24,820,900 |
| | E受益権過大計上 | ★ | 100,000 |
| | 外国子会社配当等の益金不算入額 | ★ | 7,600,000 |
| | 受取配当等の益金不算入額 | ★ | 472,000 |
| | F社社債調整差益過大計上 | ★ | 128,572 |
| | 旧事務所用建物減価償却超過額認容 | ★ | 20,000,000 |
| | 圧縮積立金認定損 | | |
| | （土地） | ★ | 60,000,000 |
| | （事務所用建物） | ★ | 20,000,000 |
| | 一括償却資産損金算入限度超過額認容 | ★ | 1,560,000 |
| | 小計 | | 134,681,472 |
| 仮計 | | | 280,369,328 |
| 法人税額控除所得税額 | | ★ | 450,261 |
| 合計・差引計・総計 | | | 280,819,589 |
| 所得金額 | | | 280,819,589 |

Ch 1 Ch 2 Ch 3 Ch 4 Ch 5 Ch 6 Ch 7 Ch 8 Ch 9 Ch 10 Ch 11 Ch 12 Ch 13 Ch 14 Ch 15 Ch 16 Ch 17 Ch 18 総合問題

計算過程(1)　　　　　　　　　　　　　　　　　　　　　　　　　　　　　　　（単位：円）

［租税公課］

1．納税充当金支出事業税等

100,000,000－（62,368,000－82,000）－6,415,400－1,245,700－5,232,000＝24,820,900円

2．損金経理住民税

1,180,800＋4,959,300＝6,140,100円

［所得税額］

(1)　株式出資（$\frac{2}{12}$、$\frac{1}{12}$＜$\frac{1}{2}$　　∴　簡便法有利）

$$(150,000+3,150)\times\frac{0+(160,000-0)\times\frac{1}{2}}{160,000}(0.5)=76,575円$$ ★

(2)　受益権（$\frac{12}{12}$＞$\frac{1}{2}$　　∴　個別法有利）

$$(240,000+5,040)\times\frac{12}{12}(1.0)=245,040円$$

(3)　その他

(60,000＋1,260)＋(66,000＋1,386)＝128,646円

(4)　合　計

(1)＋(2)＋(3)＝450,261円

［外国法人からの配当金］

1．外国子会社配当等

(1)　配当等の額　　　8,000,000円

(2)　費用の額

8,000,000×５％＝400,000円

(3)　益金不算入額

8,000,000－400,000＝7,600,000円

2．外国源泉税等　600,000円

［受取配当等］

(1)　短期所有株式等に係る配当等の額

$$80,000\times\frac{160,000\times\frac{120,000}{80,000+120,000}}{160,000+40,000}=38,400株$$

$$1,000,000\times\frac{38,400}{160,000}=240,000円$$ ★

(2)　配当等の額（非支配目的株式等）

(1,000,000－240,000)＋(1,700,000－100,000)＝2,360,000円

(3)　益金不算入額

2,360,000×20%＝472,000円

計算過程(2)　　(単位：円)

［有価証券］

F社社債

(1) 会社計上の調整差益

300,000円

(2) 税務上の調整差益

① 当期末調整前帳簿価額

198,800,000円

② 調整差益（算式★）

$(200,000,000-198,800,000) \times \frac{※6}{※6+36}=171,428$円

※　$12\times\frac{1}{2}=6<12$　∴　6

(3) 過大計上

300,000−171,428＝128,572円

［収用等の圧縮記帳］

(1) 差引対価補償金

（140,000,000＋68,000,000）−※0＝208,000,000円

※　（3,400,000＋1,920,000）−（3,200,000＋2,400,000）＜0　∴　0

(2) 差益割合

$\frac{208,000,000-(88,400,000+35,120,000+20,000,000)}{208,000,000}=0.31$　★

(3) 圧縮限度額

① 土　地

188,000,000円＜208,000,000円　∴　188,000,000円

188,000,000×0.31＝58,280,000円

② 事務所用建物

114,000,000円＞208,000,000−188,000,000＝20,000,000円　∴　20,000,000円

20,000,000×0.31＝6,200,000円

(4) 圧縮超過額

① 土　地

60,000,000−58,280,000＝1,720,000円

② 事務所用建物

20,000,000−6,200,000＝13,800,000円

計算過程(3)　　(単位：円)

［減価償却資産に関する事項］

1．事務所用建物

(1)　償却限度額

$(114,000,000-6,200,000)\times 0.020\times \frac{3}{12}=539,000$円

(2)　償却超過額

2,400,000－539,000＝1,861,000円

2．機械装置

(1)　耐用年数

①　判　定

5,000,000円≦10,000,000×50%＝5,000,000円　∴　簡便法

②　耐用年数

(10－３)＋３×20%＝7.6 → ７年　★

(2)　償却限度額

(10,000,000＋5,000,000)×0.286＝4,290,000円≧(10,000,000＋5,000,000)×0.08680
＝1,302,000円

∴　$4,290,000\times \frac{1}{12}=357,500$円

(3)　償却超過額

(4,000,000＋5,000,000)－357,500＝8,642,500円

3．一括償却資産

(1)　損金算入限度額

$4,680,000\times \frac{12}{36}=1,560,000$円

(2)　損金算入限度超過額

0－1,560,000＝△1,560,000

1,560,000円＜3,120,000円　∴　1,560,000円（認容）

計算過程(4)　　　　　　　　　　　　　　　　　　　　　　　　　　　　　　（単位：円）

［試験研究費］

総　額

⑴　判　定

継続雇用者給与等支給額＞継続雇用者比較給与等支給額　∴　適用あり

⑵　高水準制度の判定（判定★）

試験研究費割合≦10%　∴　適用なし

⑶　総額制度に係る税額控除割合

①　当期試験研究費

41,736,000－4,800,000－6,760,000＝30,176,000円　★

②　比較試験研究費

$\frac{17,660,000+18,948,000+19,240,000}{3}$＝18,616,000円

③　増減試験研究費

①－②＝11,560,000円

④　増減試験研究費割合

$\frac{③}{②}$＝0.620…

⑤　税額控除割合（算式★）

④＞12%　∴　11.5%＋（$\frac{③}{②}$－12%）×0.375＝0.302…（小数点以下３位未満切捨、最高14%）

→　0.14

⑥　特別控除額

イ　支出基準額（算式★）

30,176,000×0.14＝4,224,640 円

ロ　税額基準額

④＞４％

∴　65,150,008×25%＋65,150,008×※0.05＝19,545,002 円

※　（④－４％）×0.625＝0.363…→0.05（小数点以下３位未満切捨、最高５％）

ハ　特別控除額

イ＜ロ　∴　4,224,640円

計算過程(5)　(単位：円)

[留保金課税]

(1)　留保金額

①　留保所得金額（算式★）

280, 819, 589＋(7, 600, 000＋472, 000)－20, 000, 000－(82, 000＋360, 000＋400, 000＋600, 000＋450, 261)＝266, 999, 328円

②　法人税額（算式★）

65, 150, 008－4, 224, 640－450, 261＝60, 475, 107円

③　地方法人税額（算式★）

65, 150, 008－4, 224, 640＝60, 925, 368 → 60, 925, 000円（千円未満切捨）

60, 925, 000×10.3%＝6, 275, 275円

④　住民税額（算式★）

65, 150, 008×10.4%＝6, 775, 600円

⑤　(①＋20, 000, 000－40, 000, 000)－(②＋③＋④)＝173, 473, 346円

(2)　留保控除額（算式★）

①　所得基準額

{280, 819, 589＋(7, 600, 000＋472, 000)}×40%＝115, 556, 635円

②　定額基準額

$20,000,000\times\frac{12}{12}=20,000,000$円

③　積立金基準額

400, 000, 000×25%－(234, 740, 900－20, 000, 000)＝△114, 740, 900 → 0

④　①～③のうち最大　∴　115, 556, 635円

(3)　課税留保金額（算式★）

(1)－(2)＝57, 916, 711 → 57, 916, 000円（千円未満切捨）

(4)　特別税額（算式★）

$30,000,000\times\frac{12}{12}\times10\%+(57,916,000-30,000,000\times\frac{12}{12})\times15\%=7,187,400$円

Ⅱ　納付すべき法人税額の計算

| 区　　分 | 金　　額 | 計　算　過　程 |
|---|---|---|
| 所得金額 | 280,819,000円 | (千円未満切捨) |
| 法人税額 | 65,150,008 | [法人税額の計算]<br>280,819,000×23.2%＝65,150,008円 |
| **試験研究費の特別控除額** | ★　4,224,640 | |
| 差引法人税額 | 60,925,368 | |
| **課税留保金額** | 57,916,000 | |
| **同上に対する税額** | 7,187,400 | |
| 法人税額計 | 68,112,768 | |
| **控除所得税額** | ★　450,261 | |
| 差引所得に対する法人税額 | 67,662,500 | (百円未満切捨) |
| **中間申告分の法人税額** | ★　56,164,100 | |
| 納付すべき法人税額 | 11,498,400 | 完了点　★ |

Ⅲ　利益積立金額の計算に関する明細書

| 事業年度 | 令和７．４．１<br>令和８．３．31 | 法人名 | 甲　株式会社 |
|---|---|---|---|

| 区分 | 期首現在利益積立金額 | 当期の増減 | | 差引翌期首現在利益積立金額 ①－②＋③ |
|---|---|---|---|---|
| | | 減 | 増 | |
| | ① | ② | ③ | ④ |
| | 円 | 円 | 円 | 円 |
| 利益準備金 | 50,000,000 | | 2,000,000 | ★　52,000,000 |
| 別途積立金 | | | | |
| 一括償却資産 | 3,120,000 | 1,560,000 | | 1,560,000 |
| 旧事務所用建物 | 20,000,000 | 20,000,000 | | ★　0 |
| Ｅ受益権 | | | △　100,000 | △　100,000 |
| Ｆ社社債 | | | △　128,572 | △　128,572 |
| 圧縮積立金（土地） | | | 39,000,000 | ★　39,000,000 |
| 圧縮積立金認定損（土地） | | | △ 60,000,000 | △ 60,000,000 |
| 圧縮積立金積立超過額（土地） | | | 1,720,000 | ★　1,720,000 |
| 圧縮積立金（事務所用建物） | | | 13,000,000 | 13,000,000 |
| 圧縮積立金認定損（事務所用建物） | | | △ 20,000,000 | △ 20,000,000 |
| 圧縮積立金積立超過額（事務所用建物） | | | 13,800,000 | 13,800,000 |
| 事務所用建物 | | | 1,861,000 | 1,861,000 |
| 機械装置 | | | 8,642,500 | 8,642,500 |
| | | | | |
| 繰延税金負債 | | | 28,000,000 | 28,000,000 |
| 繰越損益金（損は△） | 136,800,000 | 136,800,000 | 234,000,000 | ★ 234,000,000 |
| 納税充当金 | 100,000,000 | ★100,000,000 | 120,000,000 | ★ 120,000,000 |

| | | | | | | |
|---|---|---|---|---|---|---|
| 未納法人税等(退職年金等積立金に対するものを除く。) | 未納法人税及び未納地方法人税(附帯税を除く。) | △ 68,701,400 | △130,946,600 | 中間 | △ 62,245,200 | |
| | | | | 確定 | | |
| | 未納道府県民税(均等割額を含む。) | △ 1,245,700 | △ 2,426,500 | 中間 | △ 1,180,800 | |
| | | | | 確定 | | |
| | 未納市町村民税(均等割額を含む。) | △ 5,232,000 | △ 10,191,300 | 中間 | △ 4,959,300 | |
| | | | | 確定 | | |
| 差引合計額 | | 234,740,900 | | | | |

配点：★１つにつき１点

【合計50点】

〈解　説〉

１．出題概要

⑴　前提の確認

①　業　　種 ➜ 製造業

②　資 本 金 ➜ 400,000,000円（中小法人以外の法人）

⑵　出題形式

本問は、オーソドックスな申告調整型の問題となっていますが、別表五㈠Ｉの作成も求められています。

２．当期純利益

税引後の金額であり、株主資本等変動計算書から拾ってきます。

３．租税公課（納税充当金支出事業税等）

納税充当金の期中減少額100,000,000円から、納付するために取り崩した法人税本税62,286,000円（62,368,000－延滞税82,000）、地方法人税6,415,400円、道府県民税1,245,700円及び市町村民税5,232,000円を控除した金額24,820,900円となります。

なお、減算調整することとなる延滞税の加算し忘れに要注意です。

４．所得税額等

計算期間中に元本数に異動があるのはＦ社社債とＡ社株式ですが、公社債及び受益証券については、按分計算不要となります。

Ａ社株式は計算期間の中途である令和７年６月30日、７月２日及び７月31日に取得していますが、計算期間中における所有期間は１月間又は２月間であり、その計算期間に対する所有期間の占める割合が２分の１未満であるため、簡便法を採用した方が明らかに有利になります。

５．外国法人からの配当金

⑴　配当等の益金不算入

Ｂ社株式は、その配当等の支払義務確定日以前６月以上継続して25％以上（50％）を所有していることから、外国子会社株式となります。

したがって、配当等の額の95％相当額が益金不算入となります。

⑵　外国税

外国子会社配当等の益金不算入の適用を受けた場合には、その配当等に係る外国源泉税等は、外国税額控除の適用を受けることができません。

また、損金算入することも認められません。なお、別表四においては、仮計下での調整でなく、加算欄での調整となります。

## 6．受取配当等の益金不算入（短期所有株式等）

本問では、A社株式につき短期所有株式等に係る配当等の額を算出する必要がありますが、その算定の基礎は、次のとおりです。

① 基準日後２月以内譲渡株式数（E）…令和７年８月４日及び９月30日譲渡分の80,000株

② 基準日現在所有株式数（C）…令和７年７月31日現在所有株式数の160,000株

③ 基準日後２月以内取得株式数（D）…令和７年８月20日取得分の40,000株

④ 基準日以前１月前の日現在所有株式数（A）…令和７年６月30日現在所有株式数の80,000株

⑤ 基準日以前１月以内取得株式数（B）…令和７年７月２日及び７月31日取得分の120,000株

## 7．償還有価証券

期首にその償還有価証券を有していない場合で、かつ、１回のみの取得の場合は、次の算式のいずれか有利な方法により計算します。なお、調整差益のケースは、原則の月数と特例の月数のいずれか少ない月数が法人有利となります。

① 原則

$$(\text{当期末額面合計額}-\text{当期末調整前帳簿価額})\times\frac{\text{当期の月数（12）}\times\frac{1}{2}}{\text{当期の月数（12）}\times\frac{1}{2}+\text{翌期首から償還日までの月数}}$$

② 特例

$$(\text{当期末額面合計額}-\text{当期末調整前帳簿価額})\times\frac{\text{取得日から当期末までの月数}}{\text{取得日から当期末までの月数}+\text{翌期首から償還日までの月数}}$$

## 8．収用等

### ⑴ 譲渡経費

譲渡経費から譲渡経費に充てるための補償金を控除することにより求めます。なお、その求めた金額が本問のようにマイナスの場合は、切り捨てます。

### ⑵ 差引対価補償金

対価補償金から⑴の譲渡経費を控除して求めます。

### ⑶ 差益割合

差引対価補償金に対する譲渡益の占める割合です。

### ⑷ 圧縮基礎取得価額

買換えの圧縮記帳と異なり、面積制限はありません。法人有利に計算するために、差引対価補償金を土地、耐用年数の長い減価償却資産、耐用年数の短い減価償却資産の順に充当していきます。

### ⑸ 圧縮超過額

本問は積立金経理であるため、減価償却の計算と切り離し、直ちに加算調整することになります。なお、積立金認定損とする金額は、剰余金処分額に繰延税金負債を加算した金額となります。

## 9．減価償却資産

### ⑴　事務所用建物

圧縮記帳の適用を受けているため、会社計上の取得価額から損金算入圧縮額（会社計上圧縮額と圧縮限度額のいずれか少ない金額）を控除した金額を基礎に償却限度額を計算します。

### ⑵　機械装置

中古資産ですが、改良に要した費用の額が中古資産の本体の取得価額の50％以下であるため、簡便法により、中古資産の耐用年数を計算します。

### ⑶　一括償却資産

事業供用した前期において取得価額の合計額の全額を費用計上しているため、当期においては、損金算入限度額相当額が減算調整されることになります。

## 10．試験研究費

試験研究用資産の除却損がありますが、突発的な故障により、除却したものであり、臨時的な事由に基づくものであるため、試験研究費の額に含まれません。

また、H社から委託を受けた試験研究費の額があり、その収益計上額の分だけ、試験研究費の当社の負担額が減ることになるため、その収益計上額を試験研究費の額の計算上、控除することになります。

## 11．留保金課税

### ⑴　留保所得金額

別表四最終値（端数切捨て前）に別表四減算・※社外流出（本問は受取配当等の益金不算入額と外国子会社配当等の益金不算入額があります。）を加算し、当期支払効力発生支払配当（本問は前期確定配当があります。）及び別表四加算・社外流出（損金経理附帯税等、損金経理罰科金等、損金経理過怠税、外国源泉税等の損金不算入額及び法人税額控除所得税額があります。）を控除して求めます。

### ⑵　法人税額

税率を乗じた直後の法人税額から試験研究費の特別控除額及び控除所得税額を控除して求めます。留保金課税を適用しない当期分の法人税額です（端数処理前の金額）。

### ⑶　地方法人税額

基本的には差引法人税額（千円未満切捨）に10.3％を乗じた金額となります。

### ⑷　住民税額

税率を乗じた直後の法人税額に10.4％を乗じて求めます。控除外国税額があれば控除し、使途秘匿金課税があれば加算した金額に10.4％を乗じますが、試験研究費の特別控除及び控除所得税額については、控除しないで10.4％を乗じます。

### ⑸　留保控除額・所得基準額

別表四最終値（端数切捨て前）に別表四減算・※社外流出（本問は受取配当等の益金不算入と外国子会社からの配当等の益金不算入があります。）を加算した金額（所得等の金額）に40％を乗じて求めます。

### ⑹ 留保控除額・積立金基準額

期末資本金の額に25%を乗じた金額から期首利益積立金額（前期末確定配当を控除した金額）を控除して求めます。

## 12. 別表五㈠Ⅰ

### ⑴ 圧縮積立金

株主資本等変動計算書において圧縮積立金に計上した金額は、そのまま別表五㈠Ⅰに記入し、圧縮積立金認定損として減算した金額（株主資本等変動計算書に記載された金額に繰延税金負債を加算した金額）は、認定損としてマイナス記入することになります。さらに積立超過額が生ずれば、超過額としてプラス記入することになり、あわせて３本の表示となります。

### ⑵ 納税充当金

別表四での納税充当金支出事業税等の調整は、純額を計算するのに対し、別表五㈠Ⅰでは、総額記入を行います。

## 解答　問題3総合計算問題

I　所得の金額の計算

| 区分 | | | 金額 |
|---|---|---|---|
| 会社計上当期純利益 | | ★ | 123,592,500円 |
| 加算 | 損金経理住民税 | ★ | 132,500 |
| | 損金経理納税充当金 | ★ | 60,000,000 |
| | 損金経理過怠税 | ★ | 190,000 |
| | 未払事業所税否認 | ★ | 719,400 |
| | 損金経理罰科金等 | ★ | 45,000 |
| | 役員給与損金不算入額 | ☆ | 30,000 |
| | 特別勘定取崩もれ | ☆ | 2,400,000 |
| | 減価償却超過額 | | |
| | （機械装置） | ☆ | 832,000 |
| | （車両運搬具） | ☆ | 43,750 |
| | 借地権計上もれ | ☆ | 1,866,667 |
| | 貸倒損失否認 | | |
| | （B社） | ☆ | 899,999 |
| | 個別貸倒引当金繰入超過額 | | |
| | （D社） | ☆ | 220,000 |
| | 一括貸倒引当金繰入超過額 | ☆ | 935,070 |
| | 小計 | | 68,314,386 |

| | | | |
|---|---|---|---|
| 減算 | 法人税等還付金等の益金不算入額 | ☆ | 5,598,000 |
| | 所得税額等還付金等の益金不算入額 | ☆ | 38,287 |
| | 貸倒損失認定損<br>（D　社） | ☆ | 800,000 |
| | 貸倒引当金繰入超過額認容 | ★ | 87,966 |
| | 受取配当等の益金不算入額 | ☆ | 7,429,000 |
| | 小計 | | 13,953,253 |
| 仮計 | | | 177,953,633 |
| 法人税額控除所得税額 | | ★ | 1,148,625 |
| 合計 | | | 179,102,258 |
| 差引計 | | | 179,102,258 |
| 欠損金等の控除額 | | ☆ | △　30,000,000 |
| 総計 | | | 149,102,258 |
| 所得金額 | | | 149,102,258 |

計算過程(1)　　　　　　　　　　　　　　　　　　　　　　　　　　　　　　　　　　　　　　　　　(単位：円)

［租税公課］

1．法人税等還付金等の益金不算入額

4,500,000＋198,000＋900,000＝5,598,000円

2．未払事業所税否認

978,600－259,200＝719,400円

3．損金経理罰科金等

75,000－30,000＝45,000円

［国庫補助金等］

1．圧縮記帳

(1)　圧縮限度額（算式★）

①　特別勘定の金額

2,400,000円

②　$(6,000,000-100,000)\times\frac{2,400,000}{6,000,000}=2,360,000$円

③　①＞②　　∴　2,360,000円

(2)　圧縮超過額

2,400,000－2,360,000＝40,000円（償却費）

2．減価償却

(1)　償却限度額（算式★）

(6,000,000－100,000－2,360,000)×0.200＝708,000円≧※3,600,000×0.06552＝235,872円

∴　708,000円

※　$6,000,000-(2,360,000+100,000\times\frac{2,400,000}{6,000,000})=3,600,000$円

(2)　償却超過額

(1,500,000＋40,000)－708,000＝832,000円

3．特別勘定

(1)　要取崩額

2,400,000円

(2)　取崩もれ

2,400,000－0＝2,400,000円

計算過程(2)　　　　　　　　　　　　　　　　　　　　　　　　　(単位：円)

［リース取引］

(1) 判　定（判定★）

リース期間の終了後はリース会社に返還　　∴　所有権移転外リース取引

(2) 償却限度額

$(4,000,000-1,120,000+50,000)\times\frac{6}{4\times12}=366,250$円

(3) 償却超過額

$(360,000+50,000)-366,250=43,750$円

［借地権等］

(1) 会社計上の簿価

8,000,000円

(2) 税務上の簿価

8,000,000＋4,000,000－※2,133,333＝9,866,667円　★

※　$8,000,000\times\frac{4,000,000}{15,000,000}=2,133,333$円

(3) 計上もれ

(2)－(1)＝1,866,667円

［貸倒損失及び貸倒引当金その１］

1．B社貸倒損失否認

900,000－１＝899,999円

2．C社貸倒損失

会社経理適正　★

3．D社貸倒損失認定損

4,000,000×20%＝800,000円

4．個別貸倒引当金（D社）

(1) 繰入限度額

4,000,000×10%＋280,000×６回－300,000＝1,780,000円

(2) 繰入超過額

2,000,000－1,780,000＝220,000円

5．一括評価金銭債権

(1) 期末一括評価金銭債権

70,000,001＋45,000,000＋20,000,000＋32,000,001＋899,999－4,000,000

＝163,900,001円　★

(2) 貸倒実績率

$\frac{(1,938,000+2,706,000+683,000+1,850,000)\times\frac{12}{36}}{(126,994,000+122,092,000+135,559,000)\div3}=0.01865\cdots\rightarrow0.0187$　★

計算過程(3)　　(単位：円)

［貸倒損失及び貸倒引当金その２］

(3)　繰入限度額

163,900,001×0.0187＝3,064,930円

(4)　繰入超過額

4,000,000－3,064,930＝935,070円

［有価証券の売却］

(1)　みなし配当

6,750,000－112,500,000×１％＝5,625,000円　★

(2)　有価証券

①　会社計上の簿価

0

②　税務上の簿価

0

③　①＝②　　∴　0

［受取配当等に関する事項その１］

(1)　みなし配当

5,625,000円

(2)　配当等の額

①　完全子法人株式等

4,000,000円　★

②　関連法人株式等

2,000,000＋400,000＝2,400,000円

③　非支配目的株式等

5,625,000円　★

(3)　控除負債利子の額

①　当期支払負債利子

6,225,000円

計算過程(4)　(単位：円)

［受取配当等に関する事項その２］

②　控除負債利子の額

イ　配当等の額基準額

2,400,000×４％＝96,000円　★

ロ　支払負債利子基準額

①×10％＝622,500円　★

ハ　イ＜ロ　∴　96,000円

(4)　益金不算入額

4,000,000＋(2,400,000－96,000)＋5,625,000×20％＝7,429,000円

計算過程(5)　(単位：円)

［所得税額］

1,148,625円

［欠損金等］（算式★）

30,000,000円＜179,102,258円　∴　30,000,000円

## Ⅱ　納付すべき法人税額の計算

| 区分 | 金額 | 計算過程 |
| --- | --- | --- |
| 所得金額 | 149, 102, 000円 | （千円未満切捨） |
| 法人税額 | 33, 935, 664 | ［法人税額の計算］<br>(1)　年800万円以下の金額<br>$8,000,000 \times \frac{12}{12} = 8,000,000$円<br>(2)　年800万円超の金額<br>149, 102, 000－8, 000, 000＝141, 102, 000円<br>(3)　法人税額<br>(1)×15%＋(2)×23. 2%＝33, 935, 664円<br>（税率に★） |
| 差引法人税額 | 33, 935, 664 | |
| 法人税額計 | 33, 935, 664 | |
| 控除所得税額 | ★　1, 148, 625 | |
| 差引所得に対する法人税額 | 32, 787, 000 | （百円未満切捨） |
| 納付すべき法人税額 | 32, 787, 000 | 完了点　★ |

配点：★１つにつき１点

☆１つにつき２点

【合計 50 点】

## 1．出題概要

### ⑴ 前提の確認

① 業　　種 ➜ 製造業（主たる事業）

② 資 本 金 ➜ 100,000,000円（中小法人）

### ⑵ 出題形式

本問は、オーソドックスな申告調整型の問題となっています。

## 2．当期純利益

問題文の37ページの上から５行目に記載されています。

## 3．租税公課

### ⑴ 還付税金

| 取扱い | 還付金等の区分 | 税務調整 |
|---|---|---|
| 益金不算入 | 前期中間法人税の還付金<br>前期中間地方法人税の還付金<br>前期中間住民税の還付金 | 法人税等還付金等の益金不算入額（減算留保） |
| | 損金不算入の附帯税等に係る還付金<br>所得税額等の還付金<br>欠損金の繰戻しによる還付金 | 所得税額等還付金等の益金不算入額（減算※社外流出） |
| 益金算入 | 事業税の還付金<br>損金算入される附帯税等の還付金<br>還付加算金 | 調整なし（適正） |

### ⑵ 未払事業所税

事業所税は納税申告方式の租税であるため、原則として、当期確定申告分は、当期の損金の額に算入されません。ただし、製造原価に算入した場合には、その算入した金額は、損金経理を要件に損金算入されます。

### ⑶ 役員が科せられた罰金

備考欄に業務中以外のものが30,000円とあるため、75,000円からその30,000円を控除した金額が業務中のものになります。業務中のものは、損金経理罰科金等として加算調整を要しますが、業務中以外のものは、給与となり、役員給与のため損金不算入となります。

## 4．国庫補助金等

### ⑴ 仮受金経理

損金経理又は積立金経理による特別勘定に代えて、仮受金経理による方法も特別勘定の経理として認められます。また、国庫補助金等の返還の要又は不要が確定した場合には、その特別勘定の取り崩し、益金算入をしなければなりませんが、特に問題文において、取り崩したことについての記載がないため、取崩もれとして別表四で調整する必要があります。

⑵　圧縮限度額

先行取得の圧縮記帳であるため、通常の圧縮限度額を簿価ベースの金額にします。また、特別勘定設定後でもあるため、特別勘定の金額までしか圧縮記帳が認められません。

⑶　圧縮超過額

本問の圧縮記帳は直接控除方式によっているため、その圧縮超過額は、会社計上償却費に加算して償却超過額を計算します。

⑷　償却限度額

取得価額は、圧縮記帳により損金の額に算入された金額を控除した金額とされますが、先行取得の場合は、その圧縮記帳により損金の額に算入された金額を取得価額ベースの金額に計算します。先行取得の国庫補助金等の場合の圧縮記帳により損金の額に算入された金額の取得価額ベースの金額は、次の算式により計算した金額となります。

$$\underset{\text{（本問2,360,000円）}}{\text{損金算入圧縮額}} + \underset{\text{（本問100,000円）}}{\text{損金算入償却費累計}} \times \frac{\text{返還不要となった補助金等の額（本問2,400,000円）}}{\text{固定資産の取得価額（本問6,000,000円）}}$$

5．リース取引

⑴　リース取引の判定

法人税法上のリース取引であり、リース期間終了後にリース会社に返還されるものであるため、所有権移転外リース取引に該当します。そのため、償却方法はリース期間定額法となります。

⑵　取得価額及び償却費

取得価額はリース料総額に運搬費・取付費用を加算した金額から残価保証額を控除した金額となります。また、本問はリース料及び運搬費・取付費用を費用計上しているため、当期分のリース料と運搬費・取付費用は、償却費として損金経理した金額となります。

6．借地権

借地権は、基本的に減価しない資産のため、償却することはないですが、更新料を支払った場合は、その更新料を支払わないと期間の終了に伴う減価を補充できないと考えられるため、その減価分だけ損金算入できます。なお、更新料自体は借地権の価額を構成します。

その減価部分の計算は、更新直前の借地権の帳簿価額に借地権の時価に対する更新料の占める割合を乗じた金額となります。

7．貸倒損失

⑴　B社貸倒損失

前期の3月から取引を停止しているため、債務者との取引停止時以後1年以上経過した場合に該当し、備忘価額を控除した金額を貸倒損失として経理していることから、売掛金については貸倒損失が認められます。ただし、この規定は売掛債権の特例であるため、貸付金については認められません。

⑵　**C社貸倒損失**

債務超過の状態が相当期間継続し、売掛金の回収ができないと認められることにより行う書面による債務の免除は、法律上の貸倒損失に該当します。なお、免除されず、貸倒損失とならなかった金額は、個別評価金銭債権の事由に掲げられていないため、一括評価金銭債権に該当します。

⑶　**D社貸倒損失**

更生計画認可の決定により、切り捨てられた金額は、法律上の貸倒損失に該当します。法律上の貸倒損失は、経理要件がないため、経理しなくても、損金の額に算入されます。

したがって、本問は別表四で減算調整します。

**8．D社貸倒引当金**

更生計画認可の決定により、その返済が長期棚上げされているため、個別評価金銭債権になります。4,000,000円のうち20％は切り捨てられ、法律上の貸倒損失に該当し、残額が個別評価金銭債権となります。

令和13年4月まで棚上げされた金額は、その個別評価金銭債権となった事由が生じた日の属する事業年度の翌事業年度開始の日から5年以内に返済予定でないため、基本的に繰入限度額となります。債権総額の70％については10回分割返済とされ、下記図のとおり、そのうち4回については5年以内に返済予定であるため、繰入限度額とはなりませんが、6回分については繰入限度額の計算要素となります。その6回分の金額から担保金額を控除した金額相当額が繰入限度額となります。

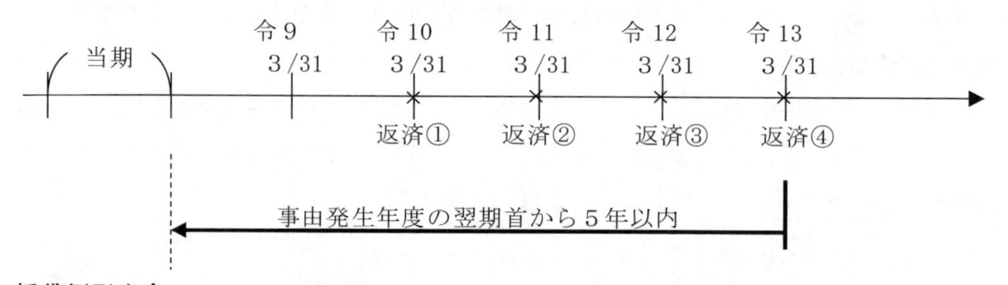


**9．一括貸倒引当金**

⑴　**一括評価金銭債権**

| 売掛金70,000,001＋受取手形45,000,000＋未収入金20,000,000<br>＋貸付金32,000,001＋B社貸倒損失否認899,999－D社貸倒損失認定損及び個別評価金銭債権<br>4,000,000＝163,900,001円 |
|---|

（注）　D社貸倒損失認定損及び個別評価金銭債権については、800,000円が貸倒損失で、3,200,000円が個別評価金銭債権となります。

⑵　**貸倒実績率**

分子の金額は、次のとおりです。前期に個別貸倒引当金の繰入があり、当期に戻入がありますが、当期の戻入は、前期、前々期及び前々々期のいずれの期間にも該当しないため、分子の金額に含めません。

| 前期、前々期及び前々々期の貸倒損失額＋前期、前々期及び前々々期の個別貸倒引当金の繰入の損金算入額－前期、前々期及び前々々期の個別貸倒引当金の戻入の益金算入額 |
|---|

### (3) 繰入限度額の計算

問題文に貸倒実績率によることとあります。

## 10. 自己株式の取得のみなし配当

交付金銭等の額から資本金等の額に対応する部分の金額を控除した金額が、みなし配当の額になります。自己株式の場合の交付金銭等の額は売却価額です。また、資本金等の額に対応する部分の金額は、1株当たりの資本金等の額に譲渡株数を乗じた金額ですが、本問は所有割合1％を乗じて算出します。

## 11. 受取配当等の益金不算入・配当等の区分

みなし配当については、所有割合1％であることから、その他株式等であることが確認できます。

F社株式は、計算期間中継続して完全支配しているため、完全子法人株式等に該当します。

G社株式は、当期末において発行済株式等の100％を取得していますが、計算期間途中において取得したものであるため、完全子法人株式等には該当しません。ただし、計算期間末日（基準日）以前6月以上継続して、発行済株式等の3分の1超を所有しているため、関連法人株式等に該当します。

H社株式は、計算期間末日（基準日）以前6月以上継続して、発行済株式等の3分の1超を所有しているため、関連法人株式等に該当します。

## 12. 所得税額控除

みなし配当に係る所得税等の区分は、その他の区分で期間按分を要しないことに注意して下さい。

## 解答　問題4 総合計算問題

I　所得の金額の計算

| 区分 | | | 金額 |
|---|---|---|---|
| 会社計上当期純利益 | | | 249,400,000円 |
| 加算 | 損金経理法人税 | ★ | 44,000,000 |
| | 損金経理地方法人税 | ★ | 3,818,500 |
| | 損金経理住民税 | ★ | 3,855,500 |
| | 損金経理納税充当金 | ★ | 96,000,000 |
| | 損金経理附帯税等 | ★ | 204,000 |
| | 損金経理罰科金等 | ★ | 120,000 |
| | 移転価格否認（F社） | ★ | 800,000 |
| | 減価償却超過額（機械装置） | ☆ | 3,760,000 |
| | 減価償却超過額（車両） | ☆ | 966,667 |
| | 圧縮積立金積立超過額（L土地） | ☆ | 8,393,600 |
| | 圧縮積立金積立超過額（M建物） | ☆ | 9,226,240 |
| | ゴルフ入会金計上もれ | ☆ | 3,500,000 |
| | 交際費等の損金不算入額 | ☆ | 6,931,000 |
| | 小計 | | 181,575,507 |

| | | | |
|---|---|---|---|
| 減算 | 納税充当金支出事業税等 | ★ | 29,596,800 |
| | B社株式過大計上 | ☆ | 12,839,600 |
| | 受取配当金過大計上 | ★ | 14,000,000 |
| | 適格現物分配益金不算入 | ★ | 6,000,000 |
| | 寄附金認定損 | ★ | 3,200,000 |
| | 車両減額 | ★ | 800,000 |
| | 受贈益の益金不算入額 | ★ | 15,000,000 |
| | 土地原価認定損 | ☆ | 17,280,000 |
| | 圧縮積立金認定損 | | |
| | （L土地） | ★ | 20,000,000 |
| | （M建物） | ★ | 10,000,000 |
| | 受取配当等の益金不算入額 | ☆ | 22,857,846 |
| | 小計 | | 151,574,246 |
| 仮計 | | | 279,401,261 |
| 寄附金の損金不算入額 | | ★ | 3,200,000 |
| 法人税額控除所得税額 | | ☆ | 15,315 |
| 合計・差引計・総計 | | | 282,616,576 |
| 所得金額 | | | 282,616,576 |

計算過程(1)　　　　　　　　　　　　　　　　　　　　　　　　（単位：円）

［租税公課］

納税充当金支出事業税等

90,000,000－49,920,000－2,196,000－8,287,200＝29,596,800 円

［組織再編成］

B社と完全支配関係にあり、現物出資法人に被現物出資法人の株式のみの交付であるため、適格現物出資に該当

(1) 会社計上の簿価　99,000,000円

(2) 税務上の簿価

(23,000,000＋716,000＋60,684,000)＋※1 1,180,000＋※1 580,400＝86,160,400円

※1① 償却限度額

30,000,000×0.9×※2 0.014＝378,000円

※2　$0.027\times\frac{6}{12}=0.014$（小数点以下3位未満切上）

② 償却超過額　1,558,000－378,000＝1,180,000円　★

※2① 償却限度額

(716,000＋684,000)×※2 0.074＝103,600円

※2　$15年\times\frac{12}{6}=30年$（1年未満切捨）　∴　0.074

② 償却超過額　684,000－103,600＝580,400円　★

(3) 過大計上

(1)－(2)＝12,839,600円

［グループ内取引］

1. 現物分配

(1) 受取配当金過大計上

C社と完全支配関係があるため、適格現物分配　∴　20,000,000－6,000,000＝14,000,000円

(2) 適格現物分配益金不算入

6,000,000円

2. 寄附金認定損

25,600,000－22,400,000＝3,200,000 円

3. 移転価格否認（車両減額）

4,800,000－4,000,000＝800,000 円

4. 寄附金の損金不算入（コメント★）

法人による完全支配関係がある内国法人D社に対するものであるため　3,200,000円全額損金不算入

5. 受贈益の益金不算入

法人による完全支配関係がある内国法人G社からのものであるため　15,000,000円全額益金不算入

計算過程(2)　　　　(単位：円)

［グループ内取引により取得した減価償却資産］

1．機械装置

(1) 償却限度額　22,400,000×0.200＝4,480,000円≧22,400,000×0.06552＝1,467,648円

∴　$4,480,000\times\frac{6}{12}=2,240,000$円

(2) 償却超過額　6,000,000－2,240,000＝3,760,000円

2．車　両

(1) 償却限度額　4,000,000×0.400＝1,600,000円≧4,000,000×0.10800＝432,000円

∴　$1,600,000\times\frac{4}{12}=533,333$円

(2) 償却超過額　1,500,000－533,333＝966,667円

［リース取引］

(1) 判　定（判定★）

リース期間の終了後に著しく低い価額で譲渡される　∴　所有権移転リース取引

(2) 償却限度額

※9,780,000×0.400＝3,912,000円≧9,780,000×0.10800＝1,056,240円

∴　$3,912,000\times\frac{5}{12}=1,630,000$円　★

※　9,600,000＋180,000＝9,780,000円

(3) 償却超過額　(1,000,000＋180,000)－1,630,000＝△450,000（切捨）

［借地権の設定］

1．土地帳簿価額の一部損金算入

(1) 判　定（判定★）

$\frac{64,000,000-25,600,000}{64,000,000}=0.6\geqq\frac{5}{10}$　∴　適用あり

(2) 損金算入額　$28,800,000\times\frac{38,400,000}{64,000,000}=17,280,000$円

2．買換え

(1) 差益割合　$\frac{38,400,000-(17,280,000+3,604,800+1,200,000+840,000)}{38,400,000}=0.403$　★

(2) 圧縮限度額

① L土地

36,000,000円＜38,400,000円　∴　36,000,000円

36,000,000×0.403×80％＝11,606,400円

② M建物

50,000,000円＞38,400,000－36,000,000＝2,400,000円　∴　2,400,000円

2,400,000×0.403×80％＝773,760円

(3) 圧縮超過額

① L土地　20,000,000－11,606,400＝8,393,600円

② M建物　10,000,000－773,760＝9,226,240円

計算過程(3)　　(単位：円)

[交際費等その他]

1．ゴルフクラブ入会金　3,000,000＋500,000＝3,500,000円

2．交際費等

(1)　支出交際費等

①　接待飲食費　7,870,000円

②　①以外

14,896,000－530,000－3,000,000－500,000－7,870,000＝2,996,000円

③　合　計

①＋②＝10,866,000円

(2)　損金算入限度額（算式★）

(1)①×50%＝3,935,000円

(3)　損金不算入額

(1)－(2)＝6,931,000円

[子会社の清算]

(1)　みなし配当

20,000,000－20,000,000×50%＝10,000,000円　★

(2)　有価証券

①　会社計上の簿価　0

②　税務上の簿価　0

③　過大計上　①－②＝0

[受取配当等]

(1)　配当等の額

①　完全子法人株式等

5,000,000＋8,000,000＝13,000,000円　★

②　関連法人株式等　10,000,000円

③　非支配目的株式等　100,000円

(2)　控除負債利子の額 162,154円

(3)　益金不算入額

13,000,000＋(10,000,000－162,154)＋100,000×20%＝22,857,846円

[所得税額]

15,315円

Ⅱ　納付すべき法人税額の計算

| 区　　　　　分 | 金　　　額 | 計　　　算　　　過　　　程 |
|---|---|---|
| 所　得　金　額 | 282,616,000円 | （千円未満切捨） |
| 法　人　税　額 | 65,566,912 | ［法人税額の計算］（算式★）<br>100,000,000円≦１億円<br>大法人による完全支配関係あり<br>∴　軽減税率の適用なし |
| 差　引　法　人　税　額 | 65,566,912 | 282,616,000×23.2％＝65,566,912円<br><br>［その他］<br>100,000,000円≦１億円<br>大法人による完全支配関係あり<br>甲社の株主が100％被支配会社でない法人<br>∴　特定同族会社に該当しない<br>留保金課税適用なし |
| 法　人　税　額　計 | 65,566,912 | |
| **控　除　所　得　税　額** | ★　15,315 | |
| 差引所得に対する法人税額 | 65,551,500 | （百円未満切捨） |
| **中間申告分の法人税額** | ★　44,000,000 | |
| 納付すべき法人税額 | 21,551,500 | 完了点　★ |

配点：★１つにつき１点

☆１つにつき２点

【合計 50 点】

〈解説〉

**1．出題概要**

**⑴　前提の確認**

① 業　　種 ➜ 製造業及び販売業

② 資 本 金 ➜ 100,000,000円。ただし、大法人である乙社に完全支配されているため、中小法人以外

③ 非同族の同族会社のため、留保金課税の適用なし

④ 甲社と完全支配関係がある内国法人 ➜ 乙社、A社、B社、C社、D社、E社、G社

⑤ 甲社の国外関連者 ➜ F社

**⑵　出題形式**

本問は、オーソドックスな申告調整型の問題となっています。

**2．当期純利益**

50ページの問題文中に示されています。

**3．租税公課**

**⑴　納税充当金支出事業税等**

納税充当金取崩額から納税充当金取崩納付法人税本税、地方法人税本税及び住民税本税を控除した金額となりますが、本問は、納税充当金取崩納付事業税及び任意取崩額の合計額と一致します。

**⑵　不納付加算税及び延滞税**

附帯税等として加算調整となります。

**⑶　使用人が業務中に課された交通反則金**

業務外であれば、使用人給与となり、損金算入となりますが、業務中のため、罰科金等として加算調整となります。

**⑷　当期中間分法人税等**

中間申告分の租税につき、損金経理により支払っていることが確認できます。

**⑸　当期確定分法人税等**

確定申告分の租税につき、納税充当金に計上していることが確認できます。

**4．組織再編成**

**⑴　適格現物出資**

完全支配関係がある法人間における現物出資で、その対価が被現物出資法人の株式のみであるため、適格現物出資に該当します。課税関係は、資産の移転等につき簿価譲渡の取扱いとなります。

**⑵　簿価譲渡**

簿価譲渡によって収受する対価は、その移転する資産等の税務上の帳簿価額の合計額となります。本問の場合は、荷扱所用建物の税務上の帳簿価額、事務机等の税務上の帳簿価額と荷扱所敷地の税務上の帳簿価額との合計額となります。

荷扱所敷地の帳簿価額は会社計上と税務上とで一致していますが、荷扱所用建物及び事務机等の帳簿価額は、会社計上と税務上とで異なっています。

**(3) 荷扱所用建物の償却限度額**

適格組織再編成により、移転する減価償却資産については、移転した事業年度において、償却費の損金算入が認められています。

ただし、移転した日（組織再編成の日）の前日において事業年度が終了するものと仮定し、償却限度額を計算します。本問の現物出資日は令和７年10月１日であることから、その前日に終了したとすると事業年度が６月となります。

本問はこの荷扱所用建物につき、事業年度が６月として償却限度額を計算します。

償却率等は事業年度が１年であることを前提として規定されていますので、事業年度が１年未満の場合は、償却率又は耐用年数、改定償却率を調整していきます。

旧定額法の場合は償却率の調整を行います。

$$\text{通常の償却率}\times\frac{\text{当社の事業年度開始の日から適格現物出資の日の前日までの期間（6月）}}{12}$$

＝××（小数点以下３位未満切上）

本問は、償却超過額が生じ、会社計上の減価償却費によって、帳簿価額を減らしすぎたことになるため、税務上の帳簿価額の計算上、その償却超過額を加算します。

また、償却超過額の税務調整が生じますが、荷扱所用建物は移転するため、償却超過額認容が生じます。この場合、荷扱所用建物償却超過額につき同額の加算留保と減算留保が生じ相殺されるため、荷扱所用建物償却超過額及び荷扱所用建物償却超過額認容の税務調整は省略されます。

**(4) 事務机等の償却限度額**

上記(3)と考え方は同じですが、旧定率法のため、耐用年数の調整を行っていきます。

$$\text{法定耐用年数}\times\frac{12}{\text{当社の事業年度開始の日から適格現物出資の日の前日までの期間（6月）}}$$

＝××（小数点以下切捨）

なお、期首帳簿価額にするために、現物出資直前の帳簿価額に当期償却費を加算します。

## ５．グループ内取引

**(1) 現物分配**

適格現物分配とは、内国法人を現物分配法人とする現物分配のうち、その現物分配により資産の移転を受ける者がその現物分配の直前においてその内国法人との間に完全支配関係がある内国法人のみであるものをいいます。したがって、本問の現物分配は適格となり、簿価譲渡の取扱いとなります。収益計上額も簿価に対応する金額であり、本問は、時価を計上しているため、過大計上となります。また、適正な収益計上額部分は益金不算入となります。

**(2) Ｄ社からの機械装置の取得**

Ｄ社からの機械装置の取得は、通常であれば時価相当額（通常の取引価額）の22,400,000円で購入するものです。それを25,600,000円支出して購入しているため、3,200,000円が贈与となり、寄附金となります。

会社におけるその機械装置の取得の仕訳は、次のとおりです。

（機　械　装　置）　25,600,000円　（現　金　預　金）　25,600,000円

その税務上の仕訳は、次のとおりです。

（機　械　装　置）　22,400,000円　（現　金　預　金）　25,600,000円
（寄　　附　　金）　3,200,000円

会社の仕訳では、寄附金の分の費用がもれています。したがって、寄附金認定損3,200,000円（機械装置減額でもよいです。）と減算するとともに、寄附金の額に集計します。減価償却の計算も、取得価額22,400,000円により計算します。

**(3)　F社からの車両の取得**

D社からの機械装置の取得と同様に高価買入れとなりますが、F社は甲社の国外関連者に該当（問題文にあります。）しますので、時価（独立企業間価格）と購入金額との差額は、寄附金とならず、移転価格否認とされます。

会社におけるその車両の取得の仕訳は、次のとおりです。

（車　　　　　両）　4,800,000円　（現　金　預　金）　4,800,000円

その税務上の仕訳は、次のとおりです。

（車　　　　　両）　4,000,000円　（現　金　預　金）　4,800,000円
（費　　　　　用）　800,000円

会社の仕訳では、費用がもれています。よって、車両減額800,000円と減算するとともに、移転価格否認の調整をします。減価償却の計算も、取得価額4,000,000円により計算します。

**(4)　G社からの土地の受贈益**

法人による完全支配関係がある内国法人G社からの贈与のため、受贈益の益金不算入が適用されます。なお、外国法人が介在していますが、相手方が完全支配関係のある内国法人であれば、適用ありとなります。

**6．リース取引**

**(1)　リース取引の判定**

法人税法上のリース取引であり、リース期間終了後に甲社に著しく低い価額で譲渡（名目的な対価の額でその賃借人に譲渡）されるものであるため、所有権移転リース取引に該当します。そのため、償却方法は、通常の減価償却資産と同じとなり、本問は償却方法の選定の届出をしていないことから、法定償却方法である200％定率法となります。

**(2)　取得価額**

リース資産の取得価額は、原則としてリース料の総額となります。ただし、法人がその一部を利息相当額として区分した場合には、その区分した利息相当額を控除した金額となりますが、本問は会社の経理で区分しておらず、支払利息も取得価額に算入しているため、原則どおりの取得価額となります。

## 7．借地権の設定

### ⑴　土地の帳簿価額の一部損金算入

本問は、建物の所有を目的とする借地権の設定であり、設定直前の土地の時価に比して、設定直後の土地の時価は10分の５以上の価額の低下があるため、一定の金額をその設定日の属する事業年度の損金の額に算入します。

### ⑵　損金算入額

設定直前の帳簿価額に設定直前の土地の時価に対する権利金収入（借地権の価額）の占める割合（借地権の価額に対応する割合）を乗じた金額が損金算入額となります。

## 8．権利金収入を対価とする買換え

### ⑴　買換えの適用

国内に所在する事業用の建物の敷地である土地等で、所有期間が10年を超えるものの譲渡であり、国内に所在する土地等及び建物を買換資産とするものであるため、３号買換えに該当します。

### ⑵　譲渡対価、譲渡原価及び譲渡経費

譲渡対価は権利金収入であり、譲渡原価は土地帳簿価額の一部損金算入額です。譲渡経費は、取り壊したＫ建物の帳簿価額、取壊費用及びその他の借地権の設定の経費が該当します。

### ⑶　面積制限

本問のＪ土地は面積が250㎡であり、買換資産であるＬ土地の面積は1,200㎡であることから、譲渡した土地の５倍以内のため、面積制限はありません（借地権の設定の場合の買換えの面積制限の計算は、通常と同じ計算です。）。

## 9．交際費等その他

ゴルフの会員権は資産計上しなければならず、その購入のために要した費用がある場合には、その費用も同様に資産計上を要します。本問はその購入のために要した名義書換料500,000円が費用計上されているため、その費用についても加算調整をしなければなりません。

## 10．子会社の清算

みなし配当の額は、交付金銭等の額のうち資本金等の額以外の金額となります。

本問の交付金銭等の額は残余財産の分配金20,000,000円であり、資本金等の額は問題文に20,000,000円とあり、50％の所有割合です。したがって、みなし配当は10,000,000円（＝20,000,000－20,000,000×50％）となります。配当等の区分は、甲社が３分の１超の所有をしているため、関連法人株式等となります。

また、他に資料がなく、当期に清算したとあるため、当期において、一括して残余財産の全部の分配を行ったと考えていくことになります。

### 11. 受取配当等の益金不算入

配当等の区分は、Ｂ社とＣ社に対しては完全支配関係があることから、その株式等は完全子法人株式等となり、Ｏ社株式については、注書きで所有割合が１％未満となっているため、非支配目的株式等株式等となります。

答案用紙

## 問題1　留保と社外流出（別表四の処分欄の記載）

所得の金額の計算に関する明細書

| 事業年度 | R7.4.1<br>R8.3.31 | 法人名 | ネットスクール株式会社 |
|---|---|---|---|

| 区分 | | 総額 | 処分 | |
|---|---|---|---|---|
| | | | 留保 | 社外流出 |
| 当期純利益 | | 円<br>32,550,000 | 円 | 円<br>9,000,000 |
| 加算 | 損金経理法人税 | 5,120,000 | | |
| | 損金経理地方法人税 | 609,400 | | |
| | 損金経理住民税 | 615,400 | | |
| | 損金経理納税充当金 | 12,000,000 | | |
| | 損金経理附帯税等 | 40,000 | | |
| | 減価償却超過額 | 1,214,000 | | |
| | 商品計上もれ | 954,000 | | |
| | 一括貸倒引当金繰入超過額 | 1,148,000 | | |
| | 交際費等の損金不算入額 | 3,492,000 | | |
| | 役員給与の損金不算入額 | 2,700,000 | | |
| | 仮払交際費消却否認 | 320,000 | | |
| | 土地圧縮超過額 | 1,200,000 | | |
| | 小計 | 29,412,800 | | |
| 減算 | 減価償却超過額認容 | 854,000 | | |
| | 納税充当金支出事業税等 | 2,540,000 | | |
| | 受取配当等の益金不算入額 | 982,000 | | |
| | 商品計上もれ認容 | 946,000 | | |
| | 貸倒引当金繰入超過額認容 | 720,000 | | |
| | 収用等の所得の特別控除額 | 14,800,000 | | |
| | 貸付金過大計上 | 91,000 | | |
| | 仮払交際費認定損 | 129,000 | | |
| | 返品調整引当金繰入超過額認容 | 19,500 | | |
| | 小計 | 21,081,500 | | |
| 仮計 | | 40,881,300 | | |
| 寄附金の損金不算入額 | | 600,000 | | |
| 法人税額控除所得税額 | | 792,000 | | |